BEIHEFTE ZUR
ZEITSCHRIFT FÜR ROMANISCHE PHILOLOGIE

BEGRÜNDET VON GUSTAV GRÖBER
FORTGEFÜHRT VON WALTHER VON WARTBURG
HERAUSGEGEBEN VON KURT BALDINGER

Band 139

THEODOR BERCHEM

STUDIEN ZUM FUNKTIONSWANDEL BEI AUXILIARIEN UND SEMI-AUXILIARIEN IN DEN ROMANISCHEN SPRACHEN

Morphologisch-syntaktische Untersuchungen
über
gehen, haben, sein

MAX NIEMEYER VERLAG TÜBINGEN
1973

Als Habilitationsschrift auf Empfehlung der
Philosophischen Fakultät der Universität Erlangen-Nürnberg
gedruckt mit Unterstützung der Deutschen Forschungsgemeinschaft

ISBN 3-484-52044-2

©

Max Niemeyer Verlag Tübingen 1973
Herstellung durch Allgäuer Zeitungsverlag GmbH Kempten/Allgäu
Einband von Heinr. Koch Tübingen

VORWORT

Vorliegende Arbeit beschäftigt sich mit einem Komplex von Fragen, die z. T. bereits mehrfach das Interesse der Forschung gefunden haben. Die angegangenen Probleme, obwohl im einzelnen recht verschieden, lassen sich unter dem Generalthema »Funktionswandel« subsumieren. Die Schwierigkeit der behandelten recht eigenartigen Phänomene aus dem Bereich der Morphosyntax und die Unzulänglichkeit der bisher vorgeschlagenen Lösungen, soweit es überhaupt welche gibt, haben uns gereizt, selbst nach neuen Ansätzen zu suchen, und wir hoffen, nicht zuletzt dank neuer von uns beigebrachter Materialien, in einigen Punkten wenigstens einen Schritt vorangekommen zu sein, in anderen aber auch definitive Lösungen erbracht zu haben.

Das Manuskript dieser Untersuchung war bereits im Jahre 1966 abgeschlossen. Die baldige Übernahme eines Lehrstuhls mit allem, was damit heute verbunden ist, und ein sehr starkes Engagement in Universitätsselbstverwaltung und Hochschulpolitik haben die Publikation immer wieder verzögert. Auch unser ursprünglicher Plan, die Arbeit um ein allgemeines Kapitel zum Funktionswandel sowie zur Periphrasenbildung zu erweitern, ist diesen Umständen zum Opfer gefallen. Bibliographisch wurden die wenigen seit 1966 erschienenen einschlägigen Arbeiten mit erfaßt.

Besonderen Dank schulden wir Herrn Kollegen Baldinger für die prompte Übernahme unserer Untersuchung in seine Reihe und das geduldige Warten auf das druckfertige Manuskript. Desgleichen gilt unser Dank der Deutschen Forschungsgemeinschaft für den Druckkostenzuschuß und dem Verlag Niemeyer für die sorgfältige verlegerische Betreuung und die sehr korrekte Ausführung des nicht leichten Satzes (drei verschiedene Transkriptionsverfahren!). Vor allem aber richtet sich unser Dank an unsere bewährten Mitarbeiter Herrn Priv.-Doz. Dr. K. Reichenberger, Herrn Dr. O. Gsell und Herrn Ass. H. Nickel für ihre stets bereite Hilfe und die mühsame Arbeit des Korrekturlesens.

Würzburg, im März 1973   Theodor Berchem

INHALTSVERZEICHNIS

ERSTER TEIL

GEHEN

DAS *VADO*- PERFEKT

I
ALLGEMEINES UND GEOGRAPHISCHE
AUSDEHNUNG DER KONSTRUKTION

Die Konstruktion, die man im allgemeinen nicht sehr glücklich mit
periphrastischem Perfekt bezeichnet – *j'ai couru* oder *je suis parti* sind ja
doch auch periphrastisch – und für die wir den Namen »*vado*-Perfekt«
vorschlagen, stellt ein schwieriges, interessantes und vielfach beachtetes
Problem der romanischen Sprachwissenschaft dar. Wir sind also nicht
der erste Bearbeiter[1] dieses Phänomens und ohne jeden Zweifel auch nicht
der letzte[2]. Es wird im Detail die Forschung noch lange beschäftigen, da
nach unserer Meinung noch viele strukturelle Einzelanalysen von Texten
geliefert werden müssen, manche Datierungsfragen noch ungeklärt sind,
manche syntaktischen Vorarbeiten[3] noch gänzlich fehlen und die kulturellen und sprachlichen Beziehungen zwischen den hier in Frage kommenden Gebieten auch noch sehr viele Fragen offen lassen.
Unser Problem betrifft vor allem das Französische, Gaskognische, Kata-

---

[1] Wir verweisen auf unser Madrider Referat *Considérations sur le parfait
périphrastique* vado + infinitif *en catalan et gallo-roman* (1965).
[2] Für das Katalanische werden wir wohl bald eine erschöpfende Darstellung
des Problems in der Habilitationsschrift G. Colóns besitzen, die 1959 vor-
gelegt, jedoch leider bis jetzt nicht veröffentlicht wurde. Einige Ergebnisse konnte Colón auf dem Lissaboner Romanistenkongreß 1959 mitteilen. Siehe *Le parfait périphrastique catalan »va + infinitif«*, Actes du
IXe Congrès International de Linguistique Romane, Lissabon 1961, Bd. I,
S. 165–176.
Die 1971 als Beiheft 127 erschienene, von E. Coseriu angeregte Dissertation Br. Schlieben-Langes, *Okzitanische und katalanische Verbprobleme*,
ist der vorläufig letzte Beitrag, der sich u. a. auch mit dem *vado*-Perfekt
beschäftigt. Die sehr schöne und gut fundierte Arbeit berührt sich an
manchen Punkten mit der unsrigen; zumeist sehen wir darin unsere Auffassung entweder bestätigt oder ergänzt. Eine Verarbeitung der Resultate
Schlieben-Langes war uns nicht mehr möglich.
Der 1968 erschienene Artikel von H. Mendeloff, *The Catalan Periphrastic
Perfect Reconsidered*, RoJb XIX, S. 319–326, führt zu keinen neuen Ergebnissen.
[3] Z. B. Studien über den Zeitengebrauch im allgemeinen, über die Consecutio temporum im besonderen.

lanische und Provenzalische, Sprachen also, die zur Westromania gehören. Die Ostromania, vor allem das Rumänische und Italienische, können wir für unsere Fragestellung außer acht lassen. Hier gibt es zwar die Umschreibung mit einer finiten Form von *gehen* + folgendem Infinitiv, beides durch eine Präposition verbunden, doch bleiben die Bedeutungen der zwei in Kontakt tretenden Verben noch sehr wohl geschieden. Obwohl wir es in der Wendung »schlafengehen« im Deutschen mit einer ziemlichen Abnutzung des ursprünglichen Sinnes von *gehen* zu tun haben, ist die Idee der Fortbewegung doch jedem noch bewußt. Stärker tritt sie in Erscheinung bei *ich gehe kaufen* oder *ich gehe spielen*. Ähnlich verhält es sich für das Rumänische und Italienische, wo man *mă duc la culcare, la cumpărare, la jucare* bzw. *vo a coricarmi, a comprare, a giocare* sagt. Das Italienische kennt auch einen etwas weiter entwickelten Gebrauch von *andare*, um eine inchoative Aktionsart auszudrücken: *il rumore andava a divenir grande*[4]. Seltener noch als dieser Gebrauch ist jener, den Filzi[5] erwähnt:»Una combinazione poco usata è *andare* + *a* + infinito, che con valore di presente esprime molte volte il sentimento di colui che parla che l'azione non avrebbe dovuto avvenire: ven. *el va a farse imbrogiar da quel furbo* (si lascia ingannare); bol. *a voi mo veder cmo va a finir sta bozia* (come finirà il gioco); tosc. *va a perdersi in quelle faccende*; nap. *Vedite chilla a chi iette a ngannà* (Giac. nap. 235), (S. Val.) *S'è ghiuto a nnamurà de na fraschella* (Atrp. VI, 194); cal. (Reg.) *Cu lu chiantu va tuttu a terminari* (termina tutto) (Cpit. II, 250).«

Das Spanische und Portugiesische wollen wir ebenfalls aus unseren Betrachtungen ausklammern, obwohl hier die Umschreibungen mit *ir* wesentlich geläufiger sind als im Italienischen und Rumänischen. Abgesehen von stereotypen Verbindungen, in denen der semantische Eigenwert von *gehen* recht verblaßt erscheint, z. B. in span. *voy a verte* »ich besuche dich«, *voy a buscarla* »ich hole sie ab«, finden wir hier *ir* als Werkzeug zur Futurbildung[6], und zwar im Spanischen *ir* + *a* + Infinitiv, im Portugiesischen *ir* + Infinitiv ohne Präposition[7]: span. *va a llover hoy*, port. *vai chover hoje* »es wird heute regnen«. Bis zum 13. Jahrhundert gab es auch im Spanischen den präpositionslosen Infinitiv nach den Verben der Bewegung, doch dann setzte sich *a* mehr und mehr durch.

Die Umschreibung des abstrakten Verbalbegriffs mit einer Form von *ir* war auch im Altspanischen und Altportugiesischen recht verbreitet, und zwar nicht nur in den Fällen, in denen das Subjekt sich wirklich fortbe-

---

[4] Vgl. Rohlfs, *Hist. Gr. d. it. Spr.* III, S. 21f.

[5] *Contributo alla sintassi dei dialetti italiani*, S. 79.

[6] Die erste Pers. Pl. von *ir* tritt auch z. B. bei der umschriebenen Imperativbildung auf: *vamos a cantar* »laßt uns singen« gegenüber einfachem *cantemos*.

[7] *ir* kann auch im Portugiesischen mit *a* auftreten, meistens in der Bedeutung »im Begriffe stehen«: *Ia a sair da casa quando* ...

wegt, sondern auch mit einer schon abgeschwächten bzw. weiterentwickelten Bedeutung von *gehen*. Es bleibt zu klären, inwieweit die ursprünglichen Ansätze in diesen beiden Sprachen mit denen im Französischen, Gaskognischen, Katalanischen und Provenzalischen übereinstimmen. Immerhin ist die Umschreibung mit präsentischem und präteritalem *ir* im Altspanischen schon häufiger erwähnt worden. Meyer-Lübke[8] zitierte bereits den Cid:

> Vers 367   *salieron de la eglesia, ya quieren cavalgar.*
>   368   *El Çid a doña Ximena ívala abraçar;*
>   369   *doña Ximena al Çid la manol va besar,*

und H. Kuen[9] führte ein weiteres Beispiel an:

> 2091   *Luego se levantaron iffantes de Carrión,*
>   *ban besar las manos al que en ora buena naçió;*

Auch die *Vida de Santa María Egipciaca* bietet solche Konstruktionen in Fülle, und im *Poema de Yuçuf* sind sie noch weitaus häufiger, vielleicht deshalb, weil es sich um einen aragonesischen Text handelt[10]:

> *Desque se vieron lejos, veredes que fueron a far:*
> *derrocanle del cuello, en tierra lo van a posar.*
> *Cuando esto vido Yusuf, por su padre fue a sospirar*[11].

Im älteren Portugiesischen scheint vor allem die Umschreibung mit dem Perfekt *fui, foste, foi* etc. häufig aufzutauchen: *fui cantar, fui rogar, foi amar, foste fazer* usw.[12].

---

[8] *Das Katalanische*, § 107. Wir zitieren die Verse nach der Ausgabe von Menéndez-Pidal. Zum Problem vgl. man auch dessen *Cantar de mio Cid*, 2. Teil, § 160.
Weitere Umschreibungen mit *ir* im Cid finden sich etwa in den Versen 298, 400, 415, 547, 553, 655, 692, 694, 718, 1203, 1516 etc.

[9] *Die sprachlichen Verhältnisse auf der Pyrenäenhalbinsel*, *ZRP* 66, 1950, S. 112.

[10] *ir* taucht hierbei meistens in einer Form der Vergangenheit auf. Das ändert aber grundsätzlich nichts an der Erscheinung, da wir das Schwanken zwischen präsentischem und perfektischem Gebrauch von *gehen* in allen alten Texten antreffen.

[11] Wir zitieren nach der *Antología de la literatura española de la edad media* von E. Kohler, S. 175.

[12] Vgl. Meyer-Lübke, *op. cit.*, S. 105, Anm. 1, sowie A. Gassner, *Die Sprache des Königs Denis von Portugal*, *RF* 22, S. 421, der folgendes Beispiel zitiert:
> *Senhor, desquando vos* vi
> *e que* fui *vosco* falar,
> *sabed'agora per mi*
> *que tanto* fui *desejar*
> *vosso bem.*

In der *Crestomatia arcaica* von J. J. Nunes finden sich Beispiele u. a. auf den SS. 227, 270, 271, 282, 300, 338 etc.

Wir wollen uns im folgenden auf ein paar wesentliche Fragen des Hauptgebietes der *vado*-Konstruktion beschränken und vor allem methodische Probleme anschneiden. Wie bei vielen Bereichen der Wissenschaft kann man sich auch betreffs des *vado*-Perfekts[13] vier Fragen stellen, deren Beantwortung die Lösung des Problems darstellt: 1. *wo*, 2. *wann*, 3. *wie* und 4. *warum*.

Die Beantwortung der Frage 1 haben wir bereits vorweggenommen und festgestellt, daß das *vado*-Perfekt im Französischen, Gaskognischen, Katalanischen und Provenzalischen auftritt, d. h. zumindest in den älteren Phasen der einzelnen Sprachen, da wir für die heutige Zeit das Französische und Provenzalische, global gesehen[14], ausklammern müssen.

---

[13] Wir beschäftigen uns im weiteren nur mit den Formen der Umschreibung, bei denen *gehen* im Präsens erscheint. Man sollte sich aber stets bewußt sein, daß ursprünglich vor allem das Perfekt hierzu in Konkurrenz trat.

[14] Die provenzalische Mundart von Guardia Piemontese (P. 760 des *AIS*) besitzt z. B. noch heute die *vado*-Umschreibung und hat sie vollkommen grammatikalisiert wie das Katalanische. Man vgl. hierzu das Kapitel über Guardia Piemontese.

Auch im Languedokischen scheint das *vado*-Perfekt heute noch gelegentlich aufzutreten, obwohl hier die Umschreibung mit einer finiten Form von *anar* und einem folgenden Infinitiv entweder die Fortbewegung *(ich gehe singen, vau cantar)* oder das nahe Futur ausdrückt *(ich werde sogleich singen)*. Dieser Gebrauch entspricht also genau dem nordfrz. *je vais chanter*. Bei L. Alibert, *Gramatica Occitana*, Bd. II, S. 68, heißt es wörtlich: »Lo meteis verb al present o al preterit [es handelt sich um *anar*] pot donar un preterit perifrastic d'usatge reduit dins la lenga actuala.« Interessanter noch ist der am gleichen Ort zitierte Gebrauch der präsentischen und imperfektischen Umschreibung in Konditionalsätzen, den wir auch im heutigen Gaskognisch antreffen, wie wir weiter unten zeigen werden: »Una mena de plus que perfait se construis amb lo present e l'imperfait d'*anar*. E usitat dins de frasas condicionalas. Ex.: *Si solament anavan saber gardar lo capón* (Fois.). | *Se va saber escriure, Joan Peire auriá portat tres galons* (Vermenoza). | *Se vau saber aquò, – ço ditz – auriá marnat* (Vermenoza). | *Li torçiá lo col, s'anava repugnar* (Teatre de Beziers).« In diesen *si*-Sätzen entsprechen *anavan saber, va saber* usw. einem franz. *s'ils avaient su, s'il avait su* usf. Es mag nicht unangebracht sein, hier zu bemerken, daß auch im Altprovenzalischen das Perfekt (vgl. hier *se vau saber*) manchmal das Plusquamperfekt im abhängigen Satz vertritt. Cf. *Altprov. Elementarbuch*, S. 130.

II
ZEITPUNKT DER ENTSTEHUNG

Die zweite zu beantwortende Frage, wann nämlich der Gebrauch des *vado*-Perfekts sich endgültig in grammatikalisierter Form durchsetzte, ist wesentlich schwieriger zu beantworten und erfordert eine Reihe grundsätzlicher Bemerkungen. Von den vielen Bedeutungen, die die Formel *vado cantare* in einem Text besitzen kann, interessiert uns in unserem Zusammenhang nur die, die »ich sang« oder »ich habe gesungen« *(cantavi)* heißt, und zwar soll dieser Sinn nicht nur durch den Kontext oder die Situation bestimmt sein, sondern der Formel absolut inhärieren, so daß sie in isolierter Stellung von jedem Sprecher der in Frage stehenden Sprachen als Perfektum verstanden wird oder zumindest verstanden werden kann. Wir wollen uns noch präziser ausdrücken: Eine bestimmte sprachliche Formel kann natürlich mehrdeutig sein und nur innerhalb eines Kontextes oder einer Sprechsituation eindeutig werden. Dies hindert aber den jeweiligen Sprecher nicht daran, in isolierter Stellung diese sprachliche Formel als mehrdeutig zu erkennen. Die isolierte Form *amamos* wird ein Spanier ohne Schwierigkeit sowohl als Präsens wie auch als Perfekt deuten können, und der Franzose ist sich bei *je vais chanter* ebenfalls der doppelten Bedeutung »ich gehe singen« oder »ich werde singen« bewußt.

Im altfranzösischen Rolandslied oder in der *Chanson d'Aspremont* wie auch in vielen anderen altfranzösischen Texten finden sich viele *vado*-Umschreibungen, die sich häufig in präteritaler Nachbarschaft befinden und die man legitimerweise in einer eleganten deutschen Übersetzung auch als Präterita übersetzen kann[15]:

> *Roland*
> 499 *Quant l'oït Guenes, l'espee en ad branlie,*
> 500 *Vait s'apuier suz le pin a la tige.*

[15] Die Idee der Fortbewegung ist meistens noch sehr deutlich oder aber zumindest nicht ausgeschlossen.
Als Stellennachweise für die *Chanson d'Aspremont* seien z.B. die Verse 2529, 3202, 3303, 4670, 4707, 5544, 7010, 7268, 7350, 7493, 9780, 10147, 10218, 10248, 10250, 10804, 10968 genannt.
Im Roland findet sich die Periphrase in den Versen 500, 1185, 1198, 1246, 1382, 1407, 1676, 2062, 2129, 2169, 2200 etc. Besonders häufig ist *vait ferir*, *vunt ferir* anzutreffen, das zum formelhaften epischen Stil zu gehören scheint.

3567   *Enmi le camp amdui s'entrencuntrerent,*
3568   *Si s(e) vunt ferir, granz colps s'entredunerent*

Aspremont
4707   *Eaumes l'a traite el vait ferir Ogier:*
4708   *A mont en l'iaume le cuida essaier;*

4722   *Qant vit Ogier et Aumon en estant,*
4723   *Aidier li vait, si feri Boïdant*
4724   *Tot le fendi desci qu'es dens devant.*

Niemand wird jedoch behaupten können, in diesen Texten habe die Umschreibung *vado* + Infinitiv[15a] grundsätzlich die Bedeutung der Vergangenheit. Man wird für die ältesten Texte nicht einmal immer sagen, es handle sich um ein historisches Präsens, sondern wir haben es hier wohl z. T. mit präsentischer Darstellung schlechthin zu tun, und der ständige Wechsel zwischen präsentischen und präteritalen Verbalformen ist ein überraschendes, noch nicht eindeutig geklärtes[15b], aber allgemein bekanntes Phänomen mittelalterlicher Sprache.

Die Darstellung einer vergangenen Begebenheit als gegenwärtig ist ein in der täglichen Umgangssprache sehr beliebtes Verfahren, das man für die meisten Sprachen nachweisen kann. Dieses Mittel zur Belebung der Darstellung und zur Intensivierung des erwünschten Effektes kann noch verstärkt werden durch die Umschreibung des Verbalbegriffs mit *gehen,* wodurch eine Aufteilung in zwei Elemente ermöglicht wird, von denen das erste zur Bezeichnung von Person und Zeit, evtl. auch Modus, dient, das zweite der eigentliche Begriffsträger ist, beide zusammen aber dem zu Bezeichnenden eine ungleich größere Plastizität verleihen als die entsprechende nicht-umschriebene Verbalform. Da nun das erste Element ein Verbum der Bewegung ist und diesen Verben eine Tendenz zur Präsentifizierung eignet, wird man sich nicht sonderlich wundern dürfen, daß die Umschreibung mit *gehen* so häufig im Präsens steht. Es sei erlaubt, zu diesem Phänomen Havers zu zitieren, der vom *historischen Präsens* spricht, einer Bezeichnung, die uns viel zu allgemein und manchmal irreführend scheint: „Man beobachtet überhaupt mannigfache Übereinstim-

---

[15a] Eine umfangreiche, wenn auch nicht in allen Deutungen zu billigende Untersuchung über die nicht-futurische Umschreibung mit *aller* im Französischen stellt die Dissertation von W. Assmann dar: *Die nichtfuturische Umschreibung des französischen Verbums durch »aller« + Infinitiv« unter besonderer Berücksichtigung des sogenannten »erfolgreichen aller«,* Naumburg 1913 (Diss. Göttingen). Diese Arbeit, die auf rund 100 S. sehr viel Material bringt, scheint in den einschlägigen Untersuchungen zum Thema nirgends berücksichtigt worden zu sein. So zitiert sie z.B. weder Gougenheim, *Etude sur les périphrases verbales,* noch Siebenschein, *Aller + infinitive in Middle French Texts,* Stud. Neoph. XXVI, S. 115ff.

[15b] Vgl. hierzu jetzt Stefenelli-Fürst, *Die Tempora der Vergangenheit in der Chanson de Geste,* die von Perspektivenwechsel spricht. S. auch unsere Bespr. in FM 36, S. 346f.

8

mungen der einzelnen Sprachen im Gebrauch dieses Präsens, vgl. . . . die Vorliebe gewisser Verben für dieses Praes. hist., z. B. der Verba der Bewegung. Lehrreich ist besonders eine Stelle wie Rosegger Der Adlerwirt von Kirchbrunn S. 106: *Dort hat der Schoppen-Rüppel ein Gütel gehabt und zwei Söhne, meinen Bruder Juch und mich, den Schubhart. Und da geht einmal am Frohnleichnamstag [sic] nach dem Umgang, er hat noch den Himmel tragen helfen, der Schoppen-Rüppel her und verstirbt.* Wir haben hier nicht nur die dem lat. *ibi* entsprechende anschauliche Pronominalform *da* vor dem Praes. hist., sondern auch die für die verba movendi typische sog. enumerative Redeweise mit Abtrennung eines Hilfsverbums *(geht)* zwecks kräftigerer Hervorhebung des Hauptgedankens.«[16]

Auch das *vado*-Perfekt ist eine volkstümliche, vulgäre Bildung. Man darf annehmen, daß sie schon seit geraumer Zeit existierte, ehe man sie in den Texten antrifft; denn der gute Sprachgebrauch vermied diese Konstruktion oder bemühte sich jedenfalls, sie zu vermeiden. Die *Leys d'amors* (III, 392) zählen sie zu den *pedas*[17], den Flickwörtern oder Flickkonstruktionen, und eine katalanische Poetik aus dem 16. Jahrhundert[18] führt sie ebenfalls als *vici en dictio anomenat pedas* auf: »Tenim nosaltres un pedas molt comu y es *va, vas, varem, vareu* axi com *va venir, vas dexar pendre,* en lloc del qual se dira millor *vingue, dexas pendre;* pero si altre no·s pot fer, tindra excusa». Auch aus zahlreichen katalanischen Grammatiken moderner Zeit ergibt sich der Eindruck, daß man sich in elegantem und gutem Stil des ererbten lateinischen Perfekts *porti, temi, dormi, begui* statt des umschriebenen *vaig portar, vaig temer, vaig dormir, vaig beure* bedienen sollte.

Trifft man nun in den alten Texten auf eine *vado*-Umschreibung, so kann es sich sehr wohl um die Perfektperiphrase handeln, die man der Unachtsamkeit des Autors zuzuschreiben hat. Es ist aber auch nicht ausgeschlossen, daß zu einer wesentlich späteren Zeit ein Kopist eine Reihe der alten Perfekte durch *vado*-Umschreibungen ersetzt hat, ohne daß wir in der Lage wären, im Einzelfalle nachzuweisen, was auf das Konto des Autors oder des Kopisten geht. Die grundsätzliche Möglichkeit aber kann man z. B. an dem provenzalischen Text der *Gesta Karoli Magni ad Carcassonam et Narbonam*[19] dartun. Der provenzalische Text, von dem wir auch die

---

[16] *Handbuch der erklärenden Syntax*, S. 154. Man vgl. bezüglich der Auflösung in zwei flektierte Elemente die südamerikanische Ausdrucksweise: *No se levante, porque va y se cae (= va a caerse bzw. se caerá).* Cf. F. Kainz, *Psychologie der Sprache*, Bd. V, 1. Teil, S. 144, und Ch. E. Kany, *American-Spanish Syntax*, S. 197–199.

[17] Man duldet sie allenfalls in den Reimnovellen, in der Lyrik aber ist sie strengstens untersagt.

[18] Siehe B. Schädel, *Un Art poétique catalan du XVIe siècle, Mélanges Chabaneau (= RF 23)*, S. 722.

[19] Die Ausgabe wurde besorgt von F. E. Schneegans in der *Romanischen Bibliothek*, Bd. XV.

lateinische Fassung besitzen, ist uns in den Handschriften *B* und *P* überkommen, die beide auf der Vorlage *p*, der ursprünglichen provenzalischen Übersetzung des lateinischen Textes basieren[20]. Während nun anfänglich *B* und *P* ziemlich übereinstimmen, zumindest was die Verbalformen anbetrifft – wenngleich sich statt eines *saludec, portec, aucis* in *B* gelegentlich schon ein *anec saludar, anec aportar, anec aussir* in *P* einschleicht –, hat sich der Schreiber von *P* mit fortschreitendem Text mehr und mehr Freiheiten erlaubt, ganze Passagen anders, *nicht besser*, gestaltet und sich vor allem mit zunehmender Vorliebe des *vado*-Perfekts bedient. Wir zitieren einige Beispiele:

Lat. *tantus splendor corruit in eos*, *B tan gran resplandor venc sobre·ls sieus*, *P aytantost va venir tan gran resplandor*[21]; Lat. *narravit ei*, *B disx li*, *P va li comtar*[22]; Lat. *restituit*, *B restituic*, *P va restituir*[23]; Lat. *interfecit Alcayum*, *B aucis l'Alcayt*, *P va ausir l'Alcassit*[24]; Lat. *Sed Matrandus eos increpans eorum consilium tanquam nephandum et pessimum refutavit*, *B mais Matran blastomans els e reptan lor cosselh tenc per malvat e refudec lo*, *P Matran, que aquestas paraulhas ausic, fo fort iratz e va lhas fort blastomar e reptar e dix que lor cosselh era malvat e dix que re no·n fera*[25]. Das letzte Beispiel legt ein beredtes Zeugnis dafür ab, wie frei und wie unbeholfen der Schreiber von *P* mit seinem Text umgeht.

Schließlich ist zu bedenken, daß *vado* + Infinitiv sehr wohl präsentisch sein kann, selbst wenn der gesamte Kontext Zeiten der Vergangenheit zeigt; auf dieses Stilisticum älterer Sprachphasen wiesen wir ja schon weiter oben hin. Auch hat sich die *vado*-Umschreibung sowohl im Französischen als auch im Gaskognischen, Provenzalischen und Katalanischen zur Futurbedeutung weiterentwickelt, und wenn es grundsätzlich möglich ist, die präsentische, futurische und perfektische Bedeutung der Umschreibung mit *vado* im Präsens Indikativ für ein und denselben Text nachzuweisen, ist doch eine Entscheidung für die eine oder andere Bedeutung im Einzelfall manchmal schwierig, vor allem deswegen, weil sich die futurische und perfektische Bedeutung in ihrer Entstehung kaum voneinander trennen lassen. Wir kommen hierauf noch weiter unten zu sprechen. Ferner muß man die Möglichkeit anerkennen, daß *vado* + Infinitiv in einer Gegend (Text) *a* schon perfektische Bedeutung hatte, während es in *b* noch ein Präsens, vielleicht ein »historisches« Präsens darstellte. Hat man also zwei Texte *a* und *b*, und will man mit ihrem Material verbindliche Aussagen machen, da beide zahlreiche *vado*-Umschreibungen enthalten, so stellt sich die Frage, auf Grund welcher Kriterien man zu dem Schluß kommen kann, daß sie nicht Zeugnisse von gleichem Wert sind. Die meisten Forscher, die sich mit dem *vado*-Perfekt beschäftigt haben[26],

---

[20] Man vgl. im einzelnen Schneegans, a.a.O., S. 45ff.
[21] *op. cit.*, S. 90–91.   [22] *op. cit.*, S. 106–107.   [23] *op. cit.*, S. 114–115.
[24] *op. cit.*, S. 146–147.   [25] *op. cit.*, S. 176–177.
[26] Vgl. Colón, *op. cit.*, S. 165f., sowie unser Referat *Considérations*.

leugnen die Vergangenheitsbedeutung der *vado*-Konstruktion in den ältesten katalanischen Texten (Desclot, Llull, Muntaner)[27]. Andere gehen sogar so weit, von nur gelegentlichem Auftreten dieser Bedeutung im 14. Jahrhundert zu reden: »Appearing occasionally in texts of the fourteenth century, gaining ground in the fifteenth, this tense looks and sounds as though it should convey the same aspect of time as does the French *je vais chanter*, etc. When first employed, it probably did.«[28] Colón[29] dagegen postuliert die perfektische Bedeutung auch für die frühesten Texte und bedient sich zu ihrer Feststellung folgender Kriterien:

1. Textvergleich zwischen einem lateinischen oder romanischen Original und der katalanischen, wir fügen hinzu: gaskognischen, französischen, provenzalischen, Übersetzung. Dieses Kriterium ist absolut stichhaltig und eines der sichersten. Es erlaubt uns z. B. zu behaupten, daß im Jahre 1325[30] das *vado*-Perfekt bei folgenden Verben sicher auftritt: *absolvre, aconortar, acosseguir, adordenar, aginhular, ajustar, aluynhar, amagar, amenar, amonestar, anar, aparelar, apelhar, armar, asesser, atrobar, ausir, autregar, aysinar, batheyar, baysar, blastomar, cantar, cofermar, cologuar, comensar, comtar, corteyar, covidar, demandar, despular, destruir, devalhar, dir, donar, elegir, espessegar, fair, fendre, ferir, gitar, intrar, issir, lausar, lavar, levar, liar, mesclar, metre, morir, mudar, nafrar, obrir, ofrir, omplir, parlhar, partir, pausar, penre, preguar, pressentar, prometre, reptar, respondre, restituir, revestir, saludar, sermonar, serquar, tirar, tolre, tornar, trametre, trauquar, trayre, trenquar, triar, trobar, venir, veser.*

Auch in einer provenzalischen Bibelübersetzung, deren Handschrift[31] aus dem frühen 14. Jahrhundert stammt, die aber selbst vielleicht in das ausgehende 13. Jahrhundert gehört, finden wir *va dire* für *dixit*, *va respondre* für *respondit*, *va s'en fugir* für *fugit*, *van li demandar* für *interrogabant eum* usf.[32]

---

[27] Ende 13., Anfang 14. Jahrhundert.

[28] W. D. Elcock, *The Romance Languages*, S. 446. Man vgl. auch E. Bourciez, *Eléments de linguistique romane*, S. 381.

[29] *op. cit.*, S. 166ff.

[30] Unsere Angaben beruhen auf der *Gesta Karoli Magni* bzw. der Handschrift *P*, die datiert ist.
Vgl. zum Provenzalischen auch den wertvollen Beitrag von A.-J. Henrichsen, *La périphrase anar + infinitif en ancien occitan*, der einleitend auch eine Datierung der eingesehenen Texte gibt. Dort findet sich für die Gesta Karoli Magni (Philomena) das approximative Datum 1200, was natürlich leicht irreführend sein kann, da es nur auf die Hs. *P* ankommt.

[31] *Manuscrit de Peiresc*; man vgl. P. Meyer, *Recherches linguistiques sur l'origine des versions provençales du Nouveau Testament*, Rom. 18 (1889), S. 423–429.

[32] Die provenzalische Übersetzung (von 1293) des *Livre des Privilèges de Manosque* enthält ebenfalls *van absolver et aquitiar* für *absolverunt et liberaverunt* sowie *se van avenir* für *convenerunt*. Ein abstrakter Begriff

2. Einschlägige Äußerungen der mittelalterlichen Grammatiker selbst. Dieses Kriterium ist bezüglich der Sicherheit der Aussage mit dem ersten zu vergleichen. Es ist aber trotzdem nicht so wertvoll wie dieses, weil die uns überlieferten und bekannten Poetiken und Grammatikerzeugnisse, die zur *vado*-Konstruktion Stellung nehmen, frühestens aus dem späten 14. Jahrhundert stammen, aus einer Zeit also, für die mit der Materie hinreichend vertraute Forscher sowieso die Perfektbedeutung annehmen.

3. Textvarianten aus verschiedenen Handschriften. Colón zitiert einen Beispielsatz aus Desclot: *E axí aquells cavallers acostaren-se règeu al mur e a les portes, e quant foren ben prop, aquells laïns van desserrar les ballestes.*

   In der Handschrift X aus der Mitte des 14. Jahrhunderts heißt es statt *van desserrar* nun *despara ren* (*desserrar* und *desparar* sind Synonyme). Wir wollen diesem Kriterium nicht schlechthin jedwede Berechtigung abstreiten, jedoch ist es nur mit größter Vorsicht anzuwenden. Der von Colón mitgeteilte Sachverhalt kann nämlich auf verschiedene Art interpretiert werden, und die richtige Lösung kann nur auf Grund anderer Kriterien gefunden werden:

   a) *van desserrar* kann die ursprüngliche Lesart darstellen und Präsensbedeutung haben. Da der Schreiber der Handschrift X die *vado*-Umschreibung mit Perfektbedeutung kennt und sie für »vulgär« hält, ersetzt er irrtümlich *van desserrar* durch das vornehmere und bessere *desserraren* bzw. *despararen*.

   b) *van desserrar* kann die ursprüngliche Lesart sein und Perfektbedeutung haben. Der Schreiber von X erkennt das und ersetzt aus den oben angedeuteten Gründen *richtig van desserrar* durch *despararen*. An diesen Fall dachte wohl Colón. Es darf aber auch hier nicht vergessen werden, daß wir im Fall *b* eigentlich keine Anhaltspunkte für die Bedeutung der *vado*-Konstruktion bei Desclot, sondern bei einem Schreiber der zweiten Hälfte des 14. Jahrhunderts bekommen.

   c) *despararen* kann die ursprüngliche Lesart sein. Wenn nun in anderen Handschriften *van desparar* oder *van desserrar* auftritt, ist dieser Umschreibung in jedem Fall Perfektbedeutung beizumessen. Diese geht jedoch auf das Konto des Kopisten – wenn mehrere Zwischenglieder anzunehmen sind, bleibt zu bestimmen, um welchen Kopisten es sich handelt (Hs. *a, b, c* etc.) –, der sich Freiheiten erlaubt hat, wie wir sie oben bezüglich der *Gesta Karoli Magni* dargestellt haben.

4. Interne, vor allem stilistische Kriterien, die auf der Struktur des jeweiligen Textes beruhen. In ihrem Wert können diese Kriterien keineswegs

---

wie *absolvere* ist so früh in der *vado*-Umschreibung überraschend. Vgl. Colón, *op. cit.*, S. 175.

mit dem von 1. und 2. verglichen werden; denn selbst wenn die Handlung des Nebensatzes z. B. durch ein *Passé antérieur* und die darauffolgende Handlung des Hauptsatzes durch eine *vado*-Umschreibung ausgedrückt wird, folgt daraus noch keineswegs, daß die *vado*-Konstruktion als ein Vergangenheitstempus zu werten ist. Es könnte sich in einem Satze wie dem folgenden sehr wohl um ein historisches oder dramatisches Präsens – oder wie immer man es nennen will – handeln: *E quant lo serray l'ach bé aesmat*, va desparar *sa bona ballesta* ...[33].

Nur statistische Erhebungen könnten hier zu klaren Ergebnissen führen.

Wir wollen zu den Kriterien Colóns vier weitere hinzufügen, deren Brauchbarkeit die Praxis zeigen muß. Vor allem kommen sie nur für eine beschränkte Anzahl von Fällen in Frage bzw. treten recht spät in Erscheinung und helfen nicht, mehr Klarheit über die Anfänge unserer Konstruktion zu erhalten.

5. Zeitenfolge. Wir besitzen kaum eingehende Untersuchungen über dieses Kapitel der mittelalterlichen Syntax[34]. Es ist vor allem nicht klar festgestellt, wie streng das System beachtet wurde. Es müßte untersucht werden, inwieweit *vado* + Infinitiv als Tempus der Vergangenheit oder als Tempus der Gegenwart[35] behandelt wurde. Einige Beispiele aus den *Gesta Karoli Magni* zeigen, daß nach Verben des Bittens, die in der *vado*-Konstruktion stehen und von denen hier erwiesen ist, daß sie Perfekte darstellen, im abhängigen *que*-Satz der Konjunktiv Imperfekt auftritt: *Gran temps Matran va preguar Karles que fes*[36]*; e va·lh preguar fort que·s bateyes*[37]*; elh la va preguar caramens que elha fos*[38]*; va preguar Karles que·lh laysxes anar*[39].

Wir glauben, daß bei präsentischer Bedeutung von *va pregar* der Konjunktiv Imperfektiv nicht stehen könnte, und möchten meinen, daß es sich hier um ein sehr gutes und einfach zu handhabendes Kriterium handelt, falls unsere Vermutung der Unmöglichkeit eines Konjunktivs der Vergangenheit nach einem Verbum im Präsens ohne Ausnahme gültig ist.

6. Analogieeinflüsse. Im Altkatalanischen lautete das *vado*-Perfekt durchkonjugiert: 1 *vaig cantar*, 2 *vas cantar*, 3 *va cantar*, 4 *vam cantar*, 5 *vats*

---

[33] Vgl. Colón, *op. cit.*, S. 169.

[34] Vgl. aber A. Par, *Sintaxi catalana segons los escrits en prosa de Bernat Metge.*

[35] Das lateinische Praesens historicum galt innerhalb der Consecutio temporum entweder als Präsens, wenn man sich nach der Form richtete, oder als Perfekt, wenn man mehr die Bedeutung berücksichtigte: 1 *Vercingetorix Gallos hortatur, ut communis libertatis causa arma capiant.* 2 *Helvetii legatos ad Caesarem mittunt, qui dicerent* ... Cf. Menge, *Repetitorium der lateinischen Syntax und Stilistik*, 2. Teil, S. 210.

[36] *op. cit.*, S. 117. [37] *op. cit.*, S. 184; lat. *ut baptizaretur.*

[38] *op. cit.*, S. 196. [39] *op. cit.*, S. 208.

(vau) cantar, 6 *van cantar.* Das ererbte Perfekt von *cantar* hieß: 1 *canté*, 2 *cantast*, 3 *cantà*, 4 *cantam*, 5 *cantats*, 6 *cantaren.* Sobald nun in den Texten kontaminierte umschriebene Formen wie 1 *vàreig cantar*, 2 *vares cantar*, 4 *vàrem cantar*, 5 *vàreu cantar*, 6 *varen cantar* auftauchen, ist es klar, daß *van cantar* z.B. als Perfekt gefühlt wurde, daß man es im Sprachbewußtsein mit *cantaren* in Zusammenhang brachte und daß aus der Kreuzung von beiden *varen cantar* hervorgegangen ist. Von der dritten Person Pl. breitete sich die Analogie dann auch auf die anderen Personen aus[40].

Die analogischen Formen *vàreig, vares* usw. sind verhältnismäßig jung und kommen als Kriterien für die älteste Zeit nicht in Frage. Ihr Auftreten setzt jedoch unbedingt die Grammatikalisierung des *vado*-Perfekts voraus.

7. Futurumschreibung. Da die *vado*-Periphrase sich nicht nur zur Perfektbedeutung, sondern auch zur Futurbedeutung weiterentwickelt hat, auf die Dauer aber diese syntaktische Homonymie im Katalanischen unerträglich geworden ist, da ja gerade hier das *vado*-Perfekt vollkommen grammatikalisiert wurde und bis heute erhalten blieb, suchte die Sprache nach einer Unterscheidungsmöglichkeit. So wurde für die Futurbedeutung die Präposition *a* eingeführt: *vaig a cantar* »ich werde singen« gegenüber *vaig cantar.* Ob nun dieses *a* durch spanischen Einfluß oder durch innersprachliche Entwicklung bedingt ist, interessiert in unserem Zusammenhang wenig. Das Auftreten von *a* ist in jedem Fall ein Indiz für den Differenzierungsprozeß. Dieses Kriterium mag sehr spät auftreten, ist aber wiederum von großer Beweiskraft[41].

8. Logik. Das hier angeführte Kriterium betrifft die innere Struktur des Textes. Es ist mit großer Behutsamkeit anzuwenden, kann dann aber recht brauchbare Ergebnisse zeitigen. Zunächst einige Beispiele:

I

1499   *E la massa donet al sol*
          Un tan gran colp, per saint Cristol
          Che tot l'ostal fes tremolar
1502   *Per lo gran colp che* va donar[42].

II

4648   *Qui sios-tu? ho! Tu sios Peyre!*
          Or me dy cossynt vas eychapar?

---

[40] Vgl. Badía Margarit, *Gram. hist. catal.*, S. 327–28, und M. de Montoliu, *Notes sobre el perfet perifràstic català*, Biblioteca Filològica VI, S. 72ff.

[41] Für die Futurumschreibungen mit *vado* bzw. *vado ad* verweisen wir auf B. Müller, *Das lat. Fut. und die rom. Ausdrucksweisen für das futurische Geschehen, RF* 76 (1964), S. 44ff.

[42] *Le Roman de Blandin de Cornouailles et de Guillot Ardit de Miramar*, hrsg. von P. Meyer, *Rom.* II (1873), S. 170–202.

Quant a Malcus l'aurelho vas talhar
4651   *Ja non eres pas trop prodon*[43].

III

4894   *L'autre jort*, vau veyre
        Qu'a ung orb lo veyre
4896   *Ly* vas rendre *tu*[43].

IV

4929   Recontar ou vauc *a mon segnour*[43].

V

5335   *Et you* m'en vauc fuyr!
        Non veyé-vous eylay venyr
5337   *Tant de poble per nous tuar*[43]?

VI

5795   *Non saré vray, segurament!*
5796   *Ha Neron* lo vauc renonciar[43].

In Beispiel I ist *lo gran colp che va donar* die Ursache dafür, daß das ganze Gebäude erzitterte. Wenn nun die Wirkung in der Vergangenheit steht, ist dies um so mehr von der Ursache anzunehmen. *va donar* ist zudem praktisch die Wiederaufnahme von *donet* im ersten Vers. Hießen Vers 1501–02 *che tot l'ostal va far tremolar per lo gran colp che donet*, so wäre die Entscheidung nicht so eindeutig zu fällen.

In Beispiel II befinden wir uns in Rom, kurz bevor Petrus gekreuzigt wird. Die in *Joh.* 18,10 berichtete Episode, wie Petrus dem Malchus ein Ohr abschlug, gehört ferner Vergangenheit an. Auch besteht kein Grund, in *vas talhar* ein Präsens der lebhaften Darstellung zu sehen, da der Sprecher, im Text als Primus Judeus bezeichnet, dazu keinerlei Veranlassung hat und außerdem die Gesamtstruktur der angeführten Verse dagegen spricht. Es handelt sich folglich um ein *vado*-Perfekt, das im 15. Jahrhundert natürlich keinesfalls überrascht.

Auch im dritten Beispiel befindet sich Simon Petrus im Gefängnis. Die Heilung des Blinden ist lange vorbei, und Sprecher ist Picolardon, der Gefängnisaufseher, der keineswegs eine Vorliebe für eine ausschmückende Redeweise hat, sondern der objektiv ein Faktum der Vergangenheit im Perfekt darstellt.

Beispiel Nr. IV stellt einen ganz anderen Fall dar. Agrippa will zu Nero gehen, um ihm den Tod des Petrus zu erzählen. Es handelt sich entweder um ein Präsens (»ich gehe es meinem Herrn erzählen«) oder um ein Futur (»ich werde es meinem Herrn erzählen«). Wir neigen eher zum ersteren.

Beispiel V ist wohl ein Futur: »ich werde von hier fliehen, ich werde mich

---

[43] Istoria Petri et Pauli, *Mystère en langue provençale du XVe siècle*, hrsg. von P. Guillaume.

aus dem Staub machen«. Vers 5335 ist von Faustus gesprochen worden, und die Bühnenanweisung lautet: »*Hic fugiunt, scilicet Marcellus, Clemens, Faustus*« etc.

Beispiel VI kann Präsens oder Futur sein. Der lateinische Szenenkommentar heißt: »*Hic festinanter vadat ad Neronem.*«

Mit Hilfe der unter 1–4 aufgeführten Kriterien kommt Colón zu dem Schluß, für das katalanische *vado*-Perfekt eine Scheidelinie um das Jahr 1350 anzunehmen. Vor 1350 teilt er die in der *vado*-Periphrase auftretenden Verben in drei Gruppen auf, wobei diese Gruppeneinteilung wohl auch eine zeitliche Einteilung ist: 1. Gruppe: Verben der Bewegung, 2. Gruppe: Verben, die physische Tätigkeiten ausdrücken, 3. Gruppe: Verba dicendi[44]. Es ist leider nicht angedeutet, ab wann zum Beispiel Gruppe 1 in der Periphrase mit Perfektbedeutung auftritt; denn die Angabe »vor 1350« ist ja doch viel zu vage. Nach 1350 kommen dann auch Zustandsverben in der Umschreibung mit *gehen* vor, und Colón setzt die Grammatikalisierung der *vado*-Periphrase als Tempus des Perfekts für das Katalanische gegen Ende des 14. Jahrhunderts an, was uns keinesfalls zu früh angesetzt erscheint.

Wie die Sprachatlanten[45] zeigen, ist das *vado*-Perfekt heute praktisch über das gesamte katalanische Sprachgebiet verbreitet[46], wenngleich einige Punkte das ererbte synthetische (z. B. P. 3, 4, 16, 76, 77, 80, 87, 88 des *ALC*) bzw. das zusammengesetzte Perfekt (P. 105 des *ALC*) vorzuziehen scheinen[47]. Interessant ist auch, daß der Konjunktiv Präsens von *anar* in Verbindung mit einem Infinitiv den Konjunktiv Imperfekt des betreffenden Verbums vertreten kann. Also:

1 *vagi cantar*	statt	*cantés*
2 *vagis* ,,		*cantessis*
3 *vagi* ,,		*cantés*
4 *vàgim* ,,		*cantéssim*
5 *vàgiu* ,,		*cantéssiu*
6 *vagin* ,,		*cantessin*

Dieser Ersatz ist jedoch nur in wenigen, ganz bestimmten Fällen möglich[47a].

Da das umschriebene Perfekt das synthetische ersetzt, überrascht es eigentlich wenig, daß die *vado*-Periphrase auch bei der Bildung des *Passé antérieur* (*Definit* oder *Pretèrit anterior*) auftritt:

1 *vaig aver cantat*   statt   *haguí cantat* usw.

---

[44] Vgl. *op. cit.*, S. 174–75.   [45] *ALF, ALC, ALA.*
[46] Vgl. a. Badía Margarit, *op. cit.*, S. 328.
[47] Die Angaben des *ALC* zeigen ein gewisses Schwanken für die einzelnen Personen. Man vgl. die Karten 100–103.
[47a] Vgl. P. Fabra, *Gramática catalana*, S. 74, § 72 und A. Badía Margarit, *Gram. hist. cat.*, S. 328, § 180.

Im heutigen provenzalischen bzw. okzitanischen Sprachgebiet[48] ist das *vado*-Perfekt nicht mehr anzutreffen, es sei denn in einer nicht-grammatikalisierten Weise, wie sie Ronjat[49] beschreibt und wie sie auch im Französischen vorkommen kann, d. h. als historisches Präsens. Für das Altprovenzalische jedoch muß man wahrscheinlich annehmen, daß hier die *vado*-Periphrase, zunächst mit präsentischer Bedeutung, eher aufgetreten ist als im Katalanischen, und daß sie auch eher zur Perfektbedeutung gelangt ist. Leider wird in den weit verstreuten[50] Bemerkungen zur provenzalischen *vado*-Periphrase häufig nicht deutlich dargetan, um welche Periphrase es sich handelt, so daß die Angaben der einzelnen Autoren meistens nutzlos sind. Es ist ja doch nicht gleichgültig, ob es in einem Text heißt:

```
        1 vauc cantar »ich gehe singen«
oder 2    ,,      ,,    »ich beginne zu singen«
  ,,  3    ,,      ,,    »ich will singen«
  ,,  4    ,,      ,,    »ich werde singen«
  ,,  5    ,,      ,,    »ich sang» (auch »ich ging singen«?)
  ,,  6 anei cantar »ich ging singen«
  ,,  7    ,,      ,,    »ich begann zu singen, war im Begriff
                         anzufangen . . .«
  ,,  8    ,,      ,,    »ich wollte singen«
  ,,  9    ,,      ,,    »ich sang«
```

P. Meyer schreibt z. B. in der Einleitung[51] zu seiner Ausgabe des *Guilhem de la Barra* (Anfang 14. Jhd.): ». . . le présent *vai, van*, joint à un infinitif, est le plus souvent l'équivalent du présent de narration, ou, ce qui n'en diffère guère, du prétérit. Sans doute cette périphrase avait à l'origine une valeur emphatique, mais elle est bientôt devenue banale et les poètes y ont eu recours pour obtenir une syllabe de plus et surtout pour amener en fin de vers un infinitif, c'est-à-dire une rime dont la correspondance était facile à trouver. Les écrivains qui ont le souci du style, l'auteur de *Flamenca* par exemple, et, à plus forte raison, les troubadours, ignorent ou dédaignent ce procédé. C'est vers le commencement du XIIIe siècle que l'infinitif construit avec *anar* apparaît avec quelque fréquence. Il y en a des exemples dans la chanson de la croisade albigeoise et plus encore dans *Daurel et Béton*. A la fin du siècle, Matfre Ermengau fait grand usage de la même périphrase dans les parties narratives du *Breviari*. Mais c'est surtout au siècle suivant que l'abus se produit. L'auteur inconnu de *Blandin de Cornouailles*, qui devait être à peu près contemporain d'Arnaut Vidal, et qui écrivait plus mal encore, dit à chaque instant *va penre, va entrar, va annar*, etc.«

---

[48] Zum Gaskognischen s. weiter unten.
[49] *Gr. ist.* III, S. 206.
[50] Z. B. in vielen Textausgaben, Zeitschriftenaufsätzen, Besprechungen von Textausgaben usw.
[51] S. LXVI der Ausg. von 1895 in der *SATF*.

Hier haben wir es mit einem klassischen Beispiel der angedeuteten Begriffsverwirrung zu tun, die zudem noch von einem großen Provenzalisten kommt. In der Albigenserchronik, die aus dem frühen 13. Jahrhundert stammt, handelt es sich nämlich um Präsentien, allenfalls um »historische«, desgleichen im *Daurel* oder im *Breviari*, obwohl dieses schon ins ausgehende 13. Jhd. gehört. Im *Blandin de Cornoalha*[52] (14. Jhd.) aber ist die *vado*-Periphrase eindeutig perfektisch. Hier ein typisches Beispiel aus der Albigenserchronik:

> *Per la dreita carreira, dreitament al venir*
> *De la crotz·n Baranho, los van si envasir*
> *Que·ls fustz et las barreiras fan brizar e croissir.*
> *De tantas partz lai vengo per lo chaple sofrir*
> *Cavaler e borzes e sirvent, ab desir,*
> *Qu'entre·ls brans e las massas los van si adaptir*
> *Que d'ambas las partidas se prendo al ferir:*
> *Dartz e lansas e flecas e cotels per sentir*
> *E espieut ab sagetas e faucil a brandir;*
> *. . . .*
> *Aissi·s van de la vila contra lor afortir*
> *Que·l chaple e la batalha lor an faita gequir*[53].

Zum Vergleich führen wir ebenfalls eine der für die *vado*-Periphrase charakteristischsten Stellen aus dem *Blandin de Cornouailles* an:

> 711 *Adonc el s'en va anar*
>   *El pavalhon li va trinchar.*
>   *Adonc lo negre cavalier*
>   *Che era in garda del peschier*
>   *Fo mout irat et fort fellon*
> 716 *Quan vi romput son pavalhon,*
>   *E devers el s'en va venir,*
>   *E tan gran colp lo va ferir*
>   *Sobre la penna de l'escut*
> 720 *Che ben dous pals l'en a romput.*
>   *Apres Guillot lo va ferir*
>   *De colp de lansa sans mentir,*
>   *Che tot lo scut li va trenchar*
> 724 *Et mot greu(e)ment l'anet nafrar.*
>   *Aqui bien myech jorn combateron*
>   *Che conquistar non se pogheron.*
>   *Apres si van tals colps donar*
> 728 *Che per terra se van tombar,*
>   *Li un de sa, l'autre de la,*
>   *Cambas enversas s'en vira*[54].

---

[52] S. *Rom.* 2, S. 170ff.
[53] Zitiert nach Bd. II, S. 214–16, der *Chanson de la Croisade Albigeoise*, éd. par E. Martin-Chabot.
[54] Zitiert nach der Ausgabe P. Meyers.

Wir leugnen nun aber keineswegs, daß das *vado*-Perfekt in den Denkmälern des 13. Jahrhunderts fehlt[55], doch möchten wir die Notwendigkeit ausdrücklich betonen, einen Unterschied zwischen Stil und Sprache, zwischen *parole* und *langue* zu machen, auch wenn die Trennung der beiden häufig sehr schwierig, manchmal gar unmöglich ist, vor allem für die mittelalterliche Sprache[56]. Wenn C. Chabaneau[57] z.B. den *Jaufre* unter den Denkmälern mit *vado*-Perfekt aufführt, ohne auch nur im geringsten anzudeuten, daß etwa zwischen den *vado*-Periphrasen der *Gesta Karoli Magni*, die er ebenfalls zitiert, und denen des angeführten Versromans doch ein erheblicher Unterschied besteht, so ist das nicht dazu angetan, Klarheit in die Situation zu bringen. Ein paar Beispiele sollen dem Leser selbst die Möglichkeit bieten zu urteilen:

3467   *E-l cavalier qe-l vi venir*[58]
      Venc ves el e vai lu ferir
      Si qe tota sa lansa brisa.

5278   *Venc ves Jaufre per gran vertut,*
      E va l'aqui meseis ferir
      Aisi con venc, de tal aïr
      Qe Jaufre es caütz el sol.

5325   *E* va ferir *sus en l'escut*
      Jaufre, si qe l'a abatut.

5733   *Mas Jaufre* vai *si fort* ferir
      Sus en l'elme, de tal aïr
      C'a terra l'a mes estendut.

6043   *E* va ferir *de tal poder*
      Jaufre, qe no-l pot retener
      Sela ni cengla ni peitral.

6173   *E Jaufre a s'espasa messa*
      El froire, e la soa presa,
      E va-l la testa desgarnir.
      Puis a fait lo metje venir.

6343   *E-l cavalliers venc totz premierz*
      Qu'era de Taulat presonierz,
      E va s'als pes del rei gitar.

6723   *E Jaufre can lo vi venir,*
      Deissent, et van s'en congausir.

---

[55] Man vgl. etwa die Bemerkungen Chabaneaus zum *Roman d'Arles, RLR* 32 (1887), S. 510–11.
[56] S. a. weiter unten.
[57] *loc. cit.*
[58] Wir zitieren nach der Ausgabe der Bibliothèque Européenne.

6933　　*E Augiers, can lo vi venir,*
　　　　Conuc lo e-l va congausir
　　　　E demandar *con es aqui*
　　　　E-l senescal dis li consi.

7186　　*E-l senescal* va enantir
　　　　E venc s'en a Jaufren corren.

Man wird sich, was die Interpretation der angeführten Stellen anbelangt
– zahlreiche weitere Beispiele ergeben ein ähnliches Bild –, nur vorsichtig
äußern dürfen. In den allermeisten Fällen wird es sich wohl um ein Präsens handeln. Einige Male wird das besonders deutlich durch weitere
Präsensformen im selben Satz: *vai lu ferir si qe brisa; va ferir qe no-l pot
retener; deissent et van s'en congausir.* Selbst dann, wenn es sich um Perfektbedeutung handelt – etwa wohl in Vers 6934 –, sind wir noch weit
von der vollständigen Grammatikalisierung entfernt. Eingehende Untersuchungen, wie sie Colón für das Katalanische angestellt hat, wären zumindest für die provenzalischen Texte des 13. Jahrhunderts wünschenswert.
Im 14. Jahrhundert wird die Problematik etwas einfacher, häufig schon
allein deshalb, weil der Prozentsatz der *vado*-Umschreibungen viel höher
liegt. Im *Libre de Memorias* des Jacme Mascaro[59], einem sehr wichtigen
Text für die Kenntnis der okzitanischen Sprache, wie sie in der Gegend
von Béziers im 14. Jahrhundert gesprochen wurde, stellen wir die *vado*-
Umschreibung mit Perfektbedeutung bei folgenden Verben fest: *adorar,
anar, apelar, ardre, aremprar, asemprar, aussir, aver, batre, baylar, benezir,
cremar, deportar, descavalgar, dir, dissendre, donar, elegir, endevenir,
enpauzar, entremetre, esbayr, escomoure, esplicar, far, foriscapia*[60]*, gizar,
jazer, levar, mandar, manlevar, metre, montar, mori, nafrar, oberi, ordenar,
parlar, perpenre, pessejar, prener, prestar, provesir, rebellar, recebre, relaxar,
remetre, requesi, respondre, senhar, venir, vestir, vigolar, yssir.*
Im Nordfranzösischen des 14. bis frühen 17. Jahrhunderts war die *vado*-
Umschreibung mit Perfektbedeutung ebenfalls recht beliebt. Außer den
weiter oben angeführten Arbeiten von Assmann, Gougenheim und Siebenschein, die sich speziell mit den französischen Problemen beschäftigen,
sei noch verwiesen auf Brunot[61], Biedermann[62], Damourette und
Pichon[63], Gräfenberg[64] und Schossig[65]. Man hat hier verschiedentlich

---

[59] Herausgegeben von Ch. Barbier in *RLR* 34 (1890), S. 36–100 und 515–564.
[60] Das *r* der Infinitive fehlt häufig.
[61] *Histoire de la langue française,* Bd. I, S. 470–71; Bd. II, S. 364; Bd. IV,
　　S. 741.
[62] *Zur Syntax des Verbums bei Antoine de la Sale, RF* XXII, S. 709–711.
[63] *Des Mots à la Pensée,* Bd. V, §§ 1161, 1663, 2064 und 2077.
[64] *Beiträge zur französischen Syntax des 16. Jahrhunderts,* Diss. Erlangen
　　1885, S. 83.
[65] *Verbum, Aktionsart und Aspekt in der Histoire du Seigneur de Bayart par le
　　Loyal Serviteur,* S. 234–35.

20

einen Einfluß des Gaskognischen auf das Französische sehen wollen. Wenngleich dies für einzelne Autoren[66] vielleicht nicht abzuleugnen ist, so trifft die Erklärung doch keineswegs für das Gesamtphänomen zu, das viel zu verbreitet war, um als bloßer Gaskonismus abgestempelt werden zu können. Legitim ist jedoch die Frage, inwieweit die vier aufgezählten Sprachbereiche mit *vado*-Perfekt voneinander abhängen bzw. inwieweit sie selbständig sind. Wir persönlich neigen zu der Annahme, daß in einem jeden Bereich das *vado*-Perfekt sich im wesentlichen unabhängig von fremdem Einfluß herausgebildet hat. Auf Grund der geographischen Nähe der einzelnen Gebiete und wegen der kulturellen Beziehungen ist die gegenseitige Beeinflussung von den Anfängen her jedoch nicht auszuschließen.

Die Verhältnisse im Altgaskognischen dürften denen des Altprovenzalischen recht ähnlich gewesen sein, doch sind hier genaue Untersuchungen noch zu leisten. Auch die Informationsquellen für das moderne Gaskognisch fließen sehr spärlich. Weder der *ALF* noch der *ALG* bieten brauchbare Materialien für unsere Frage, und nach den Angaben S. Palays könnte man meinen, das heutige Gaskognisch kenne die Umschreibung mit *i* (Vallées d'Aspe et de Barétous) bzw. mit *ana* (im gesamten gask. Sprachgebiet) nur mit präsentischer – im Sinne der Fortbewegung – bzw. futurischer Bedeutung: *qu'y bam i* »nous allons y aller«, *que bam i* »nous allons partir«, *que bau i ta-t cam* »je vais aller au champ«, *açò que-b ba anà* »ceci va vous convenir«, *aquéste toupî que s'en ba anà* »ce pot va déborder«[67]. Aufschlußreicher sind die Mitteilungen von Ronjat[68], Rohlfs[69] und vor allem von Marquèze-Pouey[70], auf den wir uns im folgenden stützen werden.

Grundsätzlich ist zu unterscheiden zwischen drei verschiedenen Anwendungsbereichen der *vado*-Periphrase:

I

ké bòi i »ich ging«[71].

Diese Umschreibung stellt in den Tälern von Aspe und Barétous (Béarn) das regelmäßige und allein gebrauchte Perfekt von *gehen* dar. Etwas Entsprechendes bietet die Reliktform *ba ęsté (bastę́, baçtę́, bastį̂, baçtį̂, bastu̧i, baçtu̧i)* »er war, il fut«. In beiden Fällen handelt es sich um voll-

---

[66] Vgl. E. Gamillscheg, *Historische französische Syntax*, S. 538, Anm. 1; M. Lanusse, *De l'influence du dialecte gascon sur la langue française*, S. 429–431, und vom selben Verfasser, *Les gasconismes chez Blaise de Monluc*, Mélanges A. Thomas, S. 271.

[67] S. die entsprechenden Artikel des *Dictionnaire du Béarnais et du Gascon modernes*.

[68] *Gr. ist.* III, § 586.   [69] *Le Gascon*, § 447.

[70] *Via Domitia* II, S. 112ff.

[71] Rohlfs, *op. cit.*, S. 145, gibt das Paradigma, wie folgt, an: 1 *que bòy i*, 2 *que bas i*, 3 *que ba i*, 4 *que bam i*, 5 *que bat i*, 6 *que ban i*.

kommen grammatikalisierte Konstruktionen ohne besondere stilistische Nuancen.

II

ké bau bézé »ich sah«.

Diese Periphrase ist im heutigen gaskognischen Sprachgebiet noch weit verbreitet und ebenfalls in die französische Umgangssprache dieser Gegend eingedrungen[72]. Der besondere stilistische Wert dieser Perfektumschreibung kommt daher, daß sie neben dem normalen Perfekt steht (*ké bau bézé* neben *ké bi̧*, Haut-Salat, und *ké bòi bédé* neben *ké bedu̧i*, Aspe), daß sie nur bei einer Reihe von Verben möglich ist (*sehen, hören, finden* usw.) und daß sie vorwiegend in der ersten Person Sg. und Pl., weniger häufig auch in der dritten Person vorkommt, bei der zweiten jedoch nach Aussagen von Marquèze-Pouey nie auftritt. Wir haben es also mit einer nicht-grammatikalisierten Form des *vado*-Perfekts zu tun, die, verglichen mit mittelalterlichem Gebrauch, auch in der Gaskogne sehr viel an Boden verloren hat, nicht nur rein geographisch, sondern vor allem in Bezug auf die Anwendungsbereiche. Ein Musterbeispiel modernen Gebrauchs der Periphrase wäre nach Marquèze-Pouey folgende Textpassage: »*Kabiò kurut tut ét dyǫ́ a trabę̀s eb bòsc sę́nsé re bézé; ké m ę̀ró syétat dérrę̀ u arę̧u proçi dék kot d Ayę̧ns; tut d un kòp ké t bau bézé arribą ra lębé; ké t i fu̧ti dus péts* . . .*«* Wir übersetzen ins Französische: »J'avais couru toute la journée à travers le bois sans rien voir; je m'étais assis derrière un houx (?) proche du col (?)[72a] d'Ayens; tout d'un coup je vis[73] arriver le lièvre; je te lui[74] fous deux coups de fusil . . .« Die Formel *ké bau bézé* drückt also sehr wohl eine vergangene Begebenheit aus. Diese wird aber nicht objektiv durch *ké bi* oder *ké bedu̧i* etc. wiedergegeben, sondern subjektiv als eine Tatsache, die ein besonderes Relief verlangt: »il [ce fait] apparaît comme surgissant de façon anormale dans le déroulement des événements, et constituant par là un élément de surprise«[75]. Die objektive Tatsache »Der Hase kam« würde durch das ererbte Perfekt *èra lębé arribęk* ausgedrückt, nie durch *ba arribą*. Man wird bemerkt haben, daß das Subjektive der *vado*-Konstruktion nicht nur durch die Periphrase selbst betont wird, sondern häufig durch Adverbien, die den plötzlichen Eintritt einer Handlung unterstreichen *(tut d un kòp)* sowie auch durch den Dativus ethicus *(két bau bézé)*. Da neben der präsentischen *vado*-Umschreibung auch noch die perfektische möglich ist, kann die von Damourette und Pichon erwähnte »allure extraordinaire« in

---

[72] Cf. Séguy, *Le français parlé à Toulouse*, S. 42. Wir vermerkten schon weiter oben, daß Alibert auch für das Languedokische Beispiele bringt.

[72a] Vielleicht auch frz. *côtes* ?

[73] Hier könnte im Französischen sehr wohl das Präsens stehen.

[74] Im Schriftfranzösischen stünde selbstverständlich kein *te*.

[75] *Via Domitia* II, S. 116.

unserem Zusammenhang im Gaskognischen auf 4 Arten ausgedrückt
werden, wobei wir die Erweiterungen durch Adverbien hier ausschließen:

1 *ké bau bẹ́zé*
2 *k anĩ bẹ́zé*
3 *ké t bau bẹ́zé*
4 *ké t anĩ bẹ́zé*

In den Tälern von Aspe und Barétous kommt man sogar auf 6 Möglichkeiten:

1 *ké bòi bẹ́dé*
2 *ké bòi i bẹ́dé*
3 *k èi it bẹ́dé*
4 *kè t bòi bẹ́dé*
5 *ké t bòi i bẹ́dé*
6 *ké t èi it bẹ́dé*[76]

III

Sé bau sabẹ́ . . . »wenn ich gewußt hätte«.

In einem hypothetischen Satzgefüge vertritt die Umschreibung mit *gehen*
im Präsens oder Imperfekt + folgendem Infinitiv in dem durch *wenn*
eingeleiteten Nebensatz das Plusquamperfekt des entsprechenden Verbums: *Sé bau sabẹ́, k auri hẹt akọ̀* »Wenn ich das gewußt hätte, hätte ich
es gemacht.« Selbstverständlich kann der Satz auch elliptisch sein: *Sé
bau sabẹ́* . . . »Wenn ich das gewußt hätte . . .« mit entsprechender Stimm-
führung. Auch diese Möglichkeit der *vado*-Umschreibung findet sich im
Regionalfranzösischen des gaskognischen Gebietes wieder. Marquèze-
Pouey findet den Gebrauch der *vado*-Periphrase im Konditionalsatz weniger originell als den vorstehend unter II beschriebenen. Wir neigen zur
umgekehrten Meinung und finden gerade diese Wendung besonders
eigenständig im Vergleich zur alten Sprache, wo uns solches bisher nicht
aufgefallen ist und wo es diese Möglichkeit vielleicht gar nicht gibt. Nach
Marquèze-Pouey sind hier zwei Probleme zu klären:
1. Der Ersatz des Plusquamperfektes im *si*-Satz durch ein Präsens oder
   Imperfekt, ein Phänomen, das auch sonstwo anzutreffen ist, wenngleich wir der Meinung sind, daß dann die ganze Hypothese im Normal-
   fall geändert wird. Statt eines *Si tu avais joué le roi de carreau, nous
   aurions fait deux plis de plus*, das Marquèze-Pouey als Beispiel bringt,
   sagt man in der lebendigen Rede sehr wohl – mit Präsentifizierung des
   Geschehens – *Si tu joues le roi de carreau, nous faisons deux plis de plus*,
   nicht aber, und das würde allein der gaskognischen Konstruktion entsprechen, *Si tu joues le roi de carreau, nous aurions fait deux plis de
   plus*. Das Auseinanderklaffen der Zeiten, wie es die gaskognische Kon-

---

[76] *ké bòi* »ich gehe«, *ké bòi i* »ich ging« (Perfekt), *k èi it* »ich bin gegangen«.

struktion aufweist, läßt sich im Französischen nur nachahmen, wenn
si ausgelassen wird: *Tu joues le roi de carreau et nous aurions fait deux
plis de plus* (auch natürlich: *Tu joues . . . et nous faisons . . .*).

2. Die Umschreibung des Verbums durch das Präsens oder Imperfekt
von *gehen* + Infinitiv. Marquèze-Pouey sieht hier eine Verwandtschaft
mit der Funktion, die *vado* bei Konstruktion II *(ké bau bézé)* hat:
»*Aller* exprime le départ (fictif) de l'activité du sujet dans une direction
différente de celle qu'il a prise en réalité. Le présent lui concède une
plus grande vérité, en actualisant (donc en authentifiant) le fait.
Il n'y a pas autre chose qu'un procédé destiné à utiliser la valeur expres-
sive du verbe aller . . . afin de donner un caractère d'actualité et de
personnalité à une hypothèse et de l'évoquer dans sa réalisation[77].«
Wir können uns schlecht an die Stelle dessen versetzen, der das Gaskognische als Muttersprache spricht und fühlt, und es bleibt uns letztlich
versagt, die stilistischen Nuancen der *sé bau sabé*-Wendung nachzuvoll-
ziehen. Wir müssen deshalb für den Punkt 2 Marquèze-Pouey Glauben
schenken, obwohl es uns schwerfällt, ihm zu folgen. Zu Punkt 1 aber, den
der Verfasser in seinem sehr wichtigen und wertvollen Beitrag zum *vado*-
Perfekt bzw. zur *vado*-Periphrase nur streift, möchten wir unsere Bedenken anmelden. Wir fragen uns nämlich, ob die Hypothese wirklich
lautet:

    1: *Si* + Imperfekt von *vado* + Infinitiv − Konditional II
    2: *Si* + Präsens von *vado* + Infinitiv   − Konditional II

d.h.   *Nebensatz*   *Hauptsatz*
    1) Imperfekt   1) Konditional II
    2) Präsens   2) Konditional II

oder ob wir es nicht vielmehr zu tun haben mit

    1: *Si* + Plusquamperfekt − Konditional II
    2: *Si* + Perfekt   − Konditional II

Wenn nämlich *je vais savoir* Perfekt ist – und das war es ja in alter Zeit –,
gibt es keinen zwingenden Hinderungsgrund dafür, daß *j'allais savoir*
Plusquamperfektbedeutung annahm, mag auch der heutige Patoisant
die Formel anders interpretieren. Der Gebrauch des Perfekts im *si*-Satz
überrascht etwas, wenn man von modernen Voraussetzungen aus urteilt.
Im Mittelalter war das aber keinesfalls so schockierend. Außerdem
wurde gerade im abhängigen Satz das Plusquamperfekt manchmal durch
das Perfekt ersetzt: *Per lo ben qu'el n'auzi dir de lieis als pelegrins que
vengron d'Antiochia* »... die aus Antiochia gekommen waren«. *Mas cant
venc lo matin, Mabilia requeria Un mot bell veyll de seda de que son cap cu-*

---

[77] *Via Domitia* II, S. 120.

bria: Gualbors, fiylla de l'osta, lo ser lo vay emblar »... Gualbors... hatte ihn
(den Schleier) am Vorabend gestohlen.« *Vi lo devandayll el terzor que pen-
dian de sobre l'autar, Que Castellans vay aportar ».. .* die Schürze und das
Handtuch ... die Castellans gebracht hatte.«[78] Wir möchten diese Inter-
pretationsmöglichkeit der Kritik zumindest unterbreitet haben.

Das Nebeneinander von präsentischer Bedeutung mit Fortbewegung,
von futurischem und perfektischem Sinn im heutigen Gaskognisch stört
in keiner Weise das Funktionieren der Sprache als Kommunikationsmittel. Kontext und sprachliche Situation sorgen hier für genügende
Klarheit, und in einigen Fällen stehen ja auch eindeutige Ersatzkonstruktionen für den Bedarfsfall zur Verfügung. So etwa für die Fortbewegung
die Wendung *ké bau énạ (éntạ) bẹ́zé* »ich gehe, um zu sehen«, für das Perfekt die ererbte Form.

---

[78] S. *RLR* VIII, S. 44, Anm. 1.

III
VERSCHIEDENE PHASEN DER *VADO*-PERIPHRASE
GRÜNDE FÜR IHRE ERHALTUNG ODER IHREN VERLUST

Daß etwas Vergangenes als gegenwärtig und etwas Gegenwärtiges als vergangen dargestellt werden kann, nimmt niemanden wunder, da man Beispiele aus sehr vielen Sprachen zitieren kann. So sagt der Schwede: *Det* var *skönt* »das ist aber schön«, *det* var *bra* »das ist aber gut« (oder: »Ist das aber schön!« etc.). Der Römer gebraucht im Briefstil das Imperfekt oder Perfekt an Stelle eines Präsens, weil ein Geschehen, das für den Schreiber des Briefes Gegenwart ist, für den Empfänger Vergangenheit sein wird: *Nihil habebam, quod scriberem; neque enim novi quicquam audieram et ad tuas omnes epistulas rescripseram pridie* »ich weiß nichts zu schreiben; denn einesteils habe ich nichts Neues gehört, andernteils habe ich alle deine Briefe gestern beantwortet.«[79] In der volkstümlichen russischen Sprache steht bisweilen der Imperativ zur Vertretung des Indikativs Präteriti, um das Plötzliche und die Wichtigkeit einer Handlung zu unterstreichen: Blesni *mne tut sčastlivaja mysl'* »mir tauchte da plötzlich der glückliche Gedanke auf«[80]. Im sogenannten »Imparfait hypocoristique« des Französischen wird das Imperfekt für das Präsens gebraucht: *Il faisait de grosses misères à sa maman, le vilain garçon*[81] statt *tu fais de grosses misères à ta maman, vilain garçon*[82]. Bei der Rollenverteilung im Kinderspiel bedient man sich im Spanischen auch des Imperfekts: *Yo era ladrón* »ich spiele den Räuber«[83]. Schließlich sei das sogenannte Futurum historicum genannt, franz. »Futur historique« oder »Futur de perspective«, das im Französischen häufig zur Darstellung eines vergangenen Geschehens angewandt wird und für das man sowohl die einfache Futurform als auch die periphrastische mit *vado* finden kann: 1. *Le général Ott eut trois mille tués, et laissa cinq mille prisonniers entre les*

---

[79] Menge, *Rep. d. lat. Synt. und Stil.*, 2. Teil, S. 208.
[80] Zum historischen Imperativ vgl. man Spitzer, *Aufsätze zur romanischen Syntax und Stilistik*, S. 216ff.
[81] Man beachte auch den Distanzierungsvorgang durch den Gebrauch der dritten Person.
[82] P. Imbs, *L'emploi des temps verbaux en français moderne*, S. 97.
[83] S. Kl. Heger, *Die Bezeichnung temporal-deiktischer Begriffskategorien im französischen und spanischen Konjugationssystem*, S. 165.

26

mains des Français. De cette bataille sortira, pour le général Lannes, le titre de duc de Montebello[84]. *2. Dès le latin vulgaire le s impurum se percevait nettement dans l'articulation comme une syllabe et l'on trouve de très bonne heure une voyelle prosthétique e (ou i). En ancien français cet e prosthétique va devenir bientôt la règle, et s devenue ainsi intersyllabique devant consonne s'amuïra par la suite*[85].

Niemandem wird es in den Sinn kommen, allgemein zu behaupten, das Präsens bezeichne etwas Vergangenes oder das Imperfekt etwas Gegenwärtiges. Jeder wird aber mit uns darin übereinstimmen, daß das Präsens die Funktion eines Imperfekts, das Futur die Funktion eines Perfekts usw. übernehmen kann. Man muß also hier ganz scharf trennen zwischen der Hauptfunktion einer Verbalform und ihren Nebenfunktionen[86]. Diese Trennung der verschiedenen Funktionen haben wir einige Male in unseren Ausführungen zur *vado*-Periphrase erwähnt und möchten hier nochmals auf sie eingehen. Die Hauptfunktion der *vado*-Umschreibung war ursprünglich, den abstrakten Verbalbegriff, dem innerhalb einer vorgegebenen Erzählung besondere Bedeutung zukam, aus der Reihe der aneinandergereihten Fakten von geringerer Wichtigkeit hervorzuheben. Dies konnte in zwei Stufen vor sich gehen.

Die erste war die, daß *vado* die Bezeichnung personaler und temporaler[87] Kategorien übernahm, die ursprünglich das Hauptverbum, welches nun in den Infinitiv trat, selbst geleistet hatte. Da die Periphrase zuerst bei

---

[84] Imbs, *op. cit.*, S. 46.

[85] Eigenes Beispiel. Man konsultiere auch Tobler, *Vermischte Beiträge* II, S. 123ff., sowie A. Martius, *Zur Lehre von der Verwendung des Futurs im Alt- und Neufranzösischen*, S. 50ff.

Das Futurum historicum wird von Wackernagel, *Kleine Schriften* I, S. 444, selbst für das Altpersische nachgewiesen. Das Lettische besitzt derartiges ebenfalls und das Litauische vielleicht auch. Für andere Sprachen s. Wackernagel, *loc. cit.*

Ein schönes altfranzösisches Beispiel aus dem *Bestiaire* Philippes von Thaon, zitiert nach Voretzsch, *Altfrz. Lesebuch*, S. 66, sei angeführt:

> VULPIS de beste est nuns
> que gupil apeluns.
> Gupiz est mult luiriez
> e forment vezïez:
> quant preie volt conquere,
> met sei en ruge tere,
> tuz s'i *enpulderat*,
> cume mort se *girat*;
> la gist gule baee
> sa langue hors getee
> . . .

[86] S. E. Koschmieder, *Zur Bestimmung grammatischer Kategorien*, jetzt in *Beiträge zur allgemeinen Syntax*. Man vgl. auch desselben Verfassers Ausführungen in *Zeichen und System der Sprache*, Bd. I, S. 258–261.

[87] Z. Teil auch modaler. Dies interessiert uns hier jedoch nicht.

Verben der Bewegung auftrat[88], ist diese erste Stufe sehr verständlich, da sie nur die Herausschälung eines dem Hauptverbum schon von Natur aus innewohnenden Bedeutungsaspektes ist. Dies konnte sogar so weit gehen, daß man beide Verben parataktisch anordnete, statt *eis* »er geht hinaus« nun nicht nur sagte *va eissir*, sondern auch *va et eis*, entsprechend im Perfekt statt *issi* sowohl *anet eissir* als auch *anet et issi* bzw. *va et issi*. Sobald nun *anar* in dieser Periphrase seine ursprüngliche Bedeutung weitgehend verloren hatte und mehr und mehr auf Grund der semantischen Abnutzung als Werkzeug der Hervorhebung empfunden wurde, konnte es ohne Schwierigkeit auch mit anderen Verben gekoppelt werden.

Die zweite Stufe betrifft den Ersatz des Perfekts durch das Präsens. Wir sagten schon, daß die Verben der Bewegung eine besondere Vorliebe für das »historische« Präsens haben, und es ist folglich verständlich, daß gerade *anar* selbst die Gegenwart bevorzugt. Wir brachten soeben das sehr typische Beispiel *e va e issi*, bei dem beide Verben gleichgeschaltet sind – *va* hat praktisch keinen semantischen Eigenwert mehr –, *eissir* aber eine Perfektform bietet, wogegen *anar* im Präsens steht. Ähnliche Fälle lassen sich in großer Anzahl aus den Texten belegen. Grundsätzlich muß man jedoch einmal die Frage stellen, ob das Perfekt durch das Präsens oder durch eine periphrastische Futurform ersetzt worden ist. Da nämlich seit alter Zeit die *vado*-Periphrase futurischen Sinn haben kann – die Transponierung eines räumlichen Abstandes auf die zeitliche Ebene ist sehr leicht einzusehen –, darf man diese Möglichkeit nicht vollkommen ausschalten, zumindest nicht insofern, als sie wenigstens von sekundärem Einfluß gewesen sein könnte. Spitzer[89] berichtet, für unsere Frage sehr interessant, daß auch im Niederdeutschen und Nordböhmischen das Futurum statt des Präteritums steht, und er glaubt, Schiepeks[90] Zweifel betreffs der Erklärung – prophetisches (= historisches) Futur oder ingressives (= inchoatives) Präsens? – zu Gunsten des Präsens beseitigen zu können: »Schiepek schwankt, ob man von einem prophetischen Futurum, das sich in die Zeit des Geschehens der erzählten Handlung zurückversetzt, oder von der ursprünglichen Bedeutung des deutschen Futurs (mhd. *sô werdent sie trinken* ›sie beginnen zu trinken‹), also einem ingressiven Präsens, aus diese merkwürdige Verschiebung erklären soll: wir können in dem zitierten nordböhm. Satz *Do giehn die Jungen, suchen e Stengel, traten under d'Foieresse und warden ofangen zu stochern o dan Säckel* ›und fingen an, an dem Säckchen zu stochern‹ ... das genaue Analogon zu kat. *va comensar a* erblicken und uns für die inchoative Deutung entscheiden.« Wackernagel[91] bringt ein ähnliches Beispiel wie das

---

[88] S. Colón, *op. cit.*, S. 174.   [89] *op. cit.*, S. 178.

[90] Vgl. J. Schiepeks Arbeit, *Der Satzbau der Egerländer Mundart* (*Beiträge zur Kenntnis deutsch-böhmischer Mundarten* I, S. 143, Anm. 6).

[91] *A.a.O.*, S. 447. Vgl. a. Schiepek, *loc. cit.*

vorhergehende: *Ich also bin nach Tannenburg gemacht und werde dann gleich auf sein Zimmer gehen,* und H. Kuen[92] kann die Umschreibung mit *werden* in perfektischem Sinn für das Sächsische belegen: *Da ging'ch vorhin ieber de Straße und da spielten paar Jung mit en Fußball. Ich hatte se weiter gar nich beacht – da werd mer doch uff eemal so ä Lausejunge dn Ball zwischen de Beene schmeißen. Nee, da bin ich se aber erschrocken.* Obwohl auch Spitzer nicht ganz sicher ist, ob es sich nun wirklich ursprünglich um ein ingressives Präsens handelt – er weist das historische Futur nicht kategorisch zurück –, möchten wir doch glauben, daß für die romanischen Sprachen von einem Präsens auszugehen ist, wenn auch vielleicht das Futur Schützenhilfe geleistet hat. Unsere Hypothese wird dadurch gestützt, daß ja nicht *cantet* durch *va cantar* ersetzt wurde, sondern zunächst durch *anet cantar,* daraufhin auch durch *va cantar,* die nun beide miteinander konkurrierten. Nach und nach trug dann *va cantar* den Sieg davon, definitiv aber erst mit dem Untergang des ererbten Perfekts in der Volkssprache[93].

Nun sollte man aber das Präsens in *va far* nicht als inchoativ oder ingressiv bezeichnen[94]. Zweifellos gibt es Fälle, in denen die präsentische *vado*-Umschreibung ingressiv ist. Sie ist aber nicht präsentisch, weil sie ingressiv ist, und nicht ingressiv, weil sie präsentisch ist. Es handelt sich hier nicht um eine Relation zwischen Ursache und Wirkung. *Anet far* könnte ebensogut ingressiv sein, und *va far* kann resultativ, anknüpfend und alles mögliche sein. Was es aber in einem ganz bestimmten Fall ist, wird durch den Kontext und die Grundbedeutung des umschriebenen Verbums bestimmt. Aktionsarten und Aspekte können also nur sekundär für die Präsentifizierung der Umschreibung mit *gehen* bemüht werden. Vielmehr ist hierfür das Verbum *gehen* selbst verantwortlich sowie auch der Stilwert der ganzen Periphrase, wie er sich mit der Zeit im Mittelalter herausgebildet hat. Wir möchten uns hierin vollkommen Colóns[95] Ausführungen anschließen: »Puisque la périphrase *va* + *infinitif* s'emploie pour actualiser l'action et la rapprocher de nous, il est parfaitement compréhensible qu'on recoure très souvent au présent historique dont la mission est aussi de présentifier le récit et lui infuser plus de vivacité. Les deux procédés, la périphrase et le présent historique, se compénètrent et unissent leurs forces.«

Durch die konstante Nachbarschaft präteritaler Verbalformen hat die präsentische *vado*-Periphrase immer mehr Vergangenheitsbedeutung angenommen. Während diese nun anfangs eindeutig ein Stilisticum war, eine Nebenbedeutung oder Nebenfunktion der präsentischen Periphrase,

---

[92] *ZRP* 66, S. 112.
[93] Letzteres gilt natürlich nur für das Katalanische. Cf. Colón, *op. cit.*, S. 172.
[94] Wir haben das selber in unserem Madrider Referat getan. Vgl. *Considérations sur le parfait périphrastique*, S. 1169.
[95] *op. cit.*, S. 173.

wurde sie allmählich zu einer ganz banalen, stilistisch neutralen Erscheinung des grammatischen Systems der jeweiligen Sprachen, d. h. vorwiegend des Katalanischen, sie wurde grammatikalisiert; aus der Nebenfunktion wurde die Hauptfunktion. Dieser Zeitabschnitt des Wandels von Neben- zu Hauptfunktion müßte in allen künftigen Arbeiten über die *vado*-Periphrase stärkere Berücksichtigung finden; denn wenn man Jahreszahlen für das Auftreten des *vado*-Perfekts nennt, sollte es sich vor allem um diesen Zeitraum handeln, da alles, was vorher liegt, nicht unter die Rubrik *Perfekt*, sondern unter die Rubrik *Präsens* gehört.

Nachdem wir versucht haben, das *Wie* der Entstehung der *vado*-Periphrase etwas aufzuhellen, wollen wir auch noch die Frage nach dem *Warum* stellen. Dieses *Warum* soll sich aber nicht auf das Aufkommen der Umschreibung als solcher beziehen. Auch wollen wir nicht grundsätzlich die Frage nach den Neuerungen im Sprachleben stellen. Es ist ganz klar, daß die *vado*-Periphrase nicht geschaffen wurde, weil das ererbte Perfekt vor dem Untergang stand. *Vado* + Infinitiv bestand schon lange bevor das alte Perfekt die ersten Schwächen zeigte. Das Schaffen der Sprache ging auch hier, wie immer, dem Abschaffen voraus[96]. Wir wollen das *Warum* auf das Überleben, auf die Erhaltung und die vollständige Grammatikalisierung der *vado*-Periphrase mit Perfektbedeutung beziehen. Wir teilten schon mit, daß das Französische dieses Perfekt im 17. Jahrhundert verlor. Für das Provenzalische dürfte ungefähr dieselbe Zeit anzusetzen sein. Das Gaskognische wird sich kaum anders verhalten haben; denn das, was wir über den modernen Gebrauch mitgeteilt haben, scheint doch nur ein Überrest zu sein. Diese drei Sprachen haben aber das *vado*-Futur erhalten bzw. weiterentwickelt, wogegen das Katalanische *vado* + Infinitiv als Perfekt besitzt, das nahe Futur aber durch *vado* + *ad* + Infinitiv ausdrückt. Man bringt die Erhaltung des *vado*-Perfekts im Katalanischen stets[97] mit dem *Verlust* des alten Perfekts in Verbindung, und man tut es nach unserer Überzeugung zu Recht[98]. Vielleicht nun muß man aber den Verlust des *vado*-Perfekts im Französischen, Gaskognischen und Provenzalischen auch mit der *Erhaltung* des alten Perfekts[99] in Verbindung bringen. Alle drei Sprachen

---

[96] Vgl. Spitzer, *op. cit.*, S. 179.
[97] Vgl. Colón, S. 174; De Montoliu, *op. cit.*, S. 82.
[98] Es ist schwer zu sagen, inwieweit ein gewisses dialektisches Verhältnis zwischen dem *vado*-Perfekt und dem ererbten Perfekt bestand, d. h. inwieweit das *vado*-Perfekt den Verlust des ererbten Perfekts, der Verlust des ererbten Perfekts aber den Erfolg der Periphrase begünstigte.
[99] Die geringe Volkstümlichkeit des Perfekts im heutigen Französisch spricht keineswegs gegen unsere These, da es sich hier um ein modernes Problem handelt. Interessant aber ist, wie die Sprache heute das alte Perfekt durch seit langem vorhandene und syntaktisch vorbelastete Formen (Imperfekt, zusammengesetztes Perfekt) ersetzt.

haben nämlich bis heute die alten Perfekte bewahrt und haben deswegen wohl die pleonastische *vado*-Form wieder eliminiert.

Hochinteressant ist die Tatsache, daß auch das alte Perfektsystem des Provenzalischen wie das des Katalanischen gegen Ausgang des Mittelalters in vollkommenen Verfall geraten war. Das Katalanische hat zum nächstliegenden Ersatzmittel gegriffen, das für die zu erfüllende Aufgabe genügend vorgebildet war, nämlich zum *vado*-Perfekt. Das Provenzalische hat einen andern Ausweg gefunden. Es hatte durch einen langen analogischen Umwandlungsprozeß, der in den verschiedenen Mundartgebieten[100] dieselben Tendenzen, wenn auch nicht immer die gleichen Resultate erkennen läßt, sein Perfektsystem sehr stark vereinfacht, die starken Perfekte eliminiert, gleiche Endungen für alle Konjugationen eingeführt, die Stämme zum Teil erweitert, den Akzent grundsätzlich auf die Endung verlegt. Aus 1 *cantei,* 2 *cantest,* 3 *cantet,* 4 *cantem,* 5 *cantetz,* 6 *canteron* wurde 1 *cantère,* 2 *cantères,* 3 *cantè,* 4 *canterian,* 5 *canterias,* 6 *cantèron,* aus *saup, saubist* usw. *sachère, sachères,* aus *dec, deguist deguère, deguères.* Der endgültige Triumph dieses neuen Systems fällt nun in die Zeit, in der das *vado*-Perfekt verloren ging, und wenn auch die Einzelheiten zum großen Teil noch aufzuklären sind, ist es doch wohl berechtigt, zwischen beiden Phänomenen eine Beziehung anzunehmen.

---

[100] Für die gesamte Frage konsultiere man Ronjat, *Gr. ist.* III, §§ 570–580. Natürlich hat auch das Katalanische das ererbte Perfekt analogisch umgestaltet. Warum trotzdem die Periphrase sich durchsetzte, wird vielleicht die Hab.-Schr. Colóns klären.

IV

DIE *VADO*-PERIPHRASE IN DER MUNDART VON GUARDIA PIEMONTESE (KALABRIEN)

A. Allgemeines und Historisches

Einen besonders wichtigen und instruktiven, zudem auch in mehrfacher Hinsicht äußerst interessanten Beitrag zur Frage des *vado*-Perfekts liefert uns die Mundart von Guardia Piemontese in Kalabrien[1]. Diese provenzalisch-piemontesische[2] Mischmundart wurde im *AIS* (Punkt 760) berücksichtigt und von G. Rohlfs im Jahre 1924 aufgenommen. Dieser Aufnahme ging unseres Wissens nur die Untersuchung G. Morosis vom Jahre 1890 über die modernen Waldensermundarten im allgemeinen voraus[3], bei der auch Guardia Piemontese behandelt wurde. Wir hatten 1965 persönlich die Gelegenheit, dieses heute rund 1300 Einwohner[4] zählende, vom Verkehr noch recht abgeschnittene Dorf zu besuchen. Hierbei fragten wir u. a. erneut das gesamte Questionnaire des *AIS* sowie die Beispielwörter Morosis ab, um einen einfachen Überblick über die deutlich festzustellende Entwicklung der Mundart in den letzten 75 Jahren zu gewinnen. Da wir die Mundart vorher bereits durch die genannten Arbeiten kannten, legten wir unser Hauptaugenmerk auf die Verbalflexion, weil für die Lösung der hier aufgeworfenen Fragen das Material Morosis und des *AIS* nicht ausreicht.

---

[1] Siehe hierzu auch unser Referat: *Considérations*.

[2] Nicht »frankoprovenzalisch« wie bei G. Rohlfs, *Historische Grammatik der italienischen Sprache*, Bd. II, S. 379, und in der *Enciclopedia Italiana*, Bd. XVIII, Stichwort *Guardia Piemontese Terme*.
Vgl. hierzu unser Referat von Nizza, *Le parler de Guardia Piemontese est·il franco-provençal ou provençal?*, demnächst gedruckt in den Akten.

[3] *L'Odierno Linguaggio dei Valdesi del Piemonte*, in: *AGI*, Bd. 11 (1890), 308–416, und Bd. 12 (1890–92), 28–75.

[4] Genaue Angabe nach dem *Annuario Generale* (1961) des Touring Club Italiano: 1278 Einw. Nach unseren eigenen Erkundigungen beim Schullehrer des Dorfes, Herrn Gay, beträgt die Einwohnerzahl, einschließlich der Frazioni, nach der letzten Zählung vom Jahre 1961 genau 1141, wobei noch zu berücksichtigen ist, daß ein sehr großer Teil der männlichen Bevölkerung im arbeitsfähigen Alter zwar in Guardia Piemontese gemeldet ist, jedoch im Ausland arbeitet und so dem Heimatdorfe finanziell den Fortbestand sichert.

Die alte Waldenserkolonie Guardia Piemontese befindet sich in der Provinz Cosenza, ungefähr 70 km von der Provinzhauptstadt selbst entfernt und ist 13 km nördlich von Paola, der nächstgrößeren Bahnstation, gelegen. Die Bahnstation für Guardia Piemontese selbst ist Guardia Piemontese Marina bzw. Guardia Piemontese Terme – so genannt wegen der ganz in der Nähe gelegenen schwefelhaltigen Terme Luigiane – an der Bahnlinie Neapel–Reggio di Calabria, unmittelbar am Meer. Das alte mit Befestigungsmauern umgebene Dorf Guardia Piemontese liegt 514 m über dem Meeresspiegel. Der kürzeste Weg hinauf ist ein mühsamer 4 ½ km langerMaultierpfad. Die normale, ständig in Serpentinen sich windende und bis heute nicht asphaltierte Straße ist 9 km lang. Sie erlaubt eine regelmäßige Busverbindung mit der Bahnstation morgens, mittags und abends. Unter diesen Umständen wird es weniger verwundern, daß die Mundart (*u gwardiyúəl*ʾ »il guardiolo«) vorzüglich erhalten ist und vom jüngsten bis zum ältesten Einwohner des Dorfes gesprochen wird. Es gibt sogar noch ältere Frauen, die des Italienischen überhaupt nicht mächtig sind, dieses zwar verstehen, aber in der Mundart antworten.

Guardia Piemontese war nicht die einzige mittelalterliche Waldenserkolonie in Süditalien. Andere Siedlungen befanden sich in Montalto, San Sisto, Vaccarizzo, in Rocca Argentina, Castagna und San Vincenzo. Wohl aber hat Guardia Piemontese als einzige von all diesen Ortschaften[5] seine ursprüngliche Mundart bis auf den heutigen Tag erhalten, allen Verfolgungen und allen Einflüssen der umgebenden süditalienischen Mundarten die Jahrhunderte hindurch zum Trotz.

Es soll hier nicht der Ort sein, auf den Ursprung bzw. die Herkunft der oberitalienischen Waldensersiedlungen einzugehen. Auch wollen wir nicht zu bestimmen versuchen, woher die Bewohner von Guardia Piemontese im Mittelalter gekommen sind. Wenn überhaupt über die Resultate Morosis hinauszukommen ist, so muß das in anderem Zusammenhang geschehen. Kurz erwähnen wollen wir jedoch die Probleme, die den Zeitpunkt der Einwanderung betreffen; denn sie sind für unsere Fragestellung von besonderer Wichtigkeit, wie wir weiter unten ausführen werden.

Die Meinung der Historiker ist recht verschieden ausgefallen und schwankt zwischen dem 13.–15. Jahrhundert. Morosi[6] selbst hält das Ende des 14. Jahrhunderts für den letzten möglichen Zeitpunkt der Einwanderung, und seine Gründe sind nicht ganz abzuweisen: »Non si andrà

---

[5] Es mag sein, wie Morosi, *AGI* 11, S. 326, vermutet, daß sich die Waldenser zuerst in den anderen genannten Ortschaften niederließen und Guardia Piemontese erst nachher auf Grund seiner zur Verteidigung hervorragenden Lage ihre »place de sûreté« wurde. Anhaltspunkte für diese Vermutung gibt es kaum. Einige der alten Waldenserdörfer, z.B. San Sisto und Vaccarizzo, werden jetzt von albanesischen Einwanderern bewohnt.

[6] *AGI* 11, 325f.

iontani dal vero ponendo la prima [andata] intorno al 1400, piuttosto avanti che dopo. È difficile infatti che dei Valdesi, conosciuti per tali, cioè per ›eretici‹, abbiano potuto essere accolti in uno Stato degli Angioini dopo il 1400, dopo cioè ch'erano ricominciate più violente le persecuzioni contro di essi al di là e al di qua delle Alpi.«[7] Hiermit ist natürlich nur ein *Terminus post quem* angegeben, wobei vor 1400 immerhin rund 150 Jahre zur Auswahl stehen, die für die Ansiedlung in Frage kommen könnten.

Nach Morosi ist die Meinung, nach der eine Einwanderung von Waldensern nach Kalabrien im 13. Jahrhundert schon stattgefunden habe, historisch nicht haltbar: »L'opinione che risalga al secolo XIII . . . non ha fondamento storico. Essa riposa soltanto sulla menzione che due decreti di Carlo d'Anjou, del 1268, fanno così in genere di eretici fuggiti di ›Lombardia‹ e dimoranti in diverse parti del Reame di Napoli.«[8] Morosi mag Recht haben, sich skeptisch zu zeigen und vor allem in den »lombardischen« Flüchtlingen, die sich an verschiedenen Orten des Königreichs Neapel niederließen, nicht unbedingt die Einwanderer von Guardia Piemontese sehen zu wollen. Andererseits ist aber doch wohl auch zu unterstreichen, daß nichts der Annahme einer frühen Einwanderung widerspricht. Wenn wir schon keine positiven Beweise haben, so sollte man sich doch auch klar darüber sein, daß es ebenfalls an negativen Beweisen fehlt und folglich sämtliche Versuche, die Einwanderung zwischen 1250 und 1400 erfolgen zu lassen, zwar hypothetisch, aber nicht notwendigerweise falsch sind. In einem Sammelband[9] über Kalabrien schreibt E. Cassin:

»I racconti tradizionali non spiegano le ragioni che hanno spinto i piccoli nuclei di Valdesi a lasciare le vallate piemontesi delle Alpi Cozie e a venire ad installarsi sulle alture che, a pochi chilometri a nord di Paola, dominano la costa tirrenica, nè i motivi che indussero i signori di queste terre ad attirare queste genti fuori dalle loro vallate. Quanto alla data della loro migrazione, un diploma di Carlo II d'Angiò, della fine del XIII secolo, accolla già al nome di Guardia l'aggettivo ›piemontese‹, che il paese porta proprio perchè è abitato da genti del Nord.«[9a] Wir können

---

[7] *AGI* 11, S. 326. K. Jaberg scheint Morosi zu folgen in seinem Aufsatz *L's final libre dans les patois du Piémont* (*Bulletin du Glossaire des Patois de la Suisse Romande*, 1911, S. 75, Fußnote 1), wenn er von Guardia Piemontese als einer »colonie vaudoise fondée en Calabre avant 1400« spricht. C. Tagliavini, *Le Origini delle Lingue Neolatine*, S. 359, setzt eine weitere Begründung und Referenzen das 15. Jahrhundert an, was wohl in jedem Fall zu spät sein dürfte, wenn damit das Ende des Jahrhunderts gemeint ist.
[8] *AGI* 11, S. 325.
[9] Es handelt sich um *La Calabria*, hrsg. von J. Meyriat, Mailand 1961, S. 360.
[9a] Nach der *Enciclopedia Italiana* ist das Adjektiv »Piemontese« erst ein Anhängsel aus dem 19. Jahrhundert.

vorerst kein Urteil über dieses Zeugnis abgeben, da keine Quellen angegeben sind. Sollte aber wirklich die besagte Urkunde aus dem 13. Jahrhundert existieren und unseren Ort als »Guardia Piemontese« bezeichnen, so würden wir dies als ausreichenden Beweis für die Existenz der Waldenser in Kalabrien zum genannten Zeitpunkt betrachten. Daß ein solcher Zeitpunkt durchaus richtig sein kann, wird auch dadurch nahe gelegt, daß die Besiedlung von Celle[10] und Faeto in Apulien durch eine frankoprovenzalisch sprechende Bevölkerung wohl auf die Bemühungen der Anjous im 13. Jahrhundert zurückgeht[11].

Die angeschnittenen historischen Fragen haben für uns hier vor allem linguistische Bedeutung. Das *vado*-Perfekt überrascht zunächst auf italienischem Boden. Es ist heute in der Mundart von Guardia Piemontese die einzige Form des Perfekts und ohne allen Zweifel provenzalischen Ursprungs. Man darf wohl ohne Einschränkungen postulieren, daß die Kolonisten dieses Perfekt mitgebracht haben und daß zum Zeitpunkt ihrer Niederlassung in Guardia Piemontese die Konstruktion bereits grammatikalisiert war oder aber zumindest der Prozeß der Grammatikalisierung schon recht fortgeschritten war. Die umgebenden süditalienischen Mundarten nämlich kennen die Umschreibung mit *andare* nicht in der hier behandelten Funktion, und es wäre kaum anzunehmen, daß eine einzige Mundart trotz entgegengesetzter Einflüsse der Nachbardialekte eine so markante und ungewöhnliche Neuerung durchgeführt hätte. Folglich wird nun das Datum der Besiedlung von Guardia Piemontese zu einem Eckstein am chronologischen Gebäude der *vado*-Konstruktion, da wir hier über ein nach unserer Meinung absolut zuverlässiges äußeres Kriterium für die Festsetzung der Grammatikalisierungsepoche verfügen. Ist die Besiedlung im 14. Jahrhundert erfolgt, so ist diese Tatsache nur ein weiteres Glied in der Kette der Zeugnisse aus diesem Jahrhundert. Muß man aber das 13. Jahrhundert für die Einwanderung ansetzen, so besitzen wir vielleicht mit der Mundart von Guardia Piemontese das älteste eindeutige Zeugnis für das *vado*-Perfekt[12].

---

[10] Über die Sprache dieser Dörfer siehe Morosi, *AGI* 12, 33–75, und M. Melillo, *RLiR* 23, 1–34.

[11] Cf. Morosi, *AGI* 12, S. 35f.

[12] Wir meinen natürlich die *vado*-Konstruktion als vollgültige Vergangenheitsform innerhalb der Verbalflexion, und zwar bei allen Verben.

B. Die beiden Typen der *vado*-Periphrase

Am Schluß seiner Studie über die Mundart von Guardia Piemontese hat
Morosi die lokale Version des Gleichnisses vom Verlorenen Sohn ange-
fügt, die wir hier zunächst wiedergeben möchten, weil sie einen zusam-
menhängenden Eindruck der Mundart vermittelt – allerdings in manchen
lautlichen und morphologischen Aspekten etwas verschieden vom heutigen
»Guardiolo« – und weil wir auf diese Weise induktiv an die zu lösenden
Probleme herankommen:

»*Lā l̃ era iñ eǵǵ in om. Iké jom a l'avía dü fil̃. Lu maj ǵuv'n^u a ve dīr a
suǹ pàjr^u: 'Duném la pàrt d'biǹ k'la mi tūća'. E lu pàjr^u a duná e dü fil̃
ćo kẹ lā li tućáva. Pok ǵuorni d'pöj lu fil̃ maj ǵuv'n^u ti lu vej k'a kjöl̃ oñīkoźa
e s'ni vej vjaǵǵàr e a l'ariva a pají löñ avunt a kunsüma tutt lí sūštànç
fẹźünt vitta šcapištră. E spindü k'a véj avêr oñīkoźa, ina ĝràǹ ćarištia i ve
v'nír öǹ kí pají. Dẹ mod tål̃ kẹ jel̃ a s've kumünç^u truvàr öñ ĝràǹ miseria. A
si vé ǵüštå ab öǹ s'ñur d'laj, ka lu màndàva 'n kampàña a pàjs'r li pierk.
E jel̃ puru elaj a söffr^u la fàm e a l'á d'źideri d'ź'jímpiri lu korp d'ĝjànt kẹ
li pierk i minǵàv'n^u. Ma panüǹ a li ni dunáva. Aduǹk a püns^u diǹ d'el̃:
'Kånti lavuratur d'mun pàjr^u il̃ àǹ d'pàǹ abundånt e mi eçí é pá kj mi
minǵàr e mi ni mieru. M'summ^u e våu avunt mũ pàjr^u e li diu: 'Já, mi é
pökǎ kuntr^u dā çiẹl̃ e kuntr^u d'tü, e mörítt^u pá ćü d'jess'r kjamå fil̃ téu e
pẹrçoǹ tratt'mé kum iñüǹ d'téu lavuratur'. E enšit a vé fàr. Lu pàjr^u, cum
a lu vé vejre d'löñ, a l'á kumpasjuǹ d'el̃, a lu 'mbraça, a lu båźa, e a dí e
sẹrvitur: 'Vištélú ab'lu mej bẹl̃ viští, kjaveli li ćusíer e pé, e ina vira ā dé e
ané a pilar lu vitẹl̃ mej ĝrå, massél̃ú, e minǵéǹ e šteǹ allegr', pikkjí iké fil̃ a
l'era mort e a l'é 'rsüš'tá, a l'era pẹrdü e i l'àǹ 'rtruvá. E i s'vàǹ kjavá a
fàr ĝràǹ fešta. Ntàǹt lu fil̃ mej grànt a 'r'turnàva d'la massarej a la kǎ e,
juví ikil̃ štrumünt e ikils ćançuǹ, a vé d'màndᵘ e sẹrv'tur ki koźa lā vules dīr
ikīla nov'ta. E lu sẹrv'tur a vé rẹšpunt: 'Tūǹ fràjr^u a l'é turnå e tum pàjr^u
a l'á fàjt maså lu vitẹl̃ maj ĝrå, pikkjí a l'á r'višt e 'rküp'rá lu fil̃ såǹ e sårf.
Alura ti lu vej k'a s'arràǵǵa e a vōl̃ pá jintr^u a la kǎ. Lu pàjr^u a sål̃ e a lu
prej d'jintràr. E ikél̃ a dí: 'L'é tånti jàñn kẹ mi t'serv^u e t'é pá màj d'źüb'dí,
eppüru tü ti m'ā pá màj dunå in ćabrí pi fàr im pé d'alliĝrij ab' l̃ amík meu.
E jeur^u vil k'appena a l'é v'ñü ikešt fil̃ téu k'a s'é minĝå li bẹntéu 'n kum-
pañíj d'ǵünt d'måla vitta, vil̃ kẹ t'ā fàjt maså p'r el̃ lu vitẹl̃ öñĝressǎ.' Lu
pàjr^u a li rẹšpunt: 'Fil̃ méu, tü t'ā pá d'rẹźuǹ afàjt dẹ ti lañar e dẹ ti 'nźirràr,
pikkjí tü t'sí štă tutavij e tutavij t'sí eçí ab' mí e oñi koźa mia il̃ é püru la tua.*

36

Jeuvr^u la b'suñåva får fešta, pikkjí tuṅ fråjr^u ka l'era mort a l'é turnă 'n vitta, tuṅ fråjr^u k'a l'era pęrdü viḷ kę l'åṅ ęrtruvă[13].

Dem aufmerksamen Leser wird nicht entgangen sein, daß dort, wo man in vorstehendem Text – aus dem Textzusammenhang oder aber wegen der Reminiszenz der italienischen Fassung – ein Perfekt erwartet, zwei grundverschiedene Formen auftreten:

1. *a ve dir*   »disse«
   a ve får   »fece«
   i ve v'nīr   »venne«
   a lu ve vejre   »lo vide«
   spindü k'a véj avér »speso ch'ebbe«

2. *a s've kumünç^u truvår* »cominciò a trovare«
   a vé d'måndu   »domandò«
   a vé ręšpunt   »rispose«

Die erste Gruppe entspricht durchaus dem uns bekannten Perfekttyp: *Vadit dicere, vadit facere* etc. Interessant ist das Beispiel für ein Trapassato remoto *spindü k'a vej avér*[14]. Hingewiesen sei auch auf die besondere Form von *vadit > ve* in dieser Verbindung, da die volltonige Entwicklung *våy* ist. Im heutigen Sprachgebrauch lauten die Formen von *anár* »andare« im Präsens Indikativ[15]:

volltonig	*proklitisch* (nur im *vado*-Perfekt)
1. *våẇ•*	1. *vo*
2. *tə våy*	2. *tə va*
3. *a våy*[16]	3. *a vę*
4. *anę́ŋ*	4. *vaŋ*
5. *anȩ́*	5. *va*
6. *i vaŋ*	6. *i vaŋ*[17]

---

[13] *AGI* 12, 31–32. Wir haben den Text in der ursprünglichen Lautschrift des *Archivio* wiedergegeben. Für das Transkriptionsverfahren verweisen wir auf Bd. 1 des *Archivio* sowie besonders auf M. Heepe, *Lautzeichen und ihre Anwendung in verschiedenen Sprachgebieten*, Berlin 1928, S. 53–54. Unsere eigenen Aufnahmen sowie die von Rohlfs geben wir nach dem System des *AIS* wieder.

[14] Das *j* von *vej* gehört eigentlich zu *avér* und ist ein immer wieder anzutreffender Übergangslaut zur Vermeidung des Hiats. Auch im absoluten Anlaut tritt diese euphonische Erscheinung gerne auf.

[15] Dieses tritt heute auch für Präs. Konj. ein, da der Konj. untergegangen ist.

[16] Die Länge des Vokals der ersten 3 Personen ist im Redefluß kaum noch wahrzunehmen. Ähnliches gilt von allen Langvokalen des »Guardiolo«. Der *AIS* gibt die Vollformen wie folgt wieder *våẇ•*, *vá̧*, *vå̊y*, *anéŋ*, *anȩ́*, *vaŋ* (Karte 1692). Der dunkle *a*-Laut bei *våy* (*å*) ist durchaus gut beobachtet. Auch wir haben diesen Laut notiert, der in unserer Mundart die regelmäßige *a*-Qualität im Diphthong darstellt, z.B. *fåyt < factu*, *ḍ̊åyt < lacte*, *nåys•r• < nascere*. Daneben haben wir jedoch auch den helleren *a*-Laut (beeinflußt durch das Italienische?) gehört. Auch das *a* der Infinitive der 1. Konjugation wurde von Morosi noch *å* notiert, wogegen Rohlfs schon überall *a* gehört hat.

[17] Rohlfs notiert die 1. Person meistens mit geschlossenem *ǫ*: *vǫ*. Wir empfin-

Das Perfekt von *andare* selbst heißt nun

1. *vo anár*   4. *vaŋ anár*
2. *tə va anár*   5. *va anár*
3. *a vę anár*   6. *i vaŋ anár*

bzw. mit der betonten Form des Personalpronomens

1. *mə vo anár*   4. *nŭ vaŋ anár*
2. *tŭ tə va anár*   5. *vŭ va anár*
3. *yę́ḍ a vę anár*   6. *ḍuri vaŋ anár*[18]

Zu diesem ersten Typus des *vado*-Perfekts sollen nun ein paar Beispiele folgen, und zwar aus dem *AIS*:

avę́ štrę́ñərə	»strinse«	(K. 1671)
avę́ faŗ	»fece«	
vó pę́rdərə	»persi«	
vó savę́r	»seppi«	(K. 1698)
vaŋ vę́yr•	»videro«	
vaŋ vŭndərə	»venderono«	
avę́ pa pwę́r	»non poté«	
avę́ savę́r	»seppe«	
vo vulę́r•	»volli«	(K. 1699)
avę́ vulę́r	»volle«	
vó avę́r•	»ebbi«	
avę́ bę́wr	»bevve«	
vó vənír•	»venni«	(K. 1700)
avę́[19] *yę́s•r•*[20]	»fu«[21]	

den den Laut heute eher als offen: *vǫ* bzw. als zwischen beiden Qualitäten liegend: *vo*. Wir werden nicht ständig auf solche Unterschiede eingehen, da sie für unsere Probleme belanglos sind. Beachtens- und erwähnenswert ist jedenfalls die weitgehende Übereinstimmung der Aufzeichnungen von Rohlfs mit unseren eigenen, die wir auf Tonband festgehalten haben.

Morosi (*AGI* 11, S. 391) gibt die vollen Formen mit 1 *vǎu^v* oder *vǎj^u*, 2 *vā*, 3 *vá*, 4 *anén*, 5 *ané*, 6 *ánen*, die proklitischen mit 1 *vej*, 2 *ve*, 3 *ve*, 4 *vǎn*, 5 *vé*, 6 *vǎn* an, wobei nach ihm die letzten drei Formen auch volltonig vorkommen können.

Ausdrücklich sei jedoch darauf hingewiesen, daß auch Morosi *vǎ miŋǎr* »mangiai« neben *ve*, *vej miŋǎr* »idem« notiert hat, womit die Existenz der heute allein gültigen Form schon für 1890 bezeugt ist.

Auch andere Verben weisen Doppelformen auf, deren Gebrauch von der jeweiligen Funktion als Voll- oder Hilfsverb bestimmt wird, so z.B. *avę́r* und *faŗ*: volltonig 1 *ay*, *yay* gegen 1 *ey*, *e* in den zusammengesetzten Zeiten (*ey ćantá̧* »ho cantato«), *a fǎy karkóz* »fa qualche cosa« gegen *a fe vənír* »fa venire« etc.

[18] Das *r* der Infinitive ist mehr oder minder stark artikuliert. Es könnte häufig *ŗ* notiert werden, was auch im *AIS* weitgehend der Fall ist. Wir verzichten in unseren eigenen Aufnahmen auf dieses diakritische Zeichen aus typographischen Gründen. Vermerkt sei hier schon, daß die *r*-Artikulation sehr schwach sein kann, so daß sogar völliger Schwund eintreten kann. Wir kommen später darauf zurück.

[19] Der *AIS* schreibt durchwegs *avé*, was zwar satzphonetisch und syntaktisch

Es sei noch erwähnt, daß die Mundart von Guardia Piemontese natürlich die dem italienischen *vado a lavorare* entsprechende Konstruktion kennt, die durchkonjugiert heißt:

1. *váѣ a faṭigár*	4. *anę́ŋ a faṭigár*
2. *tə vay a faṭigár*	5. *anę́ a faṭigár*
3. *a vay a faṭigár*	6. *i vaŋ a faṭigár*[22]

Ehe wir nun an die nicht ganz leichte Erklärung der Formen aus Gruppe 2 herangehen, wollen wir zunächst das Wichtigste aus der guardiolischen Verbalflexion mitteilen.

-áre-Konjugation

Präsens Indikativ	Imperfekt Indikativ
1. *trōv*	1. *truváѣ•*[24]
2. *tə trōv*	2. *tə truváѣ•*
3. *a trōv*	3. *a truváѣ•*
4. *truvéŋ*[23]	4. *truváѣənə*[25]
5. *truvę́*	5. *truváѣə*
6. *i trṓvənə*	6. *i truváѣənə*

---

berechtigt ist, da das Personalpronomen *a* obligatorisch mit der Verbform verbunden ist, z. B. *u piərk a miń* »il porco mangia«, doch ist diese Schreibung für den Nichtspezialisten zunächst verwirrend. Außerdem müßte man, um konsequent zu sein, auch *təva* schreiben, da hier das gleiche Phänomen auftritt. Wir führen in unserer Transkription die Trennung durch.

[20] *ə* ist bald hochgestellt, bald normal wiedergegeben, häufig überhaupt eliminiert. Diese Schwankungen gehen zum Teil auf den Sprecher, zum Teil aber gewiß auch auf das subjektive Empfinden des Explorators zurück. Wir haben in unseren Aufnahmen ebenfalls häufig solche Fälle notiert.

[21] Wir fügen aus unseren Materialien noch hinzu: *vo dír* »dissi«, *vo mərír* »morii«, *a vę́ čér da čivért* »cascò dal tetto«.

[22] Auch *faṭəgár*. Zur Form *vay* vgl. weiter oben.

[23] Veränderung des Stammvokals je nach den Betonungsverhältnissen ist eine regelmäßige Erscheinung unserer Mundart.

[24] Wir hörten das auslautende *ə* auch als *u*, vornehmlich in der ersten Person. Auch vollständiger Schwund dieses Auslautvokals ist in der flüssigen Rede festzustellen. Gleiches gilt vor allem für die ersten drei Personen des Indikativ Präsens: *trōv* und *trōv•* bzw. *trōvu* etc. Der Ind. Präs. ersetzt übrigens auch das untergegangene Futur.

[25] Wir haben hier nach dem *AIS* das normalerweise zu erwartende Imperfekt der 1. Konjugation wiedergegeben, dessen Endungen Morosi (*AGI* 11, S. 390) wie folgt angibt: 1 *-áv* oder *-áuv*, 2 und 3 *idem*, 4 *-áv'nu*, 5 *-áuv*, 6 *-áv'nu*. Wir selbst haben z. B. für *anár* bei unserem älteren Sujet (33 Jahre) 1 *anáѣ•*, 2 *t anáѣ•*, 3 *al anáѣ•*, 4 *aniŋ*, 5 *aniyə*, 6 *yaniŋ* notiert, wogegen die jüngere Gewährsperson (21 Jahre) 1 *aniy•*, 2 *t aniy•*, 3 *a(l) aniy•*, 4 *aniyənə*, 5 *aniyə*, 6 *yaniyənə* angab. Dies mag als charakteristisches Beispiel für die Entwicklungstendenzen im Verbalsystem gelten.

Konditionalis

1. truvę̆r•
2. tə truvę̆r•
3. a truvę̆r•

4. truvę̆rənə
5. truvę̆rə
6. i truvę̆rənə[26]

Partizip Perfekt: truvą́[27]
Gerundium: truvánd
Infinitiv Präsens: truvár[28]

-ére-Konjugation

Präsens Indikativ	Imperfekt Indikativ
1. vél•, vę́y•	1. vulíy•, vulí•, vulíyᵘ
2. vól•[29]	2. vulíy•
3. vól•	3. vulíy•
4. vulę́ŋ	4. vulíyənə
5. vulę́	5. vulíyə
6. vólənə	6. vulíyənə
Partizip Perfekt: vuryǘ[30]	Gerundium: vu̧lúnd, vo̧lúnd
Infinitiv: vulę̆r, vulę̆r	

⸜ére-Konjugation

Präsens Indikativ	Imperfekt Indikativ
1. vűndᵘ, vűnd•	1. vündíy•, vündíyᵘ[32]
2. vűnd•	2. vündíy•
3. vűnd•	3. vündíy•
4. vündę́ŋ[31]	4. vündíyənə[33]

[26] Die Endungen des Konditionalis gelten für alle Konjugationen. Der Konjunktiv Präsens ist völlig untergegangen und wurde nach Aussagen Morosis (op. cit., 391) durch den Konjunktiv Imperfekt ersetzt. Die Endungen dieses Konjunktivs Impf., für alle Konjugationen gleich, lauten: 1 -ę́s, 2 -ę́s, 3 -ę́s, 4 -ę́sənə, 5 -ę́sə, 6 -ę́sənə. Es sei darauf hingewiesen, daß heute auch dieser Konjunktiv im Verschwinden begriffen ist und daß der Ind. Präs. die Konjunktivfunktion übernimmt.

[27] Die Endung des Partizips Perf. der ersten Konjugation hat ein sehr helles a, das meistens stark dem überoffenen æ-Laut (engl. can, man) gleicht. Rohlfs verwendet häufig ạ zur Umschreibung (cf. Der Sprachatlas als Forschungsinstrument, S. 25).

[28] So müßte der Infinitiv lauten. Es war uns jedoch unmöglich, diese Form im Satzzusammenhang als Antwort zu erhalten, da überall dort, wo man den Infinitiv erwarten sollte, die Form trŏv auftrat. Vgl. jedoch weiter unten.

[29] Wir ersparen uns von nun an die Setzung der Subjektspronomina, die in der zweiten und dritten Person Sing. und in der 3. Person Plur. obligatorisch sind.

[30] Das Endungs-ü ist kein reines ü. Wir haben es meist ű umschrieben.

[31] Man sollte eigentlich vəndę́ŋ, vəndę́ erwarten, was Rohlfs (AIS, K. 1688) auch gehört hat.

[32] Das Reibeelement -y- ist nicht immer gleich stark und die Notierung -íᵘ, -í• etc. ließe sich durchaus rechtfertigen.

5. vündę́[31]   5. vündíyə
6. vű́ndənə   6. vündíyənə[33]
Partizip Perfekt: vündű́   Gerundium: vündünd
Infinitiv: vű́ndərə

-íre-Konjugation

Präsens Indikativ	Imperfekt Indikativ
1. vę́ŋ[34]	1. vəníy'
2. vę́ŋ	2. vəníy'
3. vę́ŋ	3. vəníy'
4. vənę́ŋ	4. vəníyəne
5. vənę́	5. vəníyə
6. vę́ŋənə	6. vəníyənə
Partizip Perfekt: vəñű́	Gerundium: vənűnd
Infinitiv: vənír[35]	

Es folgen nun noch einige Beispiele zum Perfekt 2, die wohlgemerkt nicht auf eine einzige Konjugationsklasse beschränkt sind[36]. Bei Morosi[37] finden sich:

vå mínǵu bzw. ve mínǵu   »mangiai«
vå partu   »partii«
pok lā vé šgar   »poco mancò«[38]

---

[33] Diese Formen sind von unserem älteren Sujet stets mit -iŋ angegeben worden. Bezüglich des Stammvokals siehe Anm. 31. Der AIS (K. 1688) gibt für die 1. Pers. Impf. Ind. vəndíw' an.

[34] Der AIS (K. 1695) gibt das Präsens wie folgt an: 1 vę́n', 2 vę́n', 3 vę́ŋ, 4 vənę́ŋ, 5 vənę́, 6 vę́n'n'.

[35] Als Beispiel eines Inchoativverbums dieser Konjugation sei fənír »finire« genannt, dessen Präsens lautet: 1 fənís, 2 fənís, 3 fənís, 4 fənę́ŋ, 5 fənę́, 6 fənísənə.

[36] Rohlfs, Hist. Grammatik der italienischen Sprache II, S. 379, spricht nur von den »Verben der a-Konjugation«.

[37] op. cit., S. 392.

[38] Es ist äußerst wichtig festzustellen, daß Morosi neben diesen Formen die vollen vå mínǵår, vå partę́r, pok lā ve šgarår angibt. Offensichtlich existierten beide Typen nebeneinander. Wir haben bei unserer Enquête sehr häufig versucht, vom selben Verbum beide Formen zu bekommen, doch es ist uns in den allermeisten Fällen nicht gelungen, auch nicht dann, wenn wir selber dem Sujet die von ihm nicht angegebene Form vorschlugen, etwa in der Art: Si dice normalmente a Guardia vo ćánt (diese Antwort hatten wir bereits bekommen) per »cantai«, ma mi pare che si trovi anche vo cántár. Die kategorische Antwort hierauf war dann: No, questo non esiste.
Es ist allerdings mehrmals vorgekommen, daß das ältere Sujet vo mit normalem Infinitiv angab, während die jüngere Auskunftsperson nur die 2. Perfektform kannte. Der umgekehrte Fall ist nie eingetreten!
Interessant ist noch die Tatsache, daß es uns z.B. unmöglich war, im direkten Abfragen des Paradigmas von trovare einen Infinitiv zu erhalten, auch dann nicht, wenn wir Satzbeispiele abfragten. Beide Sujets, die

Der *AIS* bietet folgende Formen:

avę̇ škrív• »scrisse« (K. 1662)
i lu váŋ kát́ »l'hanno cacciato« (K. 1667)
a mə ve mę̇n• iṅ sás »m'ha tirato un sasso« (K. 1673)

vǫ́ kríy•	»urlai«	
va trōv	»trovasti«	
vaŋ trōv	»trovammo«	K. 1697
avę̇ miṅǵ	»mangiò«	
va t́át	»compraste«	
vaŋ salǘt	»salutarono«	

vǫ́ dǘn•	»diedi«	K. 1698
avę̇ dǘn•	»diede«	

avę̇ t́ę̇t́•	»colse«	(K. 1699)
avę̇ tę̇ŋ	»tenne«	(K. 1700)

Aus unseren persönlichen Aufnahmen seien hinzugefügt:

vo vǘnd•	»vendei«
vo bę̇ẅ•	»bevvi«
vo t́ę́y•	»caddi«
vo (rə)yímp	»riempii«
vo kúz	»cucii«
vo yúñ•	»unsi«
vo yám	»amai«
vo vív•	»vissi«
vo krę̇p	»crepai«

Durchkonjugiert würde ein solches Perfektparadigma lauten:

1. *vo yám*   4. *vaŋ yám*
2. *va yám*   5. *va yám*
3. *vę yám*   6. *vaŋ yám*

Um keine falschen Vorstellungen aufkommen zu lassen, sei gleich hervorgehoben, daß diese morphologisch zunächst äußerst seltsam[39] anmuten-
den Formen nicht auf das *vado*-Perfekt spezialisiert sind, sondern überhaupt in der Funktion des Infinitivs auftreten. Auch hierzu einige Beispiele, die wir zunächst wieder Morosi entnehmen[40]:

---

genügend in grammatischen Dingen gebildet waren und die sich recht
intelligent und aufgeschlossen zeigten, die mir auch in anderen Fällen
spontan einen Infinitiv angeben konnten, behaupteten hier, es gäbe nur
trov. In einem ganz anderen Zusammenhang ist es uns dann aber doch
gelungen, ohne daß wir es selbst wollten, das zu erwartende *truvár* zu bekommen. Dessen völliger Untergang steht allerdings unmittelbar bevor,
und wir sehen hier und an anderen Beispielen den allmählichen Zersetzungsprozeß.

[39] Seltsam in Verbindung mit *anar* wohlgemerkt!
[40] *op. cit.*, S. 392.

vej lóuru	»voglio compiere«
m' vej a koǵǵu	»vado a coricarmi«
tü pé jintru e sal	»tu puoi entrare e uscire«
d'źiru špurpu l'ō	»desidero spolpar l'osso«
mi deu pá m'raškordu	»io non devo scordarmi«
mi fej ejsöj	»io faccio asciugare«
nu vuléṅ pá nu vindíkk	»noi non ci vogliamo vendicare«

Persönlich wollen wir noch hinzufügen:

véẹyu ćant[41]	»voglio cantare«
pọ[42] *ćant*	»posso cantare«
sọ[43] *ćant*	»so cantare«
a fẹ ćant	»fa cantare«
pọ míṅǵ	»posso mangiare«
pọ téẹŋ	»posso tenere«
i sọ kućín	»sa cucinare«
fár túrn lǎ váć	»far tornare le vacche«
vél karǵ u krúəp	»voglio caricare il letame«
véł štáć łi bǐẇ•	»voglio attaccare i buoi«
pọ pạ pẹ́rd•	»non posso perdere«
pwéẹŋ trōv	»possiamo trovare«
a vól• pạ rẹ́št•	»non vuol rimanere«
p• fár ćẹ́y•[44]	»per far cascare (cadere)«
véł méẹy•[45]	»voglio mietere«
vuléẹŋ ịŋgrǎys in vịtéẹ́d[46]	»vogliamo ingrassare un vitello«
a mạ fǎytu sạ́ł u sáŋk da nạ[47]	»mi ha fatto sanguinare il naso«

Was nun die Erklärung von *míṅǵ, téẹŋ, kúz, vŭnd* etc. in Konstruktionen wie *vo míṅǵ, po téẹŋ, so kúz, véł vŭnd* anbetrifft, so springt natürlich die Identität dieser Formen mit denen des Indikativs Präsens in den drei

---

[41] Lautet auch *ćânt*.

[42] Im *AIS* (K. 1694) heißt diese Form *pẹ́w•*, auch in der 2. und 3. Person des Singulars, während Morosi (*AGI* 11, S. 391) *peju* verzeichnet. Der Plural lautet 4 *pwéẹŋ*, 5 *pwé*, 6 *pẹ́w•n•*. Wir haben für diese Vollform überall offenen Vokal notiert *(pẹ́w•)*. In Verbindung mit einem anderen Verb wird heute im Sg. *pọ* gebraucht.

[43] *AIS* (K. 1693): 1 *sǎw•*, 2 *sǎw•*, 3 *sǎw•*, 4 *savéẹ́ŋ*, 5 *savé*, 6 *sǎv•n•*. Morosi *(loc. cit.)*: 1 *sǎu*, 2 *sǎu*, 3 *sǎu*, 4 *savéṅ*, 5 *savé*, 6 *sǎuṅ* oder *sǎṅ*. *Sọ* könnte eine normal entwickelte Kurzform für *sǎw•* sein; es kann natürlich auch italienischer Einfluß vorliegen. Für eine eigenständige Entwicklung spricht die Tatsache, daß *sọ* auch für die anderen Personen des Singulars gilt. Auch kann man die beiden nebeneinander existierenden Formen von *anár*: *vǎẇ•* und *vọ* als Parallele anführen. Für *pọ* (1., 2., 3. Sg.) kann man schon nicht-diphthongierte Formen von *poder* im Altprovenzalischen anführen: 1 *posc*, 2 *potz*, 3 *pot*, *po*.

[44] Dies ist die Auskunft des jüngeren Sujets (Nr. 2). Die ältere Auskunftsperson (Sujet 1) antwortete: *pə fár ćẹ́r*.

[45] Sujet 1: *véł méẹyr•*.

[46] Sujet 1: *vuléẹŋ ịŋgrəsár*.

[47] Der *AIS* (K. 1618) verzeichnet: *a m a fǎyt sáłər• lǔ sáŋk da nẹ*.

Personen des Singulars in die Augen[48]. Da es sich außerdem bei Guardia Piemontese um süditalienisches Gebiet handelt und man weiß, daß der Infinitiv in den bodenständigen Mundarten Süditaliens weitgehend durch finite Formen ersetzt wurde[49], so liegt natürlich die Vermutung nahe, hier süditalienischen bzw. genauer kalabrischen Einfluß auf das Guardiolo anzunehmen. Entsprechend hat Morosi die Erklärung des ganzen Phänomens in einem Satz abgetan: »È frequentissimo, e ... è certamente d'influsso calabro, il pres. indic. in luogo dell'infin., nei casi che son rappresentati dagli es. che seguono: *vå o ve mingu* ...[50]« Es folgen dann die verschiedenen Auxiliarien bzw. Semi-Auxiliarien, bei denen diese »finite Form« des Verbums auftritt und abschließend wird, wie nebenbei, festgestellt: »Anche m'è occorso d'udire codesta sostituzione col soggetto plur.: *nu vuléň pá nu vindíkk* ...[51]« Man könnte nach dieser Äußerung meinen, Morosi habe normalerweise unsere Konstruktion nur mit einem Subjekt im Singular gehört, was natürlich möglich wäre. Man kann selbstverständlich auch daraus folgern, er habe in der Regel bei einem Subjekt im Plural die »finite Form« des Verbums ebenfalls im Plural registriert[52]. Für diese letztere Hypothese gibt es aber kein einziges Beispiel in Morosis Arbeit[53]. Wir möchten meinen, daß obige Aussage überhaupt nicht auf sprachlichen Fakten, sondern auf einer vorgefaßten *falschen* – wenn auch leicht erklärlichen und entschuldbaren – Vorstellung beruht. Wenn nämlich die Hypothese des kalabrischen Einflusses stimmen sollte – und für Morosi schien dies keinen Zweifel zuzulassen –, dann »durfte« es eigentlich in Guardia Piemontese für das *vado*-Perfekt nur folgende Paradigmen geben:

I		II		III	
1. *vo*	*mingár*[54]	1. *vo*	*ming*	1. *vo*	*ming*
2. *va*	*mingár*	2. *va*	*ming*	2. *va*	*ming*
3. *ve*	*mingár*	3. *ve*	*ming*	3. *ve*	*ming*
4. *vaŋ*	*mingár*	4. *vaŋ*	*mingár*	4. *vaŋ*	*mingéŋ*
5. *va*	*mingár*	5. *va*	*mingár*	5. *va*	*mingé*
6. *vaŋ*	*mingár*	6. *vaŋ*	*mingár*	6. *vaŋ*	*mingənə*

[48] 1 *ming*, 2 *ming*, 3 *ming*, 4 *mingéŋ*, 5 *mingé*, 6 *mingənə*. 1 *téŋ*, 2 *téŋ*, 3 *téŋ*, 4 *tənéŋ*, 5 *təné*, 6 *téŋənə*. 1 *kúz*, 2 *kúz*, 3 *kúz*, 4 *kuzéŋ*, 5 *kuzé*, 6 *kúzənə*. 1 *vünd*, 2 *vünd*, 3 *vünd*, 4 *vündéŋ* (*vəndéŋ*), 5 *vündé* (*vəndé*), 6 *vündənə*.

[49] Man konsultiere z. B. G. Rohlfs, *Apul.* ku, *kalabr.* mu *und der Verlust des Infinitivs in Unteritalien* (ZRP, Bd. 42, 211–223); Idem, *Hist. Gramm. d. it. Sprache. u. i. Maa.*, Bd. II, § 717; Idem, *La perdita dell'infinito nelle lingue balcaniche e nell'Italia meridionale* (in: *Omagiu lui Iorgu Iordan*, 733–744).

[50] *AGI* 11, S. 392.

[51] *loc. cit.*, Bedeutung des Beispiels: »noi non ci vogliamo vendicare«.

[52] Statt *vindikk* hätte es also im vorliegenden Satz normalerweise **vindəkéŋ* geheißen.

[53] Es gibt auch überhaupt keines, weder im *AIS*, noch in unseren Aufnahmen!

[54] Wir umschreiben nach dem *AIS*-System und kennzeichnen die hypothetischen Formen nicht durch ein Sternchen.

Ganz abartig, aber immerhin doch zu hören, war dann ein vierter Typus:

IV

1. *vo miŋǵ*
2. *va miŋǵ*
3. *ve̜ miŋǵ*
4. *vaŋ miŋǵ*
5. *va miŋǵ*
6. *vaŋ miŋǵ*

I ist das ganz normale Paradigma des klassischen *vado*-Perfekts[55]. II ist gemischt aus I und IV. Zu Morosis Zeiten mag dieser Typus sich häufiger eingestellt haben, wobei zu bemerken ist, daß selbstverständlich die Kombination variiert werden konnte[56]. IV ist neben I der heutige Normaltyp. Allerdings bestehen heute diese beiden Typen nicht gleichberechtigt bei ein und demselben Verbum nebeneinander, wie wir bereits weiter oben ausführten[57]. Dies scheint jedoch in der Vergangenheit einmal der Fall gewesen zu sein[58]. Aus dem Nebeneinander von I und IV beim selben Verbum ergibt sich schließlich eine große Anzahl von Kombinationsmöglichkeiten.

Typus III ist unser Stein des Anstoßes, weil die drei Pluralformen hypothetisch sind und wohl nie existiert haben. Sie müssen aber eigentlich so lauten oder doch irgendwann einmal gelautet haben, wenn Morosi mit seiner Erklärungsandeutung Recht haben sollte. Wir haben in unserem Madrider Referat[59] Morosis Idee aufgegriffen und versucht, sie mit Argumenten zu stützen. Zwar ließ der zeitlich beschränkte Rahmen dieses Referates nicht zu, sehr ins Detail zu gehen, doch konnten wir immerhin kurz andeuten, wie wir uns eine endgültige später zu liefernde Beweisführung vorstellten:

>»Le second élément des parfaits périphrastiques n'est pas un infinitif, mais une forme finie du présent de l'indicatif ... La juxtaposition de deux éléments conjugués – 1º une forme finie d'aller et 2º une forme finie d'un autre verbe – est calquée sur les parlers de l'Italie du Sud qui remplacent l'infinitif par une forme fléchie et qui, variant avec les localités et les régions, peuvent omettre également la conjonction (*cu*, *mu* etc.). Nous avons donc en l'occurence un calque morphologique et non pas syntaxique. La fonction du tour ›guardien‹ est toute différente de celle des autres parlers et identique à celle de l'ancienne construction.[60]«

---

[55] Heute gibt es diesen Typus bei unserem Beispielverbum nicht mehr, wenigstens kannten ihn unsere Sujets nicht. Es heißt nur *vo miŋǵ* etc.

[56] Z.B. 1 *vo miŋǵár*, 2 *va miŋǵ* etc.

[57] Bei Morosi schien das noch weitgehend der Fall zu sein.

[58] Wir kommen weiter unten darauf zurück.

[59] *Considérations*.

[60] *op. cit.*, S. 1162–1163.

Folgende Probleme wären also grundsätzlich zu klären:

1. Verlust des Infinitivs und sein Ersatz durch eine finite Form.
2. Geographische Lage der entsprechenden süditalienischen Mundarten und die Möglichkeit ihres Einflusses auf das Guardiolo.
3. Juxtaposition zweier finiter Formen im Abhängigkeitsverhältnis mit Ausfall der Konjunktion *kə*.
4. Funktion von *vo ćánt* im Vergleich zu ähnlichen Konstruktionen im Süditalienischen.
5. Übergewicht des Singulars *(vo ćánt, va ćánt, vę ćánt)* gegenüber dem Plural *(*vaŋ ćantę́ŋ, *va ćantę́, *vaŋ ćántənə)* und Möglichkeit zur Analogiebildung *(vaŋ, va, vaŋ ćánt)*.

C. Der Verlust des Infinitivs, speziell im Neugriechischen und in süditalienischen Mundarten

Der Verlust des Infinitivs[61] ist ein allgemein bekanntes Phänomen, das häufig das Interesse der Forschung gefunden hat. Wir treffen diese Erscheinung in den verschiedensten Sprachen an, wollen uns jedoch hier nur auf die Balkansprachen und die romanischen Idiome, die hierfür in Frage kommen, beschränken. Um die Einführung einer solch umwälzenden Neuerung zu erklären, ist zunächst grundsätzlich zwischen *äußeren* und *inneren* Gründen zu unterscheiden. Unter inneren Gründen verstehen wir solche, die sich aus der Struktur bzw. aus den Modifizierungen[62] der Struktur einer Sprache ergeben. Äußere Gründe sind solche, die durch fremde Einflüsse[63] in eine vorgegebene Sprachstruktur hineingetragen werden. Selbstverständlich, und das sei besonders betont, kann es immer zu einer Kombination von äußeren und inneren Gründen kommen, und es mag im Einzelfall recht schwierig sein zu entscheiden, was primär und was sekundär ist, zumal da sich hier leicht ein dialektisches Verhältnis einstellen kann, wobei die einzelnen Tendenzen *à tour de rôle* auftreten.

Für den vollständigen Verlust des Infinitivs oder aber die mehr oder minder große Einschränkung seines Gebrauchs durch Ersatzkonstruktionen mit finiten Formen macht man, was die Balkansprachen anbelangt, heute vorwiegend das Griechische verantwortlich. Der kulturelle Einfluß dieser Sprache, das sehr frühe Auftreten der Ersatzkonstruktionen und die endgültige Aufgabe[64] des Infinitivs im Neugriechischen sprechen auch durchaus für eine solche These. Wenn man nun generell das Wirken eines

---

[61] Es soll hier nicht der Ort sein, auf das umgekehrte Phänomen einzugehen, nämlich die allmähliche Entstehung eines Infinitivs in Sprachen, die diese Form von Hause aus nicht kannten.

[62] Sie können phonetischer, morphologischer oder syntaktischer Natur sein.

[63] Hierher gehören vornehmlich Substrat-, Adstrat- und Superstrateinflüsse, die mehr oder minder stark gewesen sein können. Vgl. a. unseren Aufsatz *Sprachstruktur und Sprachwandel*, RoJb 19, 1968, spez. S. 27ff.

[64] Wir sehen hier von griechischen Dialekten, z.B. den pontischen, ab, wo der Verlust nicht vollständig ist. Auch kennt natürlich die neugriechische Schriftsprache einen erstarrten Infinitiv des Aorists (Aktiv und Passiv), der zur Bildung des Perfekts, des Plusquamperfekts, des Konditionalis der Gegenwart und Vergangenheit sowie des Futurum Exactum dient. Siehe hierzu Kalitsunakis, *Grammatik der neugriechischen Volkssprache*, S. 149ff.

thrakisch-illyrischen Substrats[65] ausschlägt und Einflüsse der Slawen[66], der turanischen Bulgaren[67] oder gar der Araber[68] mit Recht ablehnt, so muß zumindest der Verlust des Infinitivs im Neugriechischen durch innersprachliche Gründe erklärt werden. Das ist auch wiederholt geschehen, und es mag genügen, nur die Namen von Sandfeld Jensen[69], v. Wartburg[70], Giese[71], Rohlfs[72] und Togeby[73] aus dem romanistischen Bereich zu nennen.

[65] Siehe hierzu z. B. H. Schuchardt, *Slawo-Deutsches*, S. 11; Fr. Miklosich, *Slaw. Elem. im Neugriechischen*, S. 534–35.

[66] Siehe Fallmerayer, *Fragm. aus dem Orient* I, 451ff.

[67] So M. Gaster in *Gröbers Grundriß* I, 410.

[68] Siehe im Band *Sprachen* von H. F. Wendt (Fischer Lexikon), S. 148.

[69] Ihm verdanken wir wohl am meisten, was das hier behandelte Problem sowie die Balkanphilologie insgesamt anbelangt. Es seien speziell an Untersuchungen aus seiner Feder genannt: *Rumaenske Studier* I, *Infinitiven og udtrykkene derfor i rumaensk og balkansprogene*, Kopenhagen 1900; *Der Schwund des Infinitivs im Rumänischen und den Balkansprachen*, in: *9. Jahresbericht des Instituts für rumänische Sprache*, 1902, S. 75ff. (es handelt sich um die gekürzte Fassung der vorstehenden Arbeit); *Linguistique Balkanique*, Paris 1930, S. 173ff.

[70] *Einführung in Problematik und Methodik der Sprachwissenschaft*, S. 90.

[71] *Balkansyntax oder thrakisches Substrat*, in: *Studia Neophilologica* 24 (1951/52), S. 40–54, speziell S. 46–48.

[72] Wir nannten schon *La perdita dell'infinito nelle lingue balcaniche e nell'Italia meridionale*. Für die unteritalienische Gräzität und die von ihr beeinflußten Mundarten Süditaliens seien noch angeführt *Griechen und Romanen in Unteritalien*, Genève 1924, S. 64–66; *Historische Grammatik der unteritalienischen Gräzität*, München 1950, S. 132–133 und 211–212; *Neue Beiträge zur Kenntnis der unteritalienischen Gräzität*, München 1962, S. 109–116.

[73] *L'infinitif dans les langues balkaniques*, in: *Romance Philology* 15 (1962), S. 221–233. Togebys Verdienst ist es, in dem hier zitierten Aufsatz nochmals alle bisher vorgebrachten Meinungen kurz zu analysieren, Einzelheiten zu präzisieren und den Akzent zu legen auf die innersprachliche Entwicklung des Griechischen – Schwund des auslautenden ν im Infinitiv –, womit er einen Gedanken Miklosichs wieder aufgreift. Wir wollen hier nicht auf alle Details in der genannten Arbeit eingehen, da wir im grundsätzlichen durchaus mit Togeby einer Meinung sind. Zwei sachliche Punkte seien nur herausgegriffen und richtiggestellt: S. 225 muß die neugriechische Perfektform ἔχω γράψει und nicht ἔχω γράφει heißen. Es mag sich hier um einen leicht zu erklärenden Druckfehler handeln (die zitierte Grammatik von Mirambel konnten wir leider nicht einsehen). S. 226 sagt Togeby wörtlich: »D'après Sandfeld (*Linguistique balkanique*, p. 177), ce sont les propositions subordonnées au subjonctif du grec qui ont été le modèle des constructions analogues dans les autres langues balkaniques. Or, tout en influençant les autres langues, ces mêmes subjonctifs ont disparu en grec moderne. Sandfeld cite l'exemple suivant sans faire remarquer la différence de mode: S. Marc 7.26 ἠρώτα αὐτὸν ἵνα τὸ δαιμόνιον ἐκβάλῃ (subjonctif), mais en néo-grec τὸν παρακαλοῦσε νὰ βγάλει τὸ δαιμόνιο »elle le pria de chasser le démon«.«

Die Kritik an Sandfeld ist an dieser Stelle gänzlich unangebracht. Nach Togebys Ausführungen zu urteilen, hat er die neugriechische Form βγάλει als Indikativ aufgefaßt, was vollkommen unmöglich ist. Durch den laut-

Seit frühester Zeit schon[74], besonders aber in den späteren Epochen, tendierte die griechische Sprache zum Ersatz des Infinitivs durch ὅτι und ἵνα-Sätze[75], die durch ihre genaue Personen- und Zeitbezeichnung wesentlich präziser und klarer ihre Funktion erfüllen konnten. Die Koine gab die Infinitivkonstruktionen mehr und mehr auf, zuerst natürlich dort, wo eine finite Form von vornherein als Zweitlösung daneben stand. Im Neuen Testament ist der ganze Entwicklungsprozeß schon recht fortgeschritten: οὐκ εἰμὶ ἐγὼ ἄξιος ἵνα λύσω αὐτοῦ τὸν ἱμάντα τοῦ ὑποδήματος »ich bin nicht würdig, ihm die Schuhriemen zu lösen«[76]; ἀπήγγειλεν δὲ ἡμῖν πῶς εἶδεν τὸν ἄγγελον ἐν τῷ οἴκῳ αὐτοῦ σταθέντα καὶ εἰπόντα »er erzählte uns, er habe den Engel gesehen, der eintrat und sprach«[77].

lichen Zusammenfall der Endungen des Präsens Indikativ und Konjunktiv (Itazismus)

1 -ω	1 -ω	
2 -εις	2 -ης	
3 -ει	3 -η	
4 -ομε	4 -ωμε	
5 -ετε	5 -ετε	(analogisch für -ητε)
6 -ουνε	6 -ουνε	

treten Schwankungen in der Schreibung auf, und das eigentliche Charakteristikum des Konjunktivs ist nicht mehr seine spezielle Endung – in der Schreibtradition wird diese zwar in der neugriechischen Schriftsprache im allgemeinen bewahrt –, sondern die vorausgehende Konjunktion νά. Durch νά ist βγάλει hinreichend als Konjunktiv charakterisiert (Sandfelds Quelle konnten wir nicht nachprüfen. Die Form βγάλη, die man eigentlich in der Schriftsprache erwarten dürfte, würde jedoch nichts an unseren grundsätzlichen Ausführungen ändern.) Zudem gibt es aber einen weiteren, nicht zu widerlegenden Beweis dafür, daß βγάλει Konjunktiv ist. Die Endung -ει 3. Pers. Sg. kommt, wenn sie nicht auf Verwechslung beruht, im heutigen Griechisch nur im Indikativ Präsens vor. Von unserem Verbum aber, das auf altgriechisches ἐκβάλλειν zurückgeht, müßte die 3. Pers. Sg. des Präsens Indikativ βγάλλει (oder βγάζει, βγάνει) heißen (mit zwei λ). Die in unserem Beispiel auftauchende Form hat aber nur ein λ und gehört damit zum Aoriststamm. Die [i] klingende Endung kann jedoch im Aorist nur einen Konjunktiv bezeichnen. Der Indikativ würde ἔβγαλε lauten.

Nach νά steht der Indikativ nur dann, wenn die Vergangenheit nicht durch den vorangehenden Hauptsatz gekennzeichnet wird: πρέπει νὰ πήραμε (Aorist ohne Augment) στραβὸ δρόμο »Wir müssen einen falschen Weg eingeschlagen haben«; φαίνεται νὰ μὴν ἄκουσε (Aorist statt klassisch ἤκουσε) »Es scheint, daß er nicht gehört hat.« (Siehe auch Kalitsunakis, Gram., S. 180).

[74] Schon bei Homer sind solche Tendenzen festzustellen. Siehe zum ganzen Problem P. Aalto, Studien zur Geschichte des Infinitivs im Griechischen, und P. Burguière, Histoire de l'infinitif en grec.

[75] Neben ὅτι und ἵνα gab es natürlich noch andere Konjunktionen, die in Frage kamen, so z. B. ὡς, πῶς, ὅπως, ὥστε etc. In vielen Fällen war auch im klassischen Griechisch neben der Infinitivkonstruktion ein Konjunktionalsatz möglich.

[76] Joh. 1,27; ἄξιος ἵνα λύσω für ἄξιος λῦσαι.

[77] Apostelgesch. 11,13; es könnte auch heißen ἀπήγγειλεν . . . [αὐτός] ἰδεῖν. πῶς ist in diesem Satze wohl schon als »daß« aufzufassen, wie noch im Neugriechischen.

Sobald nun die Funktionsbereiche des Infinitivs durch andere Konstruktionen ausgefüllt sind, ist die Form des Infinitivs weitgehend ein Pleonasmus geworden, auf den man verzichten kann[77a]. Man muß natürlich in einem solchen Fall nicht unbedingt den Infinitiv eliminieren, und es gibt ja auch Sprachen, z. B. das Rumänische, die ihn bewahrt haben. Man kann jedoch grundsätzlich feststellen, daß pleonastische, für die jeweilige Sprachstruktur nicht unbedingt notwendige Formen äußerst anfällig sind. Sobald sie auch nur den geringsten Anlaß dazu geben, wird die Sprache sich ihrer entledigen.

Der griechische Infinitiv nun gab einen solchen Anlaß dadurch, daß er lautlich mit der 3. Person Sg. des Präsens Indikativ[78] zusammenfiel. Das auslautende ν der Infinitive[79] schwand, und es kam zu einer vollständigen Homophonie von λέγει »er sagt« und λέγειν »sagen«. Da es außerdem syntaktische Kollisionsmöglichkeiten gab, in denen sowohl der Infinitiv als auch die finite Form denkbar waren[80], kam es leicht zu Konfusionen und »falschem« Gebrauch finiter Formen dort, wo bislang der Infinitiv mühsam die Stellung gehalten hatte. Da es z. B. phonetisch unmöglich war,

a) τὸ θεῖον τοιοῦτόν ἐστι, ὥστε πάντα ὁρᾶν
   zu unterscheiden von

b) τὸ θεῖον τοιοῦτόν ἐστι, ὥστε πάντα ὁρᾷ[81]

und da in solchen und ähnlichen Fällen, die man leicht mit jeder Konjunktion konstruieren kann, der Sprecher ὁρᾷ (b) als einen Infinitiv oder aber ὁρᾶν (a) als 3. Person Sg. Präs. Ind. empfinden konnte, wird man leicht verstehen, daß sich von hieraus ein weiterer Zersetzungsprozeß anbahnen mußte, dem der Infinitiv nunmehr überhaupt keine Widerstandskraft entgegenzusetzen hatte.

Die dritte Pers. Sg. Präs. Ind. von »sein« im Neugriechischen (εἶναι »er ist«) mag vielleicht ebenfalls auf einer solchen syntaktischen Verwechslung

---

[77a] Die Vielzahl der verschiedenen Infinitivformen ein und desselben Verbums im Aktiv, Medium und Passiv und in den verschiedenen Zeit- bzw. Aspektstufen des Präsens, Futurs, Aorists und Perfekts war auch keineswegs dazu angetan, der morphologischen Kategorie Infinitiv den Fortbestand zu erleichtern. Für ein normales Verbum wie παιδεύω kommt man so auf 10 verschiedene Formen, von denen zwei überdies eine doppelte Funktion (medial und passiv) haben:

	Aktiv	Medium	Passiv
Präsens	παιδεύειν	παιδεύεσθαι	παιδεύεσθαι
Futur	παιδεύσειν	παιδεύσεσθαι	παιδευθήσεσθαι
Aorist	παιδεῦσαι	παιδεύσασθαι	παιδευθῆναι
Perfekt	πεπαιδευκέναι	πεπαιδεῦσθαι	πεπαιδεῦσθαι

[78] und Konjunktiv!
[79] Wir verweisen auf Kalitsunakis, *Gram.*, S. 39, § 15, bezüglich der Erhaltung oder des Schwundes von ν im Neugriechischen.
[80] Togeby, *op. cit.*, S. 226, spricht von »cas-pivot«.
[81] Im klassischen Griechisch stand der Infinitiv bei einer beabsichtigten bzw. nur möglichen, der Indikativ bei einer tatsächlichen Folge.

beruhen[82], womit man auf die bisher meist angenommene Erklärung[83] verzichten könnte. Auch hat, wie Hesseling[84] schon vermerkte, die Form θέλει γράφειν – verstanden als θέλει γράφει – analogische Konstruktionen wie θέλω γράφω, θέλεις γράφεις usw. in griechischen Dialekten[85] nach sich gezogen.

Der Schwund des Infinitivs ist in den übrigen Balkansprachen – im

[82] Siehe Sandfeld, *9. Jahresbericht*, S. 117, und Togeby, *op. cit.*, S. 226.

[83] Es wurde vorgeschlagen, im heutigen εἶναι »er ist« (auch: »sie sind«) eine Weiterentwicklung des schon bei Homer und im Attischen vorkommenden ἔνι (Nebenform von ἐν) für ἔνεστιν »es ist darin; es gibt«, attisch auch »es ist möglich« zu sehen, zumal in heutigen Dialekten auch ἔνι, ἔναι vorkommt (cf. Debrunner, *Gesch. d. gr. Spr.* II, § 84). Obige Erklärung scheint uns überzeugender zu sein. Allerdings müßte man die Überlieferungsgeschichte der Form εἶναι und ihre Entsprechung in den Dialekten genauer kennen, ehe man ein endgültiges Urteil abgeben könnte.

[84] *Essai historique sur l'infinitif grec*, 39.40.

[85] S. a. Deffner, *Die Infinitive in den pontischen Dialekten und die zusammengesetzten Zeiten im Neugriechischen (Monatsbericht d. Kgl. Pr. Akad. d. Wiss.*, 1877–78, S. 195; 229–30). Wir finden die Bezeichnung »*infinitif personnel*« (Togeby, S. 228) für θέλω γράφω usf. nicht zutreffend. Selbst wenn die Konjunktion ἵνα hier wirklich nie gebraucht wurde – theoretisch ist es natürlich möglich, daß sie zunächst vorhanden war und dann eliminiert wurde, was die oben beschriebene Entstehungstheorie hinfällig machen würde –, so ist es doch vollkommen unangebracht, von einem *Infinitiv* zu reden, auch wenn z.B. das zweite Element (γράφω etc.) etwa die Funktion eines Infinitivs erfüllt. Wir können uns nicht vorstellen, daß γράφομεν in θέλομεν γράφομεν von irgendeinem Griechen als Infinitiv empfunden wird. Beim portugiesischen *persönlichen Infinitiv* liegen andere Sachverhalte vor, ganz gleich, welche Entstehungstheorie man nun annehmen will. Wichtig ist hier doch, daß im heutigen Portugiesisch der alte Infinitiv weiterbesteht und daß im Sprachbewußtsein des Portugiesen zwischen diesem normalen Infinitiv und dem persönlichen Infinitiv eine Beziehung besteht, nicht nur deswegen, weil die erste und dritte Pers. Sg. des persönlichen Infinitivs jeweils dem normalen Infinitiv entspricht, sondern vor allem deswegen, weil beide Infinitive weitgehend gleiche syntaktische Funktionen zu erfüllen haben. Die Anwendungsbereiche mögen dabei streng geschieden oder auch die gleichen sein, in welch letzterem Fall der Gebrauch des einen oder anderen Infinitivs ein Stilisticum wird. Es muß also heißen:
a) *Antes de* partir *hei-de falar com o secretário* »Bevor ich abreise, habe ich mit dem Sekretär zu sprechen.« Haupt- und Nebensatz haben das gleiche Subjekt; folglich steht bei der Satzverkürzung der normale Infinitiv.
b) *Antes de* partirmos *hei-de falar com o secretário* »Bevor wir abreisen, habe ich mit dem Sekretär zu sprechen.« Haupt- und Nebensatz haben ungleiches Subjekt; demnach steht bei der Satzverkürzung der persönliche Infinitiv.
Es kann aber heißen:
a) *Não te era melhor* ires *para a cama, António?*
b) *Não te era melhor* ir *para a cama, António?*
»Gingst du nicht besser zu Bett, Antonio?«
Der Träger der Handlung ist in *a* zweimal ausgedrückt (*te* und *ires*), in *b*

Albanischen, Bulgarischen, teils im Serbischen, im Rumänischen und durch seinen Einfluß in den östlichen ungarischen Mundarten[86] – recht verschieden gewesen. Einmal war natürlich der Einfluß des Griechischen auf diese Sprachen nicht überall der gleiche, zum anderen waren aber auch und vor allem die einzelnen Sprachstrukturen verschieden und die Aufnahmebereitschaft der genannten Idiome unterschiedlich. Das Rumänische[87] z. B. kennt die Ersatzkonstruktionen wie das Griechische; es fehlte jedoch offensichtlich bisher an entscheidenden innersprachlichen Gründen, um den Infinitiv vollständig auszumerzen. Dieser lebt vielmehr weiter[88] und tritt zum Teil in Konkurrenz zu den Nebensatzkonstruktionen, wobei er je nach dem voraufgehenden Verbum mit oder ohne Präposition gebraucht wird.

Speziell wird der Infinitiv noch angewendet nach *a vrea (a voi)*, *a putea* und *a şti*, aber auch nach anderen Verben wie *a căuta* »trachten«, *a dori* »wünschen«, *a face* »machen, zwingen, veranlassen«, *a cuteza* »wagen«, *a începe* »anfangen« etc. Während »können« und »wissen« im modernen Rumänisch in der Regel den reinen Infinitiv nach sich haben[89] *(ştiu cînta, pot veni)*, steht bei »wollen« und den übrigen genannten Verben in der Regel die Präposition *a* vor dem nachfolgenden Infinitiv *(încep a trăi, nu cutez a eşi* etc.). In jedem Fall ist ausdrücklich zu vermerken,

nur einmal durch das Pronomen. Selbstverständlich wäre auch mit *ires* allein der Satz vollkommen korrekt und eindeutig *(Não era melhor ires* . . .*).*

Für Einzelheiten vgl. R. Cantel, *Précis de gram. port.*, S. 122, sowie vor allem Th. H. Maurer, *O infinito flexionado português.*

[86] Über Einzelheiten geben die zitierten Arbeiten von Giese, Rohlfs, Sandfeld, Togeby usw. Auskunft.

[87] Wir verstehen darunter hier nur das Dakorumänische. Im Istrorumänischen, Meglenitischen und Arumänischen liegen die Dinge anders.

[88] Es ist bekannt, daß das Rumänische als einzige romanische Sprache von jedem Verbum zwei Infinitive besitzt, einen verkürzten *(infinitivul scurtat:* I *a jura*, II *a tăcea*, III *a bate*, IV *a fugi)* und einen langen *(infinitivul întreg: jurare, tacere, batere, fugire)*, der in Verbindung mit dem weiblichen Artikel die Funktion eines Verbalnomens hat: *Tacerea e ca mierea* »Schweigen ist Gold«.
Es mag vielleicht interessant sein zu erwähnen, daß auch das für unsere Belange recht fernliegende Neupersische einen langen und einen verkürzten Infinitiv mit jeweils verschiedenen Funktionen besitzt. Vgl. H. Jensen, Neupers. Grammatik, S. 144f.

[89] Im Altrumänischen konnten *a putea* und *a şti* auch den Infinitiv mit *a* nach sich haben, wie denn auch *a vrea* mit reinem Infinitiv gängig war. Selbst bei modernen Autoren ist solches manchmal anzutreffen. Bei *a şti* tritt im modernen Sprachgebrauch der Infinitiv mit *a* ganz regelmäßig auf, wenn es sich um ein reflexives Verbum handelt: *nu ştie a se juca* »er kann nicht spielen«. Tritt das Reflexivpronomen allerdings vor das Modalverb, so muß es *nu se ştie juca* heißen. Es ist interessant zu bemerken, daß *a voi* als Auxiliar des Futurs den reinen Infinitiv erfordert, wogegen es sonst mit *a* steht: *voi cînta* »ich werde singen«, aber *voi a cînta* »ich will singen« *(= voi să cînt).*

daß der Infinitiv immer durch einen Konjunktionalsatz ersetzt werden kann, manchmal auch durch eine partizipiale Bildung, z.B.: *Am de a merge . . ., am să merg* . . . oder *am de mers trei zile* »ich muß drei Tage lang laufen«.

Auch in den italienischen Mundarten Süditaliens – im südlichen Kalabrien, in der Terra d'Otranto und in Nordsizilien – ist der Infinitiv wenig beliebt. Er wird ersetzt durch Konjunktionalsätze, die durch *mu* (*mi, ma*; Kalabrien), *cu* (Terra d'Otranto) und *mi* (Nordostsizilien) eingeleitet werden[90]. Wie G. Rohlfs in mehreren Arbeiten gezeigt hat, geht dieser Ersatz auf griechische Substrateinflüsse zurück, da die genannten Gebiete bis ins Mittelalter Griechisch sprachen[91].

Interessant ist, daß die romanischen Mundarten Italiens genau wie die griechischen den Infinitiv nicht vollständig aufgegeben haben. Er ist z.B. noch im Gebrauch nach *können, wissen, hören, machen, lassen*[92], obwohl hier in einigen Fällen auch ein Konjunktionalsatz auftreten kann.

Die Rohlfssche geographische Begrenzung des Infinitiversatzes in Kalabrien, wie sie aus seinen Ausführungen im zweiten Band der italienischen Grammatik sowie aus der beigefügten Karte in den *Scavi Linguistici nella Magna Grecia* hervorgeht, trifft sehr wohl zusammen mit dem Kerngebiet dieser Erscheinung. Sie stimmt aber nicht ganz überein mit dem, was derselbe Verfasser an anderer Stelle[92a] über die Verbreitung sagt. Hier schließt er nämlich die Gegend von Cosenza mit ein, was natürlich in unserem Zusammenhang nicht unbedeutend ist, zumal von Rohlfs für Cosenza, speziell nach Verben der Bewegung, die unvermittelte parataktische Verbindung als charakteristisch angegeben wird.

Auch der *AIS* gibt z.B. für *andiamo a scegliere*[92b] an einigen Punkten um Guardia Piemontese finite Formen statt des abhängigen Infinitivs an:

P. 745 *yắmə səłímə* (Oriolo, Prov. Cosenza)
P. 752 *yắmə n{i} səǧǧímə* (Saracena, Prov. Cosenza)
P. 761 *yému assilliyímu* (Mangone, Prov. Cosenza)
P. 762 *yắmu alliyímu* (Acri, Prov. Cosenza)

Man trifft hier nicht in allen Fällen und überall »unvermittelte« Parataxe an, und eine andere Karte des *AIS*[92c] zeigt, daß z.B. nach *andare* auch nicht immer der Infinitiv ersetzt wird. Jedenfalls aber besteht die Möglichkeit dazu, und die Rohlfssche Aufstellung der fünf Hauptkonstruktionen bei Infinitiversatz in Süditalien scheint uns durchaus das Typische zu treffen:

---

[90] Auch andere Konjunktionen kommen noch vor.
[91] Bezüglich der bis heute in Süditalien erhaltenen griechischen Dialekte verweisen wir nochmals auf das Standardwerk von Rohlfs, *Historische Grammatik der unteritalienischen Gräzität*. Der Infinitiv wird hier speziell in den §§ 148 und 318 behandelt.
[92] Siehe Rohlfs, *Hist. Gr. d. it. Spr.* II, § 717.
[92a] *ZRP*, Bd. 42, S. 211ff.   [92b] VIII, Karte 1584.   [92c] IV, Karte 822.

	Vengo a cercare	*voglio dire*	
I	vegnu cercu	vogghiu dicu	(Terra d'Otranto, Cosenza)
II	vegnu e cercu	vogghiu e dicu	(Kalabrien)
III	vegnu a cercu	vogghiu a dicu	(Sizilien, Nordapulien, gehört
			hierzu z.B. P. 762 ?)
IV	vegnu cu cercu	vogghiu cu dicu	(Terra d'Otranto)
V	vegnu mu cercu	vogghiu mu dicu	(Südkalabrien, Nordostsizilien[92d])

Der Wegfall der Konjunktion zwischen Haupt- und Nebensatz, wobei die Abhängigkeit des letzteren vom ersteren oft durch den Konjunktiv gekennzeichnet ist, stellt in sich kein überraschendes und einmaliges Faktum dar. Schon im klassischen Latein konnte *ut* nach Verben des Wollens, Forderns, Erlaubens, Ermahnens und des Bittens ausfallen[93]. So heißt es z.B. in der Geschichte von Pyramus und Thisbe bei Ovid:

Ego te, miseranda, peremi,
In loca plena metus qui *iussi* nocte *venires*,[94]
. . .

Auch in den romanischen Sprachen sind solche Sätze sehr häufig, allerdings wesentlich häufiger im Mittelalter als in der Neuzeit. Während z.B. das Altfranzösische sehr gut die Konjunktion *que* entbehren kann, ist ihr Ausfall im Neufranzösischen undenkbar. Nicht nur in Wunsch- und Befehlssätzen konnte *que* fehlen, sondern auch nach Verben des Wahrnehmens, in Konsekutivsätzen, nach Quantitätsadverbien *(si, tant)* usf.[95] Ursprünglich hat es sich in den letztgenannten Fällen wohl um Parataxe gehandelt, was im Romanischen natürlich nicht so leicht aus der Stellung zu ersehen ist wie z.B. im Deutschen[96].
Wir geben nachstehend einige Beispiele aus dem Altfranzösischen und vor allem Altprovenzalischen und verweisen für die anderen romanischen Sprachen auf Diez[97].

Altfranzösisch

Vilains joglere ne sai por quei *se vant*
Nul mot en *die* tresque on li comant.
De Looïs ne *lairai* ne vos *chant*[98]
. . .

[92d] *ZRP* 42, S. 220.
[93] Siehe H. Menge, *Repetitorium der Lateinischen Syntax und Stilistik*, Teil 2, § 344.
[94] *iubere* steht regelmäßig mit A.c.I., doch kommt die Konstruktion mit Konjunktiv auch anderenorts vor.
[95] Siehe L. Foulet, *Petite Syntaxe de l'Ancien Français*, §§ 490–92.
[96] »Ich höre, du bist krank gewesen« gegenüber »Ich höre, daß du krank gewesen bist.«
[97] *Grammatik der Romanischen Sprachen* III³, S. 340ff.
[98] *Couronnement de Louis*, Vers 4–6.

Je *prierai* Diex griés tourment
envoit tous chiax k'au povre aveule
feront nes une bone seule[99]
. . .

Or veit li patriarches Deus i fait granz vertuz.[100]

C'est li cuens Phelipes de Flandres
qui mialz *valt* ne *fist* Alixandres.[100a]

Altprovenzalisch

. . . belhs dous amics,
vai tost, e *guarda* no·t *trics*,
si vols que morta no sia.[101]

Del rey d'Arago *vuel* del cor *deja* manjar,[102]
Et apres *vuelh* del cor *don* hom al rey navar,[102]
Ops l'es *mange* del cor pel greu fais qu'el soste.[102]

Sordel, mais *val* veramen
Sapchatz lo cor el talen
De lieys, qu'amatz finamen,
Sius am o sius gualia;[103]

Chantan *prec* ma douss' amia,
Sil plai, no *m'auci'* a tort,[104]

Vos *qer* merceis qomandar li *dignas*
Vostre plaiser e tot qant vos bon sia,[105]

Quar, segon la humanitat,
D'ome *cove faza* foldat:[106]

De·l senhor de Mirandol
Que te Croissa e Martel,
No *crei*, ogan se *revel*,[107]

Lo coms Jaufres, cui es Bresilianda,
Volgra, *fos* primiers natz,
Quar es cortes, e *fos* en sa comanda
Reiesmes e duchatz.[108]

---

[99] *Le Garçon et l'Aveugle*, Vers 47–49.
[100] *Karlsreise*, Vers 196.
[100a] *Perceval*, Vers 13–14.
[101] Folquet von Romans, Gedicht III, Vers 7–9. Zitiert nach der Ausgabe von Zenker.
[102] Sordello di Goito, Gedicht V, Vers 25, 29 und 40. Wir zitieren hier und im folgenden nach der Ausgabe von Cesare de Lollis.
[103] Sordello, Gedicht XXIX, Vers 25–28.
[104] Sordello, Gedicht XXX, Vers 43–44.
[105] Sordello, Gedicht XXXVI, Vers 5–6. Nach *querre* sollte man eigentlich den Konjunktiv *dignes* erwarten.
[106] Sordello, Gedicht XXXX, Vers 825–26.
[107] Bertran von Born, Gedicht XV, Vers 25–27. Zitiert nach der kleinen Ausgabe Stimmings (Rom. Bibl.).
[108] Bertran von Born, Gedicht VI, Vers 33–36.

Que desarmatz *volgra·*n fos la fis presa,[109]

E *valgra* mais, per la fe qu'ieu vos dei!
A·l rei Felip, *comenzes* lo desrei
Que plaideiar armatz sobre la gresa.[109]

Aisi *coven* tal cort *fassam*
Que non fos tals de sai Adam.[110]

Qui agues tòut Paris e Rems
Adoncs al rei e l'o disses,
Non *cuh* de la danza *mogues*
Ni *feira* semblan *fos* iratz.[111]

Be-m *fora* mielz *estes* d'esposa,[112]

Et on plus hom a lui o chanta
No-us *cujes* sos mals cors *s'eschanta*.[113]

Ja nuls amanz no·s *fegna*
ame tant finamen
cum eu;[114]

Q'altra non *voill* m'*estregna*
ni ai entendimen.[115]

---

[109] Bertran von Born, Gedicht XVII, Vers 31 und Vers 40–42. Wir haben die Interpunktion Stimmings beibehalten, obwohl sie romanischem Sprachgefühl zuwiderläuft.
[110] *Flamenca*, Vers 121–22. Wir zitieren nach dem Text der Bibliothèque Européenne.
[111] *Flamenca*, Vers 744–47. In diesen Versen haben wir doppelte Abhängigkeit; *feira* und *mogues* werden regiert von *non cuh*, während *fos iratz* von *feira semblan* abhängt.
[112] *Flamenca*, Vers 1100.
[113] *Flamenca*, Vers 1177–78.
[114] Pistoleta, Kanzone III, Vers 1–3. Interessant ist hier wie im zitierten Beispiel aus dem *Couronnement de Louis* das gleiche Subjekt in Haupt- und Nebensatz.
[115] Pistoleta, Kanzone III, Vers 35–36. Wir zitieren nach der Ausgabe von Niestroy. Weitere Beispiele und Erläuterungen zu dem hier behandelten Problem findet man in Pellegrini, *Appunti di Grammatica Storica del Provenzale*, S. 300ff.; Ronjat, *Grammaire Istorique* (sic) *des Parlers Provençaux Modernes*, Bd. III, § 816; Schultz-Gora, *Altprovenzalisches Elementarbuch*, § 191. Auch bietet jeder altfranzösische und altprovenzalische Text von einiger Länge Beispiele.

D. Eine neue Deutung von *vo ćánt*

Vergleichen wir nun die Funktion von *vo ćánt* mit den in Frage kommenden süditalienischen Konstruktionen, so müssen wir feststellen, daß sie von ihnen grundverschieden ist. Während *vo* usw. im »Guardiolo« zu einem distinktiven Zeichen der Vergangenheit geworden ist, kennen die süditalienischen Mundarten diese Bedeutung überhaupt nicht. Wenn hier eine Form von *andare* mit einem anderen Verbum gekoppelt wird, sei dies nun ein Infinitiv oder eine finite Form, so behält *andare* in jedem Fall seine Grundbedeutung der »Fortbewegung« bei. Steht dabei die Form von *andare* im Präsens, so ist auch die Bedeutung der ganzen Verbindung präsentisch bzw. eventuell futurisch.

Wir zeigten schon weiter oben, daß auch das »Guardiolo« eine solche Konstruktion mit derselben Bedeutung kennt, dabei allerdings die volle Präsensform von *anár* (*váʊ̌* etc.) gebraucht und außerdem die Präposition *a* einschiebt. Bemerkenswert ist hierbei, daß eine solche Umschreibung mit *anár* etwa bei dem Verbum »essen« *váʊ̌ a miń* »ich gehe essen« heißt, wobei *a* nicht Kopulativpartikel wie in den süditalienischen Mundarten sein kann und also nicht auf lateinisches *ac* (= *atque*), sondern auf *ad* zurückgeht. Wäre *a* nämlich in diesem Fall »et« und *miń* eine finite Form, so müßte man logischerweise z.B. in der zweiten Person Sg. ein **tə váy a tə miń* erwarten; denn bei der zweiten Pers. Sg. muß das Personalpronomen stehen. Von dieser Regel haben wir *keine* Ausnahme festgestellt. Den Satz **tə váy a tə miń* jedoch gibt es nicht. Wohl aber existieren genügend Fälle wie das oben zitierte *váʊ̌ a fatigár*, wo sich aus dem folgenden eindeutigen Infinitiv der Sinn und die Funktion von *a* ohne Schwierigkeit erschließen lassen.

Wir haben uns weiter oben hinreichend über den Ausfall der Konjunktion zwischen Haupt- und Nebensatz ausgelassen und gezeigt, daß unmittelbare Angliederung von Haupt- und Nebensatz nicht nur insgesamt in den romanischen Sprachen, vor allem in älterer Zeit, vorkommt – das »Guardiolo« könnte z.B. theoretisch altprovenzalische Ansätze weiterentwickelt haben –, sondern daß die Provinz Cosenza, zu der Guardia Piemontese gehört, verschiedene Mundarten mit unmittelbarer Verknüpfung von Haupt- und Nebensatz beheimatet und daß dieser Gebrauch in der Vergangenheit eventuell noch weiter verbreitet war. Seltsam ist nun allerdings, daß das »Guardiolo« die Konjunktion *kə* sehr wohl kennt und *immer* gebraucht, wenn das Subjekt des Hauptsatzes von dem des Nebensatzes abweicht. Es heißt also *vẹ̆ł kárģ u krúэp* »voglio caricare il letame«, dagegen aber *vẹ̆ł kэ tú̈ tэ kárģ u kruэp* »voglio che tu carichi il letame«. Es lautet auch einzig und allein *vulẹ́ŋ kárģ u krúэp* »vogliamo caricare il letame«, dagegen aber *tэ vólэ kэ nǘ karģẹ́ŋ u krúэp* »vuoi che noi carichiamo il letame«. Während man eventuell den Wegfall der Konjunktion *kэ* bei Subjektsgleichheit in Haupt- und Nebensatz und die Erhaltung bei Subjektsverschiedenheit als Spezialisierung eines ursprünglich fakultativen Verfahrens erklären könnte, ist für uns nicht einzusehen, daß man die finite Präsensform *kárģ* (1. 2. 3. Sg.) wegen ihres numerischen Übergewichts auch auf die Personen des Plurals übertragen hätte[116], solange Haupt- und Nebensatz das gleiche Subjekt haben, daß aber wieder die alten Formen 4 *karģẹ́ŋ*, 5 *karģẹ́*, 6 *kárģэnэ* auftreten, sobald das Subjekt sich ändert. Auch können wir uns bei einer solchen Erklärung keinen Reim auf Sätze wie *anẹ́ŋ a kárģ* »andiamo a caricare«, *anẹ́ŋ a dán* »andiamo a dare«, *anẹ́ŋ a vǘnd'* »andiamo a vendere« usw. machen, ganz zu schweigen von der Schwierigkeit zu begründen, warum denn in Guardia Piemontese der Mundartsprecher von vielen Verben behauptet, es gäbe keinen Infinitiv, während er sehr wohl weiß, was ein Infinitiv ist und auch bei anderen Verben spontan die Form anzugeben versteht.

Schließlich kann man hier noch für das *vado*-Perfekt von »geben« z.B. anführen, was wir im Zusammenhang mit *vǘẁ a mínģ* beanstandeten. Wenn schon *kэ* wegfiel und die Singularform *dán(э)* auch auf den Plural übertragen wurde, warum ist dann auch noch das Pronomen in der 2. und 3. Person Sg. ausgefallen? Denn die ursprünglich anzusetzenden Formen hätten doch etwa diese Entwicklung haben müssen:

2. **tэ vá kэ tэ dǚnэ* > **tэ vá tэ dǚnэ* > *tэ vá dǚnэ*
3. **a vẹ̆ k a dǚnэ* > **a vẹ̆ a dǚnэ* > *a vẹ̆ dǚnэ*

Natürlich ließe sich auch hierfür noch eine »hypothetische« Erklärung finden – z.B. haplologischer Schwund des zweiten Pronomens, Reduzierung einer pleonastischen Ausdrucksweise usf. –, doch wir sind der Meinung, daß es der Hypothesen genug sind und daß nur eine Schlußfolgerung sich aufdrängt, nämlich die Aufgabe unserer eigenen und der Morosischen Theorie, allerdings nicht sang- und klanglos, denn wir hoffen weiter unten zeigen zu können, daß doch ein Körnchen Wahrheit darin steckt. Auch unsere neue Erklärung kann nicht mehr als hypothetisch sein, doch erscheint sie uns um ein Vielfaches wahrscheinlicher als die vorstehend gegebene.

---

[116] In den süditalienischen Mundarten speziell, aber auch in allen anderen genannten Sprachen, in denen der Infinitiv durch Konjunktionalsätze ersetzt wurde, wird das abhängige Verbum immer durchkonjugiert in Sg. und Pl.

In diesem Zusammenhang ist es interessant zu zitieren, was S. Escoffier[117] über ein zunächst ähnlich ausschauendes Faktum aus den galloromanischen Mundarten berichtet:

»Busset[118] ... connaît un traitement curieux: l'infinitif des verbes du premier groupe n'a pas de désinence. 'Chanter' se dit *çãt*, 'labourer' *labur*, 'faucher' *fóç: 'nè vã fóç nòt çã'*, etc.
Aucune des communes voisines ne connaît aujourd'hui ce traitement. Cependant Tixier, dans *Le Patois d'Escurolles*[119] ... le signale à Vendat, Vesse (*ALF* 803) et, sur la rive droite de l'Allier, depuis Billy ... jusqu'à la frontière du Puy-de-Dôme, et dans la Parabole de l'Enfant Prodigue en patois de Brugheas[120] (7 km au Sud-Ouest de Vichy, très près de Vesse, *ALF* 803) on trouve tous les infinitifs du premier groupe en *e*: *garde* 'garder', *minge* 'manger', etc. ... Cette forme a donc, semble-t-il, rétrogradé sous l'influence du français. En revanche, l'auteur du *Glossaire* de Busset, en 1875 ... donne les infinitifs du premier groupe en -*er*! ...
Il y a eu, sans doute, transport d'accent sur l'initiale, mais pourquoi? Je me demande s'il n'y aurait pas là une généralisation de la troisième personne du singulier du présent de l'indicatif, beaucoup plus usitée que celle de l'infinitif chez les patoisants?«

Wir glauben nicht, daß diese Vermutungen der verdienstvollen Dialektologin haltbar sind. Die Verallgemeinerung einer finiten Verbalform, im vorliegenden Fall der 3. Pers. Sg. Präs. Ind., auf Kosten des Infinitivs darf natürlich nicht ohne weiteres auf bloße Frequenzziffern gestützt werden, die außerdem noch nicht einmal objektiv vorliegen, sondern rein erdacht sind. Selbst wenn das prozentuale Übergewicht der 3. Pers. Sg. Präs. Ind. gegenüber dem Infinitiv gesichert sein sollte[121], so ist doch nicht zu vergessen, daß z.B. das für die Mundart von Busset gefundene Verhältnis der beiden Formen mehr oder minder das gleiche in allen Mundarten sein dürfte. Wir wollen selbstverständlich nicht behaupten, daß die gleichen Ursachen gleiche Wirkungen haben müßten. In unseren Untersuchungen sind wir vielmehr gerade bestrebt deutlich zu machen, daß in der Sprachwissenschaft gleiche Resultate auf verschiedene Ursachen zurückgehen können, wie denn auch häufig gleiche Ursachen verschiedene Ergebnisse zeitigen[122]. Trotzdem wäre es ein Kuriosum, wenn von allen unter dem gleichen »Gesetz« stehenden Sprachen und Mundarten der weiten Welt nur Busset und die wenigen genannten Ortschaften die von S. Escoffier vermutete Entwicklung kennen würden. Denn es kommt ja noch erschwerend hinzu, daß besagter Ersatz des Infinitivs durch die 3. Pers. Präs. nur bei den Verben der ersten Konjugation auftritt, wäh-

---

[117] *La rencontre de la langue d'oïl, de la langue d'oc et du francoprovençal entre Loire et Allier*, S. 56.
[118] Im Département Allier, südöstlich von Vichy; chef-lieu de canton ist Cusset.
[119] von 1870.
[120] von 1810 ungefähr.
[121] Rein schätzungsweise würden auch wir das annehmen.
[122] Diese Binsenwahrheiten werden leider noch allzu häufig mißachtet.

rend bei den anderen Konjugationen – dies wird allerdings nicht explizite von der Autorin unterstrichen – die Verhältnisse ganz regelmäßig sind und zu keinem besonderen Kommentar Anlaß geben. Dies allein schon hätte zur Vorsicht mahnen müssen; denn das Zahlenverhältnis von 3. Pers. Sg. Präs. Ind. und Infinitiv ist doch das gleiche bei allen Konjugationen. Es müssen also wohl andere Gründe ausschlaggebend gewesen sein, und wir werden versuchen, diese Gründe hier kurz anzudeuten, obgleich wir nicht über genügende Unterlagen der Mundart von Busset verfügen[123]:

Der Zusammenfall von 3. Pers. Sg. Präs. Ind. und Infinitiv in Busset ist zufälliger, sekundärer Art. Wir wollen zwar nicht ganz ausschließen, daß die 3. Pers. vielleicht eine Tendenz unterstützt hat, die sich beim Infinitiv aus ganz anderen Gründen bemerkbar machte. Von ursächlichem, primärem Einfluß muß jedenfalls abgesehen werden. Der *lautliche* – nicht *syntaktische* – Zusammenfall von 3. Pers. Sg. und Infinitiv muß durch die Akzentverhältnisse der betreffenden Mundarten sowie durch ihre lautliche Entwicklung erklärt werden. S. Escoffier spricht sehr wohl von einer Verlagerung des Akzentes auf die Anfangssilbe[124], jedoch nur, um von diesem nach unserer Auffassung richtigen Ansatz sofort wieder abzulassen, obgleich Akzentverschiebungen im hier behandelten Raum sehr häufig sind und es auch nicht an Erklärungen dieses Phänomens gefehlt hat[125].

Die alte Infinitivendung der ersten Konjugation war in Busset wohl wie in anderen Mundarten[126] dieses Gebietes betontes -*é* oder -*è*. Dieses *é* entwickelte sich zu *e̯*, wie es z. B. die Schreibungen *garde* und *minge* von Brugheas sowie die Form *prè* < *pratu* von Busset[127] vermuten lassen. Da *e̯* ein

---

[123] Auch aus der genannten Arbeit von S. Escoffier ist in dieser Hinsicht wenig zu entnehmen.

[124] Dies ist natürlich eine recht irreführende Ausdrucksweise. Es müßte richtig bei S. Escoffier, *op. cit.*, S. 56, heißen *transport d'accent* bzw. noch besser *recul d'accent sur la syllabe précédente*, wobei selbstverständlich bei allen einschließlich der ursprünglichen Endung zweisilbigen Verben diese »vorhergehende« Silbe gleichzeitig die Anfangssilbe ist.

[125] Wir verweisen nur auf A. Dauzat, *Géographie Phonétique de la Basse Auvergne*, S. 41–51 (*RLiR*, Bd. 14); A. Duraffour, *Phénomènes Généraux d'Evolution Phonétique dans les Dialectes Franco-Provençaux*, S. 2–28 (*RLiR*, Bd. 8).

[126] Es ist bekannt, daß die Verteilung der Infinitivendungen -*é*, -*è* bzw. -*à*, -*á* *(â, ò)* der ersten Konjugation nicht einfach nach wohl abgegrenzten Zonen geschieht, sondern daß man durchaus mitten in einem -*a*-Gebiet plötzlich eine Ortschaft mit der -*e*-Endung antreffen kann. Siehe hierzu auch Escoffier, *op. cit.*, S. 54ff., sowie Dauzat, *Géogr. Phon.*, S. 104–106.

[127] S. Escoffier, *op. cit.*, S. 54. Leider war *prè* die einzige Form dieser Art, die wir im zitierten Werk gefunden haben. Die Behandlung von *a* scheint in Busset recht zu schwanken. *cantātu* wird z. B. zu *câtò*, *lātu* zu *lá*. Auslautendes, nichtbetontes *a* entwickelt sich zu *e̯* bzw. schwindet ganz. S. Escoffier umschreibt auch *e̯*. *fēria* > *fàyr*, *dīrēcta* > *dre̯yte̯*, *frigida* > *fre̯d* (*op. cit.*, S. 92).

Vokal mit geringer Schallfülle ist, tritt gerade bei ihm, allerdings nicht ausschließlich, in unserem Gebiet eine Tendenz zur Akzentverschiebung auf. Befindet sich nun betontes *ė* in der vorletzten Silbe, so besteht die Möglichkeit, den Ton auf die Schlußsilbe zu verlegen, falls diese einen Vokal mit größerer Schallfülle besitzt. Ist jedoch das in Frage kommende Wort mindestens dreisilbig, so kann sich der Akzent auch auf die drittletzte Silbe verlagern, wobei *ė* der zweitletzten meistens schwindet. Steht *ė* in der letzten, betonten Silbe eines Wortes, wie z. B. bei den Infinitiven, so kommt für eine Akzentverschiebung selbstverständlich nur Rückzug des Tones in Frage, es sei denn, das betreffende Wort verlöre überhaupt seinen Eigenakzent innerhalb der phonetischen Gruppe. Aus *laborare* wird folglich ganz normal *laburę̇ > laburę̇ > laburė̇ > labur*.

Daß unsere Ausführungen nicht rein hypothetisch sind, sei an ein paar Beispielen erläutert. In Chalouze[128] heißt der »Hafer« *avę̇nò* mit für das geübte Ohr deutlich wahrnehmbarer Betonung des *ę̇*, solange das Wort isoliert ist. Kommt es jedoch in den Satzzusammenhang, so schwindet *ė* vollkommen und *ò* erhält den Ton: *àvnò*. Genau so verhält es sich, wenn man nach den Begriffen »Suppe«, »Pech«, »Schnee« fragt. Man bekommt als Antwort *sę̇pò, pę̇jò, nę̇jò*; mit dem Artikel aber *làspò, làp(ė)jò, lànjò*. Die »Gabel« heißt *furcę̇tò*, meistens jedoch schon, auch außerhalb des Satzzusammenhangs, *furctò*[129]. In Echassières sagt man für »eng« *ėtr(ė)*, obwohl die ursprüngliche Entwicklung von *strictu* selbstverständlich *étrę̇* als Betonung erwarten läßt, wie denn auch *stricta* hier zu *étrę̇tė* mit der ursprünglichen Akzentuierung geworden ist, da ein Proparoxytonon *ė́trėtė unmöglich wäre. Viele einsilbige Wörter (z. B. *sė* »Durst«, *é vęz* »ich sehe«, *é tęn* »ich halte« in Chalouze) beweisen, daß *ė* sehr wohl den Hauptton tragen kann und ferner, daß die Akzentverlagerungen später anzusetzen sind als die Entwicklung von *é* zu *ė*. Schon Dauzat[130] hat darauf hingewiesen, daß die Entwicklung von *é* zu *ė* in einem Wort wie *avéna >* *àvę̇nò* nicht von einer vorherigen Akzentverlagerung abhängig ist, sondern daß die Verhältnisse gerade umgekehrt zu erklären sind, also *àvę̇nò >* *àvę̇nò > àvnò*, nicht *àvénò > àvénò > àvénò > àvnò*.

Wir verzichten darauf, weiter ins Detail zu gehen und die Beispiele zu vermehren. Die ganze, äußerst schwierige und delikate Frage würde eine Spezialuntersuchung verdienen, für die allerdings noch viele Einzelstudien fehlen. Wir hoffen aber gezeigt zu haben und möchten dies noch einmal unterstreichen, daß Akzentverschiebungen in zwei Richtungen stattfinden können, daß sie in unserem Gebiet teilweise noch stark fluktuieren, meistens vom syntaktischen Zusammenhang abhängig sind und daß es

---

[128] Siehe unseren Aufsatz, *ZRP*, Bd. 81, S. 63ff.
[129] S. a. *ALF*, Karte 604, wo derart betonte Formen häufig sind.
[130] »Ce n'est pas l'affaiblissement de l'intensité qui a provoqué l'assourdissement d'*é* en *ė*, car nombre de patois gardent longtemps encore un *ė* fortement accentué.« (*Geogr. Phon.*, S. 50, Anm. 3.)

Unterschiede von einer Mundart zur anderen, von einem Sprecher zum anderen, ja von einem Satz zum anderen gibt. Wir möchten trotzdem annehmen, daß unsere Hypothese über die Formen des Infinitivs der 1. Konjugation in Busset einige Chancen hat, die allein richtige zu sein[131]. Wenden wir uns nun noch einmal dem »Guardiolo« zu, um eine neue Deutung des zweiten Elementes beim *vado*-Perfekt 2 (*vo krẹ́p, vo kǘz, vo tẹ́ŋ, vo vívǝ* usw.) zu versuchen. Auch G. Rohlfs hat dieses Problem kurz gestreift, ohne selbstverständlich im Rahmen einer Gesamtschau der italienischen Sprache und ihrer Mundarten auf die Problematik näher eingehen zu können: »Bemerkenswert ist an diesen Formen [nämlich: *vo pèrdǝrǝ, va trov, avè anar, avè štar, avè dùnǝ, vaŋ trov, va ciat, vaŋ vǝnirǝ, vaŋ pǝntirǝ, vaŋ salút*][132], daß die Verben der *a*-Konjugation[133] meist nicht in der üblichen Form des Infinitivs *(salutar, trovar)*[134], sondern in einer verkürzten Form *(salut, trov)* erscheinen.«[135] Es ist uns nicht ganz klar, was der Autor mit der »verkürzten Form« hat sagen wollen; wir könnten uns aber vorstellen, daß er eventuell an piemontesische, auch ligurische und lombardische Verhältnisse dachte. In den besagten Mundarten sind apokopierte Formen des Infinitivs charakteristisch. Außerdem ist der Wechsel eines Verbums von einer Konjugationsklasse in die andere keine Seltenheit. Häufig ist das Schwanken zwischen zwei Konjugationen *(séntė* und *senti, doérvė* und *dürvi)*, wobei beide Infinitivformen nebeneinander bestehen können[136]. Auch für Verben der ersten Konjugation sind Doppelformen zu verzeichnen. So gibt z. B. Sujet I in Turin für »giuocare« *g̉üg̉é*, Sujet II jedoch *g̉oége*[137] an. A. Aly-Belfadel vermerkt in seiner piemontesischen Grammatik[138]: ». . . pochi verbi della prima coniugazione, . . ., nella campagna presso Torino ed in altre parti si usano anche con un infinito in *e* atono, oltre a quello in *é* accentato . . . *munté* e *múntė, truvé* e *troévė* . . .«[138a]

In anderen Gegenden Italiens ist die Apokope von -*re* im Infinitiv aller

---

[131] Duraffour, *op. cit.*, S. 216, macht auf den Hinweis Devaux' aufmerksam: »dans les Terres-Froides, *yé* précédé d'une voyelle se réduit à *yė*, avec recul de l'accent sur la syllabe précédente: *lụyė < locare*«. In Thézillieu ist es durch die Rückziehung des Akzentes zu einer Reduzierung des Wortkörpers gekommen: *secare > *saye > sa*.
[132] Die phonetische Schreibung wurde von Rohlfs vereinfacht.
[133] Wir sagten schon weiter oben, daß auch die übrigen Konjugationen betroffen sind.
[134] Der volle Infinitiv müßte *truvár* heißen.
[135] *Hist. Gramm. d. it. Spr.*, Bd. II, S. 379.
[136] Man beachte die Umlauterscheinungen.
[137] Siehe *AIS*, Karte 741.
[138] *Grammatica piemontese*, Noale 1933, S. 179, Anm. 1.
[138a] Daß die Infinitive im Piemontesischen so wenig fixiert sind, mag auch dadurch mitbedingt sein, daß die Endungen des Präsens Indikativ für alle Konjugationen gleich sind, mit Ausnahme der 3. Pers. Sg.: 1 -*u*, 2 -*e*, 4 -*úma*, 5 -*e*, 6 -*u*.

Konjugationen ebenfalls eine geläufige Erscheinung, z. B. in Mundarten der südlichen Toskana, im Lucchesischen und in den Mundarten Nordkalabriens[139]. Mit Abfall der Infinitivendung *-re* allein lassen sich jedoch die Formen von Guardia Piemontese nicht erklären. Ein lateinisches *donare* würde nur **duná* ergeben, wie wir denn auch von *cantare, crepare, tropare, manducare, amare* **ćantá, *krepá, *truvá, *mingá, *amá* erwarten sollten. Wir haben tatsächlich einmal *nəvəká* »nevicare« verzeichnet, und Morosi notiert im Gleichnis vom Verlorenen Sohn auch *kjavá* »mettere«. Wenn man bedenkt, daß auslautendes *r* im »Guardiolo« sowieso recht schwach artikuliert wird, es sei denn, man stütze es sekundär wieder durch ein nachfolgendes *ə*, so können diese Formen eigentlich nicht überraschen.

In der oberitalienischen Waldensermundart von Pral sind die Infinitive regelmäßig apokopiert: *ćantá, sabẹ̄, söntí, finí*[139a]. Das ist natürlich nicht so zu verstehen, daß hier, eventuell aus satzphonetischen Gründen, *-re* einfach abgeworfen worden wäre[140], sondern wir haben es mit einer normalen phonetischen Entwicklung in zwei Stufen zu tun, einer ersten mit Abfall der Auslautvokale und einer zweiten mit Verstummen des in den Auslaut getretenen *r*, wie wir es z. B. häufig in neuprovenzalischen Mundarten antreffen.

Bei den Verben der lateinischen *-ĕre*-Konjugation ist das heute vorliegende Endergebnis des Infinitivs verschieden ausgefallen, je nachdem ob in alter Zeit Synkope des nachtonigen *-ĕ-* eingetreten war oder nicht. Wir wollen nicht auf die einzelnen Gründe eingehen, die für das Eintreten oder Nichteintreten der Synkope aufgeführt werden könnten; auch lassen wir außer Betracht, daß manche Infinitivform von Präsens- oder Futurformen aus analogisch gebildet wurde[141]. Jedenfalls kennt Pral zwei Infinitivformen der Konjugation auf *-ĕre*, die erste ohne Auslaut-*r*, wenn wir es mit nicht-synkopierten Infinitiven zu tun haben, die zweite mit *r* und Endungs-*e*, das als ursprüngliches Stütz-*e* wohl erhalten blieb, wenn der Infinitiv synkopiert wurde:

I

*essere	>	**eser*	>	*ēse*
cernere	>	**çerner*	>	*çẹrne*
premere	>	**permer*	>	*pẹrme*
redimere	>	**reimer*	>	*rejme*

---

[139] Siehe Rohlfs, *Hist. Gramm.* II, § 612.

[139a] *AGI*, Bd. 11, S. 362.

[140] Rohlfs, *Hist. Gramm.* II, S. 410, erklärt so die italienischen apokopierten Formen: »In vielen Teilen Italiens haben sich statt *-are, -ēre, -ĕre, -ire* Kurzformen durchgesetzt, die ursprünglich durch die Stellung im Satz bedingt waren, sich dann aber verallgemeinert haben.«

[141] Vgl. hierzu A. Dauzat, *Un cas de désarroi morphologique: l'infinitif* avér *(avoir) dans le Massif Central* (in: *Mélanges Haust*, S. 83–95).

$$
\begin{aligned}
&*m\acute{u}lgere &&> &&*mu\dot{z}er &&> &&mu\dot{z}e \\
&plangere &&> &&*pla\tilde{n}er &&> &&pla\tilde{n}e \\
&stringere &&> &&*e\d{j}tre\tilde{n}er &&> &&e\d{j}tr\c{e}\tilde{n}e \\
&tingere &&> &&*te\tilde{n}er &&> &&t\c{e}\tilde{n}e \\
&nascere &&> &&*na\d{j}ser &&> &&na\d{j}se \\
&pascere &&> &&*pa\d{j}ser &&> &&pa\d{j}se \\
&cognoscere &&> &&*ku\d{n}u\d{j}ser &&> &&ku\d{n}u\d{j}se
\end{aligned}
$$

II

$$
\begin{aligned}
&legere &&> &&*leg're &&> &&le\d{j}re \\
&fugere &&> &&*fug're &&> &&fu\d{j}re \\
&rumpere &&> &&*rump're &&> &&rumpre \\
&bibere &&> &&*bib're &&> &&b\acute{e}ure \\
&*pl\acute{a}cere &&> &&*plac're &&> &&pla\d{j}re \\
&credere &&> &&*cred're &&> &&kre\d{j}re^{142}
\end{aligned}
$$

Besonders interessant ist, daß für viele Verben zwei Infinitive nebeneinander bestehen, und es ist äußerst schwierig zu entscheiden, ob dem schon immer so gewesen ist und die Mundart von Pral von ein und demselben Verbum eine synkopierte und eine nicht-synkopierte Form ausgebildet hat, oder ob nicht vielmehr manche Formen bei Nachbarmundarten entlehnt wurden und es zu einer Mischung von charakteristischen Zügen aus mehreren Mundarten kam. Auch kann die Analogie hier sehr leicht gewirkt haben, und wir sehen uns außerstande zu entscheiden, welche von den Formen *move* und *móure*, *vive* und *víure*, *beve* und *béure*, *leģe, leźe* und *lejre* die ursprüngliche ist. Dies ist um so schwieriger, als das Präsens von »muovere« z. B. 1 *movu*, 2 *move*, 3 *mou*, von »vivere« 1 *vivu*, 2 *vive*, 3 *víu* heißt[143], so daß von hier aus eine Möglichkeit analogischer Bildung für beide Infinitivtypen besteht, ganz zu schweigen vom Einfluß anderer Verben.

Für das »Guardiolo« nun sind wir zu der Überzeugung gelangt, daß in Formen wie *vo kắz* oder *vo vívə* keine finite Form des Indikativ Präsens Sing. im zweiten Bestandteil vorliegt, sondern daß wir es ganz einfach mit dem Infinitiv zu tun haben. Da aber die frühesten sprachlichen Zeugnisse über die Mundart von Guardia Piemontese erst aus dem Ende des 19. Jahrhunderts stammen und sämtliche Zwischenglieder vom Mittelalter bis zur Neuzeit fehlen, da ferner unsere Kenntnisse über die Sprache der Waldenser im Mittelalter[144] recht dürftig sind, ist es nicht

---

[142] Die Beispiele ließen sich beliebig vermehren. Vgl. *AGI* 11, S. 363. Wir haben die Umschrift Morosis beibehalten. Auch die Sprache des Félibrige kennt diese beiden Infinitivtypen. Cf. E. Koschwitz, *Grammaire historique de la langue des Félibres*, §§ 105–109, wo eine Klassifizierung nach den stammauslautenden Konsonanten vorgenommen wurde.

[143] Morosis Material ist viel zu beschränkt, als daß man auch nur den Versuch machen könnte, eine Entscheidung zu treffen.

[144] Wir meinen hier vornehmlich die gesprochene, natürlich gewachsene Sprache, nicht diejenige, die uns in den religiösen Schriften entgegentritt und über die sich die Forschung noch nicht einig ist. Es wäre wünschenswert und lohnend, wenn dieses Problem wieder aufgegriffen würde.

möglich zu klären, ob nun *kúz(ə) oder kúzər(ə)*, *vív(ə)* oder *vívər(ə)* die normale Form des Infinitivs ist[145]. Ähnlich liegt es bei *véyrə* und *véy, ćéyr* und *ćéy* etc., bei denen wir, nach dem haupttonigen Vokalismus zu urteilen, mit einiger Sicherheit ursprünglich synkopierte Formen ansetzen dürfen – **vídĕre > víd're > vedre > veyre* [*-dr- > -ir-* wie provenzalisch *patre > paire, crédĕre > *credre > creire*] –, wenngleich *ćéyr* bzw. die zugrunde liegende altprovenzalische Form außer aus *cádere* auch sehr wohl aus einer alten Futurform zurückgebildet worden sein kann.

Man könnte z. B. mit einigem Recht vermuten, *r*-auslautende Infinitive hätten sich im »Guardiolo« nur dann in der Konjugation auf -*ĕre* erhalten, wenn Synkope eingetreten war, wogegen sonst *r* im Auslaut schwand. Man könnte hier die Verhältnisse in Pral als Vergleich heranziehen. Das normal erhaltene *r* bei *véyrə, kréyrə* etc. hätte dann einen Analogieeinfluß auf andere Verben ausüben können, und das ganze System wäre nach und nach ins Schwanken geraten. Gegen diese Hypothese, zumindest als einzige Lösung, spricht die Tatsache, daß eine numerisch sehr kleine Gruppe von Verben kaum das ganze Konjugationssystem, also auch die *a*-, *e*- und *i*-Konjugation, beeinflußt haben kann, denn überall haben wir heute *r*-auslautende Infinitive. Gleichwohl kommt der -*ĕre*-Konjugation in unserem Zusammenhang besondere Bedeutung zu, wie wir weiter unten sehen werden.

Es ist jedoch müßig, Entscheidungen über das *r* der Infinitive im »Guardiolo« zu fällen, weil wir, wie wir schon ausführten, nur den modernen Sprachzustand kennen und alles andere erschlossen werden muß, wobei mehrere, besonders jedoch zwei Möglichkeiten sich anbieten, die nicht

---

[145] Das auslautende *ə* ist bei den Infinitiven auf -*rə* in jedem Fall sekundär. Auch bei Wörtern, die niemals ein etymologisches *e* gekannt haben, tritt heute je nach dem Satzzusammenhang und dem Sprechtempo ein *ə* auf, z. B. *diŋə* statt *diŋ* »in«, *vaŋə* statt *vaŋ* »wir, sie gehen« etc.
Da Morosi (*AGI* 11, S. 390) für proparoxytonische Infinitive im Guardiolo die Synkope als charakteristisch darstellt, sollte man bei lat. *vívĕre* eigentlich die Entwicklung *vívĕre > viv're > vivre > víure > viwr(ə)* mit regelmäßiger Vokalisierung von *v* beim zwischenvokalischen Nexus -*vr*- erwarten. Wenn also *vívər(ə)* nicht durch Analogie erklärt werden soll, muß man hier, wie in vielen anderen Fällen, nicht-synkopierte Formen postulieren. Wir möchten meinen, daß die Ausführungen Morosis allzu skizzenhaft sind und daß seine Urteile zu häufig einer ausreichenden Fundierung anhand umfangreichen Materials entbehren. Einen *vivere* sehr ähnlichen Fall stellt *bíbĕre* dar. Nach eingetretener Synkope sollte man heute *béwr* erwarten, was der *AIS* (K. 1701) auch wirklich angibt *(bę́wɽ)*. Auch Morosi gibt (*AGI* 11, S. 388) bei der Behandlung von *b* in verschiedenen Stellungen *bęure* an, wogegen er bei der Verbalflexion als Infinitive von »trinken« nur *bev'* oder, und das ist sehr wichtig, *bev'r* zitiert. Wir selbst notieren *bévərə*, im Perfekt jedoch *bévə* oder *bę́wə*.
An weiteren Doppelformen für den Infinitiv in Guardia Piemontese zitiert Morosi noch (*op. cit.*, S. 391) *ćejᵣ* und *ćē* »cadere«, *kunujs'r'* und *kunuj* »conoscere«.

von der Hand zu weisen sind, sich aber einander ausschließen. Es ist z. B. denkbar, daß im Mittelalter sämtliche Infinitive, eventuell mit Ausnahme der soeben erwähnten *kréyrə*, *véyrə* usw., ohne *r* waren und dieses *r* wieder nachträglich, vielleicht durch den Einfluß kalabrischer Mundarten südlich von Guardia Piemontese, eingeführt wurde. Ebenfalls ist es aber möglich und vielleicht sogar wahrscheinlicher, daß das alte »Guardiolo« nur Infinitive mit *r*-Ausgang kannte, dann aber, unter dem Einfluß kalabrischer Mundarten nördlich von Guardia, mehr und mehr sein *r* aufgab. Beide Lösungen würden Doppelformen und schwankenden Gebrauch erklären, und beide könnten auch geographisch befriedigen; denn Guardia Piemontese liegt genau auf der Scheidelinie zwischen südlichen *r*-Infinitiven und nördlichen Formen ohne *r*. Beispiele nach dem *AIS* mögen das illustrieren:

	VUOTARE[146]	SAPERE[147]	VEDERE[148]
P. 740	*ruvaká*	*sapé̦*	*vəré̦*
P. 742	*δivaká*	*sapí*	*víδi*
P. 744	*rivaká*	*sapé̦*	*viré̦*
P. 745	*δavaká*	*sapé̦*	*víδə*
P. 750	*δivaká*	—	—
P. 752	*δivaká*	*sapí*	*víδ·*
P. 761	*δivakǎre*	*sapíre*	*víδere*
P. 762	*δivakǎri*	*sapíri*	*víδari*
P. 765	*δiwakǎ̆rə*	*sapíre*	*viδíri*
P. 771	*δivakǎre*	*sapíre*	*veδíre*

	BERE[149]	VENIRE[149]	AVERE[149]	ESSERE[149]
P. 740	*vé̦vi*	*vəné̦*	*avé*	*é̦ssə*
P. 742	*vívi*	*viní*	*gaví*	*é̦ssi*
P. 744	*vívi*	*vaní*	*avé̦*	*é̦ssi*
P. 745	*vívə*	*vaní*	*avé̦*	*é̦ssə*
P. 750	*vwívə*	*vaní*	*aví̦*	*é̦ssə*
P. 752	*vívə*	*vəní*	*aví*	*yé̦ssə*
P. 761	*vívere*	*vęníre*	*avíre*	*é̦sere*
P. 762	*vívari*	*veníri*	—	—
P. 765	*wiwírə*	*wənírə*	*awírə*	*é̦ssərə*
P. 771	*vívare*	*veníre*	*avíre*	*é̦ssere*

---

[146] Karte 1681. Wir haben die Anordnung nach laufenden Nummern vorgenommen, was natürlich ein schlechtes Bild von der geographischen Lage der Punkte zueinander ergibt. Die Scheidelinie des behandelten Phänomens verläuft von Westen nach Osten zwischen Punkt 751 und Punkt 762. 762 liegt ungefähr auf gleicher Höhe wie Guardia Piemontese, jedoch weiter landeinwärts. Vgl. unsere Tafel I im Anhang.

[147] Karte 1701.

[148] Karte 1701.

[149] Karte 1701. Man könnte nach den Materialien des *AIS* noch sehr viele Infinitivformen anführen, die stets, von wenig bedeutenden Ausnahmen abgesehen (Punkt 742 zeigt z. B. für »dare« die Form *δári*), dasselbe Bild ergeben würden.

Wenn wir von der Möglichkeit absehen, daß im »Guardiolo« seit dem Mittelalter, gegebenenfalls nach Familien verschieden, zwei Typen des Infinitivs nebeneinander bestanden[150], so möchten wir persönlich sehr stark dazu neigen, die oben als zweite Möglichkeit vorgetragene Lösung festzuhalten und den Schwund des *r*, der ja nicht vollständig ist, abgesehen von der sowieso normalerweise schwachen Artikulation, fremdem Einfluß, hier also kalabrischen Mundarten nördlich von Guardia zuzuschreiben. Wir werden in dieser Meinung bestärkt durch die Tatsache, daß die *r*-Infinitive seit Morosi und Rohlfs sehr stark abgenommen haben. Rohlfs notiert viele Infinitive ohne *r*, die bei Morosi noch mit normalem *r*-Auslaut erscheinen, und unsere eigenen Materialien zeigen einen bedeutenden Schwund des *r* gegenüber dem, was Rohlfs für den *AIS* angibt. Die Wahrscheinlichkeit spricht also dafür, daß wir es doch wohl mit einem modernen Phänomen zu tun haben.

Bei den Verben der *a*-Konjugation ist mit phonetischer Entwicklung nicht weit zu kommen; *vo ćánt, vo mińǵ* usf. müssen durch Analogieeinwirkung erklärt werden. Was den Infinitiv der *-ĕre*-Konjugation von den ersten 3 Personen des Präsens Indikativ unterscheidet, ist nur das Auslaut-*r*. Sobald dieses ausfällt, sind Fehldeutungen ein Leichtes, zumal für den Mundartsprecher. Da es nun *vo kū́z* hieß und der Infinitiv *kū́z* mit den Präsensformen 1 *kū́z*, 2 *kū́z*, 3 *kū́z* übereinstimmte, bildete man in Analogie zu der »finiten« Form in *vo kū́z* auch ein *vo ćánt*, und nicht nur das, sondern auch *vẹ̄ł ćánt, pǫ ćánt, sǫ ćánt, vāẁ a ćánt* usw., genau so wie man denn auch in all diesen Fällen *kū́z* gebrauchte.

Wir wollen nicht ganz von der Hand weisen, daß *ćánt* auch ohnehin als Infinitiv auf Grund eines Analogieeinflusses gebildet werden konnte. Da nämlich für sämtliche Konjugationen dieselben Endungen gelten[151], mit Ausnahme des Imperfekts der *a*-Konjugation, wo jedoch auch schon, wie wir zeigten, die Zersetzung stark fortgeschritten ist, kann man leicht verstehen, daß auch beim Infinitiv Ausgleichstendenzen auftreten[152].

Für *tẹ́ŋ* in *vo tẹ́ŋ* ist eine Entscheidung nicht leicht. Als Infinitiv gibt der *AIS tẹ́n'r'*[153] an, was für eine dem Ursprung nach galloromanische Mundart schon ungewöhnlich ist, weil man an und für sich entweder *tənér* oder aber *tənír* erwarten sollte, zumal die Präsensflexion vollständig mit *vənír* parallel geht. Es handelt sich hier wahrscheinlich wiederum um kalabrischen Einfluß; denn das Schwanken von der *-ire*-Konjugation in die *-ĕre*-

---

[150] Für ein und dasselbe Verb wohlverstanden.
[151] Die ersten 3 Personen des Ind. Präs. sind heute als endungslos zu betrachten.
[152] Daß wir es jedoch nicht einfach mit Abfall der Endung *-ár* zu tun haben, sondern *formal* mit einer finiten Form, zeigen Verbindungen wie *vo iŋgrǎys, vo bǎyz*; denn hier müßten die alten Infinitive *iŋgrəsár, bəzár, bezár* heißen, was mit Endungsausfall *iŋgrə̄s, béz* ergäbe.
[153] Karte 1620.

Konjugation ist gerade in der Provinz Cosenza sehr häufig: »In den Mundarten der Provinz Cosenza gibt es ... kaum ein Verbum der *i*-Klasse, das nicht in die *ĕ*-Klasse eingereiht werden könnte.«[154] *tę́nərə* könnte allerdings auch auf einer Analogie beruhen, wie es höchstwahrscheinlich ist für die von uns notierte Form *tę́ŋərə*, bei der schon der zwischenvokalische velare Nasal *ŋ* höchst verdächtig ist, da in solcher Stellung regelmäßig *n* erscheint. Wir haben es hier wohl mit einer falschen Rückbildung von *tę́ŋ* aus zu tun.

Es ist wichtig festzustellen, daß bei einer Reihe von häufig gebrauchten Verben, deren Infinitivform stark von den Präsensformen unterschieden ist, niemals im *vado*-Perfekt eine »finite« Form auftritt. Hierzu gehören *avę́r* (1 *yắy*, 2 *ą́*, 3 *ą́*), *anár* (1 *vắử*, 2 *vą́*, 3 *vắy*), *fár* (1 *fắử*, 2 *fę́*, 3 *fắy*), *štár* (1, 2, 3 *łíšt*), *savę́r* (1, 2, 3 *sắửə*), *vulę́r* (1 *vę́ł*, 2, 3 *vǫ́lə*), *pwę́r* (1, 2, 3 *pę́w'*), *ę́sərə*[155] (1 *síw'*, 2 *sɔ́*, 3 *ę́*)[156].

Zum Schluß wollen wir noch einmal schematisch zu veranschaulichen suchen, wie im wesentlichen die Formen der *a*-Konjugation zu erklären sind[157]:

---

[154] Rohlfs, *Hist. Gramm.* II, § 615.

[155] Das ist die Form, die der *AIS* angibt. Morosi hat *ess'r* umschrieben, wogegen wir nur *ę́s*, *ę́sə* bzw. *yę́s* notiert haben, was den Einfluß der kalabrischen Mundarten, den wir postulierten, unterstreicht, da man nördlich von Guardia Piemontese solche Formen massenweise antrifft.

[156] Daß es also niemals *vo síw'* oder *vo yắy* heißt, ist ein weiterer Beweis dafür, daß auch in *vo kắz* keine finite Form vorliegt.

[157] Bei der Behandlung der frankoprovenzalischen Mundart von Faeto und Celle in Apulien erwähnt Morosi (*AGI* 12, S. 61, Anm. 1) Konstruktionen, bei denen ihm wiederum die Infinitive durch finite Formen ersetzt scheinen: »Non oserei dire che *pręn štręn kunkj*, nelle frasi *ǵi ǵǵe vuol pręn, ti ttę vuó štręn, ij i ve kunkj* (egli va a compiere, consumare), rappresentino il tipo non sincopato (*prénder *prende *prend); e le credo piuttosto forme di presente, com' è di certo *annij* nella frase *i sę vúot annij* egli si vuol annegare. In tal congiuntura, in dipendenza cioè da un verbo, le forme di presente non son punto inaudite nei dialetti di Puglia.« Wir wollen hier nicht weiter auf diese leicht hingeworfenen Behauptungen eingehen. Da es sich um frankoprov. Mundarten handelt, ist zumindest für *annij* mit Palatalauslaut eine rein phonetische Erklärung denkbar. *ad-necare* würde sich regelmäßig zu *annij* entwickeln können. Im übrigen zitiert Morosi, *AGI* 12, S. 39–40, über zwei Dutzend Infinitive, die alle auf *-ij* ausgehen!

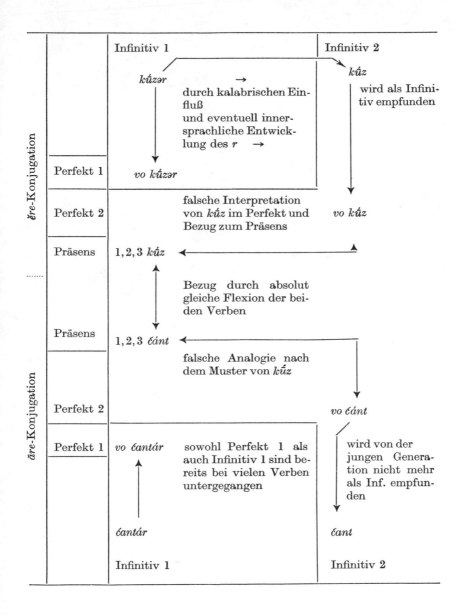

ZWEITER TEIL

HABEN und SEIN

SEMANTISCH-SYNTAKTISCHE FUNKTIONSÜBER-
SCHNEIDUNGEN VON *SEIN* UND *HABEN*

I
VERWECHSLUNG IM IMPERFEKT

A. Galloromanisch

Im Jahre 1965 behandelten wir unter dem Titel »Quelques faits déroutants de morphologie verbale«[1] einige äußerst kurios anmutende Ver-
wechslungen der Auxiliarien *sein* und *haben*, wobei wir uns speziell mit
der Identität von *hatte* und *war* in einigen Personen oder aber im ganzen
Paradigma des Imperfekts im Zentrum Frankreichs beschäftigten. Wir
setzten uns dort auch mit den schon vorliegenden Erklärungen dieses
Phänomens auseinander und glauben gezeigt zu haben, daß die Phonetik
allein nicht für eine solch bemerkenswerte Entwicklung ins Feld geführt
werden kann. Wir versuchten schließlich, die ganze Erscheinung mit
ähnlichen Fakten aus der Romania zu vergleichen und sie so auf einen
allgemeinsprachlichen Nenner zu bringen, weil uns scheint, daß eine
allgemeinere Lösung hier in jedem Fall einer spezielleren vorzuziehen ist.
Im folgenden möchten wir unsere eigene Erklärung wieder aufgreifen,
viel neues Material hinzufügen und Probleme, die in unserem Aufsatz nur
angedeutet werden konnten, näher erörtern.
Schon in unserem genannten Aufsatz[2] drückten wir den Wunsch aus, es
möge versucht werden, die genaue Ausdehnung des beschriebenen Phänomens festzustellen, nachdem die Arbeit von S. Escoffier[3] dies nicht
hatte leisten können. Inzwischen haben wir persönlich diesen recht
schwierigen Versuch unternommen, indem wir von einem hypothetisch
angenommenen Kerngebiet[4] in alle Richtungen gefahren sind und so an

---

[1] *ZRP*, Bd. 81, S. 63–75.
[2] *op. cit.*, S. 63.
[3] *La rencontre de la langue d'oïl, de la langue d'oc et du francoprovençal entre
Loire et Allier.*
[4] Nämlich die in unserem Artikel behandelten Ortschaften: Chalouze (diese
Mundart ist uns am vertrautesten), Le Mercurol, Echassières, Etroussat,
Jenzat, Saulzet, Dorat, Saint-Bonnet-de-Rochefort.

die 60 Orte besucht haben, in denen wir teils eine längere *Enquête* mit Tonband, teils aber auch nur eine kurze mit direkter phonetischer Notierung veranstaltet haben.

Folgende Ortschaften haben wir besucht, in denen *haben* und *sein* sehr wohl unterschieden sind[4a]:

1	Ayat	22	Montvicq
2	Beaune	23	Nades
3	Bellenaves	24	Naves
4	Blot-L'Eglise	25	Péraclos
5	Boënat	26	Pont-de-Menat
6	Chantelle	27	Pouzol
7	Chezelle	28	Sainte-Christine
8	Chirat-L'Eglise	29	Saint-Gal-sur-Sioule
9	Chouvigny	30	Saint-Gervais-d'Auvergne
10	Colombier	31	Saint-Pardoux
11	Effiat	32	Saint-Quintin
12	Fourilles	33	Saint-Rémy
13	Gouttières	34	Servant
14	Hyds	35	Sussat
15	La Boule	36	Taxat-Senat
16	La Crouzille	37	Ussel-d'Allier
17	Lalizolle	38	Valignat
18	Louroux-de-Beaune	39	Veauce
19	Marcillat	40	Vernusse
20	Menat	41	Vicq
21	Monestier		

In den nachstehenden Orten ist die Verwechslung von *haben* und *sein* im Imperfekt vollständig oder aber fast vollständig, da die erste oder dritte Person Sg. manchmal einen Unterschied zeigt:

I	Biozat	X	La Celle
II	Buxières-sous-Montaigut	XI	Le Mercurol[5]
III	Charmes	XII	Louroux-de-Bouble
IV	Charroux	XIII	Moureuille
V	Durmignat	XIV	Poëzat
VI	Ebreuil	XV	Saint-Bonnet-de-Rochefort[6]
VII	Etroussat[5]	XVI	Saint-Genès
VIII	Jenzat[5]	XVII	Villeneuve
IX	Lapeyrouse		

[4a] Für die geographische Verteilung vgl. a. unsere Tafel II und IV.

[5] Diese 3 Orte haben wir schon in unserem Aufsatz genannt, doch es hat sich ergeben, daß wir hier nochmals die Paradigmen abgefragt haben, um größere Klarheit zu bekommen, zumal die Aufnahmen in Jenzat und Etroussat nicht von uns selbst stammten.

[6] Wir führen hier Saint-Bonnet unter den Ortschaften mit identischem Paradigma für *haben* und *sein* im Imperfekt auf, obwohl wir es in unserem Artikel auf Grund der Materialien von S. Escoffier als Beispiel für die Nichtidentität zitiert hatten. Wir erhielten das identische Paradigma von zwei verschiedenen Auskunftspersonen, wollen aber keineswegs in Abrede stellen, daß nicht vielleicht doch die Angaben unserer Vorgängerin die

Hier sind noch anzufügen die Mundarten der Orte, die wir schon in unserem Aufsatz nannten, in denen wir aber nicht nochmal eigens Aufnahmen gemacht haben:

XVIII	Chalouze	XXIII	Luzillat[7]
XIX	Dorat	XXIV	Palladuc[7]
XX	Echassières	XXV	Pragoulin[7]
XXI	Saulzet	XXVI	Martres-de-Veyre[8]
XXII	Arconsat		

Wir geben im Anhang mehrere Karten[8a] bei, die die Verteilung der Orte mit und ohne Identität des Imperfekts der Auxiliarien veranschaulichen sollen. Selbstverständlich sind wir nicht der Überzeugung, eine endgültige Abgrenzung zu liefern. Vor allem fehlte es an der nötigen Zeit, die Ortschaften südlich von Gannat, speziell in südwestlicher und südöstlicher Richtung, systematisch durchzukämmen[9]. Dabei hätte zweifellos in diesem oder jenem Dorf die Identität noch auftreten können. Auch mag sich in dem durch unsere Aufnahmen abgesteckten Kerngebiet noch der eine oder andere Ort mit identischem Paradigma finden, wie denn überhaupt dieses Phänomen *a priori* nicht auf bestimmte Sprachen oder Dialekte festgelegt werden sollte. Natürlich bedarf es einer Reihe von Umständen, damit *haben* durch *sein* oder *sein* durch *haben* ersetzt werden kann, doch beweist das ausgezeichnete Funktionieren der Mundarten, in denen dieses

---

ursprünglicheren sind. Es ist in unserem Gebiet äußerst schwierig, wirklich zuverlässige Sujets zu finden, die der Mundart noch ganz mächtig sind und sie ständig gebrauchen. Natürlich finden sich unter den Personen, die ihre engere Heimat nie oder nur für nicht in Rechnung zu stellende Zeiträume verlassen haben und die *grosso modo* nicht unter 50 Jahren alt sind, noch genügend Mundartsprecher. Sehr selten sind aber die, die von Jugend auf in ihrem Heimatdorf geblieben sind, deren Eltern schon die Mundart dieses Dorfes sprachen, die verheiratet sind mit Personen aus dem gleichen Dorf und mit diesen dann nur die genuine Dorfmundart sprechen. Im allgemeinen gibt es in unserem Gebiet, außer der weithin festzustellenden Landflucht – ganze Weiler sind davon betroffen –, ein ziemliches Gemisch der Bevölkerung in jedem Dorf, vornehmlich durch Heirat, aber auch wegen anderer Gründe (Übernahme einer Pacht in einem andern Dorf, Ansiedlung in einem fremden Dorf wegen der Arbeitsverhältnisse: Fabrik, Bergwerk usw.), so daß man sich die gegenseitige Beeinflussung der einzelnen Dorfmundarten, die nahe verwandt sind, aber doch von Ort zu Ort merkliche Unterschiede aufweisen, leicht vorstellen kann.

[7] S. Escoffier führt für diese Orte die Identität von *sein* und *haben* im Imperfekt an, ohne jedoch die Paradigmen zu geben. Wir müssen daher auf deren Wiedergabe hier verzichten.

[8] A. Dauzat, *Morphologie du patois de Vinzelles*, S. 190, gibt nur *ǫvò* »avait, était« für Martres-de-Veyre an. Auch hier haben wir keine Aufnahmen gemacht.

[8a] Vgl. Tafel II, III, IV, V.

[9] Wir glauben, daß sich die auf Grund unseres Materials abzeichnenden Grenzen, was die Gesamtausdehnung anbetrifft, nicht wesentlich verschieben würden.

Phänomen existiert, daß wohl kein wichtiger Grund logischer oder psychologischer Art angeführt werden kann, um ein ähnliches Verfahren in anderen Sprachgebieten auszuschließen. Wenn nämlich auch in unseren Mundarten im Imperfekt ein besonderer Wortkörper für *sein* und für *haben* fehlt, so fehlt doch keineswegs der Begriff bzw. die logische oder semantische Kategorie für die beiden sehr verschiedenen sprachlichen Aussagen.

Hier nun zunächst das Material:

Nichtidentität

Ayat[10]		Beaune		Bellenaves[11]	
haben	sein	haben	sein	haben	sein
1. *ézàyò*	*ézèₓò*	*yàvŏ*	*yàtŏ*	*yàyó*	*yétcó*
2. *tàyà*	*tèₓà*	*tàvŏ*	*tàtŏ*	*tàyà*	*tétcà*
3. *ózàyò*	*ózèₓò* (*ólèₓò*)	*ólàvŏ*	*ólàtŏ*	*ólàvó*	*ólétó*
4. *ézàyē*	*ézèₓē*	*nàvyē*	*nàtyē*	*nàyã*	*nétcã*
5. *vuzàyà*	*vuzèₓà*	*vwàvyé*	*vwàtyé*	*vwàyà*	*vwétcà*
6. *ézàyõ*	*ézèₓõ*	*yàvyõ*	*yàtyõ*	*yàyõ*	*yétcõ*

[10] Wir umschreiben nach dem System des *ALF*, verzichten aber gänzlich darauf, den Druckakzent anzugeben, da dies für unsere Betrachtungen hier ohne Belang ist. Bei sehr vielen der hier behandelten Mundarten verliert das Hilfszeitwort innerhalb der phonetischen Gruppe sowieso seinen Eigenakzent. In andern Fällen stellt man ein Schwanken fest, wobei bald die Endung, bald der Stamm den Ton trägt. Wieder andere Mundarten scheinen einen festen Akzent zu kennen. All diese Fragen sind jedoch nur im Satzzusammenhang deutlich zu machen und würden den Rahmen unserer Fragestellung hier sprengen.

Wir müssen uns auch versagen, jedesmal unsere phonetischen Umschreibungen zu kommentieren, obwohl das in einem lautlich so schwierigen Gebiet wie dem unsrigen durchaus seine Berechtigung hätte. So haben wir z.B. in einer Reihe von Fällen intervokalisches *r* mit *ₓ* umschrieben, obwohl der betreffende Laut in den einzelnen Mundarten nicht immer genau der gleiche ist.

Wir haben uns jedoch entschlossen, die Subjektspronomina, deren Setzung obligatorisch ist, mit anzugeben und sie im Umschrift nicht von der Verbform zu trennen, weil die vom Verb getrennte Form manchmal anders lautet (z.B. Wandel von *u* »vous« zu *w* vor Vokal, *i* »je« zu *y* etc.). Auch wären bei einer graphischen Trennung von Pronomen und Verbum noch andere Probleme aufgetreten. »er« heißt z.B. in Chalouze *ó*, vor einem folgenden Vokal jedoch *ól*. Eine Schreibung *ól éyò* ist jedoch nach unserer Auffassung irreführend; denn das Pronomen heißt ja nicht *ól*. Mit der gleichen Berechtigung könnte man *ó léyò* umschreiben, was phonetisch noch korrekter wäre. Am besten wäre *ó-l-éyò*, wo *l* schon im Schriftbild als Übergangslaut erscheint. Nun gibt es aber auch Mundarten, wo dieses euphonische *l* (bzw. *z* in andern Mundarten) zum integrierenden Bestandteil des Verbums, nicht des vorausgehenden Pronomens geworden ist. In Lapeyrouse heißt es z.B. *Pyár zàyè* ... »Pierre avait ...«, was in Verbin-

Blot-L'Eglise[12]		Boënat		Chantelle	
haben	sein	haben	sein	haben	sein
1. *ézàyà*	*ézéřà*	*ézàyò*	*ézèrò*	*yàyó*	*yéyó* (*yétcó*)
2. *tàyá*	*téřá*	*tàyà*	*tèrà*	*tàyá*	*téyá*
3. *ózàyà*	*óléřà* (*ózéřà*)	*ólàyò*	*ólèrò*	*ólàvó*	*ólétó*
4. *ézàyē*	*ézéřē*	*nàyē*	*nèrē*	*nàyã*	*néyã*
5. *vuzàyá*	*vuzéřá*	*vwàyà*	*vwèrà*	*vwàyá*	*vwéyá*
6. *ézàyõ*	*ézéřõ*	*ézàyõ*	*ézèrõ*	*yàyã*	*yéyã*

Chezelle		Chirat-L'Eglise		Chouvigny	
haben	sein	haben	sein	haben	sein
1. *yàyó*	*yètcó*	*yéyà*	*yétcà*	*ézàyó*	*ézéřó*
2. *tàyá*	*tètcá*	*téyà*	*tétcà*	*tàyà*	*téřà*
3. *ólàvó*	*ólètó*	*ólàvó*	*ólétó*	*ózàyó*	*ózéřó*
4. *nàyã*	*nètcã*	*néyã*	*nétyã*	*nàyē*	*néřē*
5. *vwàyá*	*vwètcá*	*vwéyá*	*vwétcá*	*vuzàyà*	*vuzéřà*
6. *yàyã*	*yètcã*	*yéyã*	*yétyã*	*ézàyõ*	*ézéřõ*

Colombier		Effiat[13]		Fourilles	
haben	sein	haben	sein	haben	sein
1. *ézàyė*	*yàtė*	*ivyu*	*yèr*	*yàyá*	*yétcá*
2. *tàyá*	*tàtyá*	*tèvyá*	*tèrá*	*tàyá*	*tétcá*
3. *ólàyė*	*ólàtė*	*uvyu*	*ulèr*	*ólàvó*	*ólétó*
4. *nàyē*	*nàtyē*	*névyē*	*nèrē*	*nàyã*	*nétcã*
5. *vwàyá*	*vwàtyá*	*vuvyá*	*vwèrá*	*vwàyá*	*vwétcá*
6. *ézàyã*	*ézàtyã*	*ivyē*	*yèrē*	*yàyã*	*yétcã*

dung mit dem Pronomen *ó* die Umschrift *ó zàyė* nahelegt. Wir lassen solche Probleme unentschieden, verzerren sie aber auch nicht durch eine ungenaue Transkription.

[11] Für eine Reihe von Ortschaften haben wir die Paradigmen – immer zunächst im Satzzusammenhang! – von mehreren Auskunftspersonen bekommen. In unseren *Tabellen* geben wir, falls Unterschiede auftreten, nur die Antworten einer Auskunftsperson wieder, und zwar derjenigen, die uns auf Grund sprachlicher Kriterien am zuverlässigsten erscheint. Für Bellenaves gab die zweite Auskunftsperson, die jetzt in Boënat wohnt, bei *haben* dasselbe Paradigma wie oben, mit Ausnahme von 4 *nàyē*, das wohl dem Einfluß der Mundart von Boënat zuzuschreiben ist. Das Paradigma von *sein* lautete: 1 *yèyò*, 2 *tèyà*, 3 *ólètò*, 4 *nèyē*, 5 *vwèyà*, 6 *yèyõ*.

[12] Die Aussprache unseres Sujets, dem fast alle Zähne fehlten, war außerordentlich schlecht. Wir umschreiben intervokalisches *r* mit *ř*, obwohl wir manchmal ein *y* zu hören glaubten. Vgl. vielleicht P. Gardette, *Géographie Phonétique du Forez*, S. 150f.

[13] Eine zweite Auskunftsperson, die jetzt in Saint-Genès wohnt, gab für

Gouttières		Hyds		La Boule[14]	
haben	sein	haben	sein	haben	sein
1. ézàyò	ézèŕò	yàvé	yàtè	étèŋò	ézèyò
2. tàyà	tèŕà	tàvé	tàtè	tètèŋà	tèyà
3. ólàyò	ólèŕò	ólàvé	ólàtè	ótèŋò	ózèyò
4. ézàyē	ézèŕē	nàvyõ	nàtyõ	nètèŋē	nèyē
		(nàvyē)	(nàtyē)		
5. vuzàyà	vuzèŕà	vwàvyé	vwàtyé	vutèŋà	vuzèyà
6. ézàyõ	ézèŕõ	yàvyõ	yàtyõ	étèŋõ	ézèyõ

La Crouzille		Lalizolle		Louroux-de-Beaune	
haben	sein	haben	sein	haben	sein
1. ézàyè	ézérò	ézàyò	ézèrò	yàvó	yàtó
2. tàyá	térá	tàyà	tèrà	tàvó	tàtó
3. ózàyè	ózérò	ózàyò	ózèrò	ólàvó	ólàtó
4. nàyē	nérē	nàyē	nèrē	nàvyã	nàtyã
5. vuzàyá	vuzérá	vwàyà	vwèrà	vwàvyé	vwàtyé
6. ézàyõ	ézérõ	ézàyõ	ézèrõ	yàvyõ	yàtyõ

Marcillat		Menat		Monestier	
haben	sein	haben	sein	haben	sein
1. ézyò	ézèẓò	ézàyò	ézéẓò	yàvó	yètcó
					(yétó)
2. tèyá (tyá)	tèẓá	tàyá	téẓá	tàyà	tétà
3. ózyò	ózèẓò	ózàyò	ózéẓò	ólàvó	ólétó
4. ézyē	ézèẓē	nàvyē	néẓē	nàyõ	nétcõ
					(nétyõ)
5. ózyá	ózèẓá	vuzàvyá	vuzéẓá	vwàyà	vwétyà
6. ézyõ	ézèẓõ	ézàyõ	ézéẓõ	yàyõ	yétyõ

sein 1 yèy, 2 tèyá, 3 ulèy, 4 nèyē, 5 vwèyá, 6 yèyē an, wogegen *haben* bei ihr
dieselben Formen wie oben hatte. Die Mischung ist wohl eindeutig.

[14] Unserer Auskunftsperson ist *ézèyò, tèyà* etc. im Sinne von »ich hatte« etc.
vollkommen verständlich und geläufig. Sie gebrauchte aber in der spon-
tanen Rede nur *étèŋò* etc. Im Präsens dagegen verwendete sie unterschiedslos *ézé* und *étèn* für »ich habe«.

Montvicq		Nades		Naves	
haben	sein	haben	sein	haben	sein
1. *yàvò*	*yàtò*	*ézèyò*	*ézèẓ̌ò*[16]	*yàyœ*	*yéyœ*
2. *tàvò*	*tàtò*	*tèyà*	*tèẓ̌à*	*tàyå*	*téyå*
3. *ólàvò*	*ólàtò*	*ózèyò*	*ózèẓ̌ò*	*ólàyœ*	*óléyœ*
4. *nàvyã*	*nàtyã*	*nèyẽ*	*nèẓ̌ẽ*	*nàyã*	*néyã*
5. *vuzàvyé*	*vuzàtyé*	*vuzèyà*	*vuzèẓ̌à*	*vwàyå*	*vwéyå*
6. *yàvyõ*[15]	*yàtyõ*[15]	*ézèyõ*	*ézèẓ̌õ*	*yàyõ*	*yéyõ*

Péraclos		Pont-de-Menat		Pouzol	
haben	sein	haben	sein	haben	sein
1. *ézyò*	*ézèr*	*ézàyò*	*ézèẓ̌ò*	*ézyò*	*ézèẓ̌ò*
2. *tyá*	*tèzèřá*	*tàyá*	*tèẓ̌á*	*tyá*	*tèẓ̌á*
3. *ózyò*	*ózèřò*	*ózàyò*	*ózèẓ̌ò*	*ózyò*	*ózèẓ̌ò*
4. *nyẽ*	*nèzèřẽ*	*nàyẽ*	*nèẓ̌ẽ*	*ényẽ*	*énèẓ̌ẽ*
5. *ózyá*	*ózèřá*	*vuzàyá*	*vuzèẓ̌á*	*ózyá*	*ózèẓ̌á*
6. *ézyõ*	*ézèřõ*	*ézàyõ*	*ézèẓ̌õ*	*ézyõ*	*ézèẓ̌õ*

Sainte-Christine		Saint-Gal-sur-Sioule		Saint-Gervais-d'Auvergne	
haben	sein	haben	sein	haben	sein
1. *ézàyò*	*ézèẓ̌ò*	*ézåy(ò)*	*ézèẓ̌ò*[17]	*izàyà*	*izèrà*
2. *tàyà*	*tèẓ̌à*	*tàyá*	*tèẓ̌á*	*tàyá*	*tèrá*
3. *ólàyò*	*ólèẓ̌ò*	*ózàyò*	*ózèẓ̌ò*	*ólàyà*	*ólèrà*
4. *ézàyẽ*	*ézèẓ̌ẽ*	*énåyẽ*	*énèẓ̌ẽ*	*izàyẽ*	*izèrẽ*
5. *vuzàyà*	*vuzèẓ̌à*	*ózåyá*	*ózèẓ̌á*	*uzàyá*	*uzèrá*
6. *ézàyõ*	*ézèẓ̌õ*	*ézåyõ*	*ézèẓ̌õ*	*izayõ*	*izèrẽ*

---

[15] Wir hörten auch 6 *ézàvyõ, ézàtyõ.*

[16] Über den hier *ẓ̌* umschriebenen Laut befragt, meinte unsere Auskunftsperson, er gleiche wohl einem *n!* Beim Abfragen des Paradigmas außerhalb des Satzzusammenhangs sprach unser Sujet auch manchmal *y* (z. B. *ézèyò*). Im Satzzusammenhang ist das aber nie vorgekommen. Es hieß also: *nèyẽ frày* »nous avions froid«, aber *nèẓ̌ẽ pràyt à tràvàyà* »nous étions prêts à travailler«.

[17] Je nach dem Sprechtempo hatten wir den Eindruck, daß intervokalisches *r* bald mehr einem *ẓ̌*, bald mehr einem *r* glich.

Saint-Pardoux[18]		Saint-Quintin[19]		Saint-Rémy	
haben	sein	haben	sein	haben	sein
1. étèn̥ò	ézèrò	étèn̥ō̃	ézèr	ézàyò	ézèẓò
2. tètèn̥á	tèrá	tètèn̥à	téyà	tàyà	tèẓà
3. ótèn̥ò	ózèrò	ózy ō̃	ózèr	ózàyò	ólèẓò
					(ózèẓò)
4. étèn̥ē̆	ézèrē̆	nètèn̥ē̆	nérē̆	ézàyē̆[20]	ézèẓē̆
5. ótèn̥á	ózèrá	vuzyá	vuzérá	ózàyá	ózèẓá
6. étèn̥ō̃	ézèrō̃	étèn̥ō̃	ézérō̃	ézàyō̃	ézèẓō̃

Servant		Sussat[21]		Taxat-Senat[22]	
haben	sein	haben	sein	haben	sein
1. ézàyò	ézéẓò	yàyò	yèrò	yàyó	yétcó
2. tàyà	téẓà	tàyà	tèrà	tàyá	tétcá
3. ózàyò	ózéẓò	ólàyò	ólèrò	ólàvó	ólétó
4. nàyē̆	néẓē̆	nàyē̆	nèyē̆	nàyã	nétcã
5. vuzàyà	vuzéẓà	vwàyà	vwèyà	vwàyá	vwétcá
6. ézàyō̃	ézéẓō̃	yàyō̃	yèrō̃	yàyõ	yétcõ

Ussel-d'Allier		Valignat[23]		Veauce	
haben	sein	haben	sein	haben	sein
1. yéyá	yétcá	yàyò	yètcò	yàyò	yèyò
			(yèyò)		
2. téyá	tétcá	tàyá	tètcá	tàyá	tèyá
3. ólàvó	ólétó	ólàvò	ólètò	ólàvò	ólètò
4. néyã	nétcã	nàyã	nèyã	nàyã	nèyã
			(nètcã)		
5. vwéyá	vwétcá	vwàyá	vwètcá	vwàyá	vwèyá
6. yéyõ	yétcõ	yàyõ	yètcõ	yàyõ	yèyõ

[18] Für *haben* bekamen wir bei 1. Sg. auch *ézèyò*, bei 3. Pl. *ézèyō̃*. Im Präsens heißt es unterschiedslos *étèn* oder *ézé* »ich habe«, in der 2. Pers. Sg. aber nur *tà* »du hast«. Eine Form von *teni* hätte hier nur den Sinn von »halten« wie frz. *tenir*.

[19] Für *haben* notierten wir ebenfalls 1 *ézyō̃*, 4 *néyē̆*.

[20] Wir erhielten auch *énàyē̆*.

[21] Eine zweite Auskunftsperson, die seit längerem in Chalouze wohnt und wohl stark von dieser Mundart beeinflußt ist, gab für *haben* und *sein* das identische Paradigma 1 *yéyò*, 2 *téyà*, 3 *óléyò*, 4 *néyē̆*, 5 *vwéyà*, 6 *yéyō̃* an.

[22] *étèn* für »ich habe« wird ohne weiteres verstanden und schockiert nicht, doch gebraucht der gute einheimische Mundartsprecher nur *yé*.

[23] Auf unsere wiederholte Rückfrage hin behauptete unser Gewährsmann, man sage für »ich war« genau so gut *yèyò* wie *yètcò*, desgleichen in der 1. Pl. *nèyã* neben *nètcã*. Für »ich habe« heißt es *yé* neben *étèn*, im Imperfekt ebenfalls *étèn̥ò* neben *yàyò*.

Vernusse[24]		Vicq		
haben	sein	haben	sein	
1. *yàvó*	*yàtó*	*yàyò*	*yéyò*	
2. *tàvó*	*tàtó*	*tàyà*	*téyà*	
3. *ólàvó*	*ólàtó*	*ólàyò*	*óléyò*	
4. *nàvyē*	*nàtyē*	*nàyē*	*néyē*	
5. *vwàvyé*	*vwàtyé*	*vwàyà*	*vwéyà*	
6. *yàvyō*	*yàtyō*	*yàyō*	*yéyō*	

Identität[24a]

Biozat		Buxières-sous-Montaigut		Charmes	
haben	sein	haben	sein	haben	sein
1. *yèyu*	*yèyu*	*ézyō̃*	*ézyō̃*	*yèy(u)*	*yèy(u)*
2. *tèyá*	*tèyá*	*tyá*	*tyá*	*tèyò*	*tèyò*
3. *ulèyu*	*ulèyu*	*ózyō̃*	*ózyō̃*	*ulèy(u)*	*ulèy(u)*
4. *nèyã*	*nèyã*	*nyē̃*[25]	*nyē̃*[25]	*nèyã*	*nèyã*
5. *vwèyá*	*vwèyá*	*vuzyá*	*vuzyá*	*vwèyá*	*vwèyá*
6. *yèyã*	*yèyã*	*ézyō̃*	*ézyō̃*	*yèyã*	*yèyã*

Charroux		Durmignat		Ebreuil[26]	
haben	sein	haben	sein	haben	sein
1. *yàyò*	*yàyò*	*ézàyė*	*ézàyė*	*yèy (éténàv)*	*yèy*
2. *tàyà*	*tàyà*	*tàyá*	*tàyá*	*tèyà*	*tèyà*
3. *ólàyò*	*ólèr*	*ózàyė*	*ózàyė*	*ólèy*	*ólèy*
4. *nàyã*	*nàyã*	*nàyē*	*nàyē*	*nèyē*	*nèyē*
5. *vwàyà*	*vwàyà*	*vuzàyà*	*vuzàyá*	*vwèyà*	*vwèyà*
6. *yàyã*	*yàyã*	*ézàyō*	*ézàyō*	*yèyō*	*yèyō*

---

[24] Diese Mundart ist schon sehr stark vom Französischen zersetzt. Wir mußten viel Geduld aufbringen, um die einzelnen Formen des Paradigmas zu erhalten.

[24a] Vgl. auch Tafel III.

[25] Wir notierten auch *néyē*, *niyē* bei langsamem, gewollt deutlichem Sprechen.

[26] Eine jetzt in Saint-Bonnet-de-Rochefort lebende, aber aus Ebreuil stammende Auskunftsperson gab für *haben* 1 *yèy (éténàv)*, 2 *tàyà*, 3 *ólèy*, 4 *nàyē*, 5 *vwàyà*, 6 *yèyō*, für *sein* 1 *yèy*, 2 *tèyà*, 3 *ólèy*, 4 *nèyē*, 5 *vwèyà*, 6 *yèyō* an. Hier könnte Einfluß der Mundart von Saint-Bonnet vorliegen, falls nicht unsere, sondern die Angaben von S. Escoffier stimmen. Man sieht jedoch, wie schwierig die Dinge hier liegen und wie in unserem Gebiet die

Etroussat		Jenzat[27]		Lapeyrouse	
haben	sein	haben	sein	haben	sein
1. *yàyó*	*yàyó*	*yàyœ*	*yàyœ*	*ézàyè*	*ézàyè*
2. *tàyá*	*tàyá*	*tàyá*	*tàyá*	*tàyá*	*tàyá*
3. *ólàvó*	*ólèr*	*ólàvœ*	*ólèr*	*ózàyè*	*ózàyè*
4. *nàyã*	*nàyã*	*nàyã*	*nàyã*	*nàyē*	*nàyē*
5. *vwàyá*	*vwàyá*	*vwàyá*	*vwàyá*	*vuzàyá*	*vuzàyá*
6. *yàyã*	*yàyã*	*yàyã*	*yàyã*	*ézàyõ*	*ézàyõ*

Mischung der einzelnen Dorfmundarten einerseits untereinander und andererseits mit dem Französischen ständig zunimmt. Es ist allerhöchste Zeit, daß die Aufnahmen für den *Atlas linguistique du Centre* abgeschlossen werden und daß auch ein umfangreiches morphologisches Questionnaire hierfür abgefragt wird; denn ein Sprachatlas hat heute nicht mehr nur dem Lautlichen, Lexikalischen oder Sachkundlichen zu dienen. Wenn schon die Syntax – vielleicht in Atlanten notwendigerweise – zu kurz kommt, so könnte man doch wenigstens die Morphologie von ihrem stiefmütterlichen Dasein erlösen. Die geplante Anzahl von 91 Wörtern – siehe P. Dubuisson, *L'Atlas linguistique du Centre*, RLiR, Bd. 23 (1959), S. 360 – scheint uns recht knapp bemessen, wenn man damit auch nur das Wichtigste aus der Nominal-, Pronominal-, Verbalflexion etc. erfassen will. In jedem Fall unzureichend ist aber im »Croissant«, unserer Gegend, die im *Atl. ling. du Centre* einbegriffen sein wird, eine Ortschaft pro Kanton, wie dies von P. Dubuisson vorgesehen ist. Wir können, zumindest für die Morphologie, ihre Ansicht nicht teilen, nach der deutlich wahrnehmbare Unterschiede zwischen zwei Mundarten erst bei einer Entfernung von 20 km festzustellen sind: »D'après les résultats de mes prospections antérieures, j'ai constaté qu'il fallait en général parcourir une vingtaine de kilomètres pour trouver un changement sensible des parlers« (*RLiR* 23, S. 361). Unsere eigenen Aufnahmen dürften ein überzeugendes Gegenbeispiel sein.

Nach Fertigstellung unserer Arbeit ist nun der Bd. I des *ALCe* zum Thema *La Nature* erschienen (1971).

[27] Eine zweite Gewährsperson, die jetzt in Poëzat lebt, gab für *haben* und *sein* 1 *yèyu*, 2 *tèyá*, 3 *ulèyu*, 4 *nèyē*, 5 *vwèyá*, 6 *yèyã*. Man vgl. hierzu das Paradigma von Poëzat. Es sei noch hervorgehoben, daß solche Vermischungen nicht deswegen zustande kommen, weil die Gewährsleute die Mundart nicht mehr beherrschen, wie man das bei jüngeren Leuten annehmen könnte. Das Durchschnittsalter unserer Sujets liegt sehr hoch (ca. 65) und alle wiesen sich als Sprecher und Kenner ihrer Mundart aus. Wir bekamen unsere Formen im Satzzusammenhang ohne Stocken so, wie wir sie wiedergeben, und wenn ein Einfluß einer Mundart auf die andere vorliegt, so ist es dem spontan Sprechenden selbstverständlich absolut unbewußt.

La Celle		Le Mercurol[28]		Louroux-de-Bouble[29]	
haben	sein	haben	sein	haben	sein
1. ézàyǽ	ézàyǽ	yéyò	yèyò	ézàvǽ	ézàyǽ
2. tàyá	tàyá	téyá	téyá	tàyà	tàyà
3. ózàyǽ	ózàyǽ	óléyò	óléyò	ólàyǽ	ólàyǽ
4. nàyē	nàyē	néyē	néyē	nàyē	nàyē
5. vuzàyá	vuzàyá	vwéyá	vwéyá	vwàyà	vwàyà
6. ézàyõ	ézàyõ	yéyõ	yéyõ	ézàyõ	ézàyõ

Moureuille		Poëzat		Saint-Bonnet-de-Rochefort	
haben	sein	haben	sein	haben	sein
1. ézérò	ézérò	yèyu[30]	yèyu	yèy	yèy
2. térà	térà	tèyá	tèyá	tèyà	tèyà
3. ózérò	ózérò	ulèyu	ulèyu	ólàvó[31]	ólètó[31]
4. nérē	nérē	nèyē	nèyē	nèyē	nèyē
5. vuzérà	vuzérà	vwèyá	vwèyá	vwèyà	vwèyà
6. ézérõ	ézérõ	yèyõ	yèyõ	yèyõ	yèyõ

[28] In unserem Artikel, *ZRP* 81, S. 65, gaben wir bei *sein* auch die Formen 2 *àya*, 3 *àyò*, 4 *àyē*, 5 *àya*, die wir bei unserem damaligen Sujet auf den Einfluß der Mundart von Echassières zurückführten. Ohne diese Vermutung aufzugeben, sei hier doch vermerkt, daß eine zweite Gewährsperson, die Le Mercurol nie verlassen hat, allerdings von Alter und Krankheit stark mitgenommen war, *ay*- und *ey*-Formen wahllos durcheinander gebrauchte. Unser dritter Gewährsmann (68 Jahre), der ebenfalls stets im Dorf gewohnt hat und dort geboren ist und dessen Formen wir oben wiedergeben, behauptete, *yàyò*, *tàyá*, etc. existierten in der Dorfmundart nicht.

[29] Unser Sujet (63 Jahre) ist in Echassières geboren, hat dieses aber schon in früher Jugend verlassen. Sollte trotzdem Einfluß vorliegen? Wir haben hier leider keine Kontrollmöglichkeit.

[30] Für *haben* wird auch genauso häufig 1 *éténāv*, 2 *téténává*, 3 *uṭeṇăv*, 4 *néténávē*, 5 *vuténává*, 6 *éténávõ* gebraucht. Ebenfalls stehen *yé* und *étén* gleichberechtigt für »ich habe«.

[31] Ein zweites Sujet gab hierfür *ólèy* an. Nach S. Escoffier, *op. cit.*, S. 243, ist das Paradigma für *haben* 1 *yàyò*, 2 *tàyà*, 3 *ólàvò*, 4 *nàyē*, 5 *vwàyà*, 6 *yàyõ*, für *sein* 1 *yèyò*, 2 *tèyà*, 3 *ólèyò*, 4 *nèyē*, 5 *vwèyà*, 6 *yèyõ* (die Pronomina sind von uns hinzugefügt worden; wir lassen die Akzente weg und haben bei *haben* 5 *àyò* in *àyà* korrigiert).

Saint-Genès		Villeneuve		Chalouze	
haben	sein	haben	sein	haben	sein
1. éténắv[32]	yèy	yéyò[33]	yéyò	ézéyò	ézéyò
2. tèyá	tèyá	téyà	téyá	téyà	téyà
3. ólèy	ólèy	óléyò	óléyò	óléyò	óléyò
4. nèyē	nèyē	néyē	néyē	néyē	néyē
5. vwèyá	vwèyá	vwéyá	vwéyá	vwéyà	vwéyà
6. yèyõ	yèyõ	ézéyõ	ézéyõ	ézéyõ	ézéyõ

Dorat		Echassières		Saulzet	
haben	sein	haben	sein	haben	sein
1. yèyò	yèyò	ézàyœ	ézàyœ	yéy(u)	yéy(u)
2. tèyà	tèyà	tàyà	tàyà	téyà	téyà̃
3. ólèyò	ólèyò	ólàyœ	ólàyœ	uléyu	uléyu
4. yèyã̄	yèyã̄	nàyē	nàyē	néyã̄	néyã̄
5. vwèyá	vwèyá	vwàyà	vwàyà	wéyã̄	wéyã̄
6. yèyõ	yèyõ	ézàyõ	ézàyõ	yéyã̄	yéyã̄

		Arconsat[34]			
		haben	sein		
		1. èyò	èr		
		2. èri	èri		
		3. èrò	èrò		
		4. èrõ	èrõ		
		5. èrà	èrà		
		6. èrõ	èrõ		

Wenden wir uns nun der Erklärung des Phänomens der Identität zu und
kommen wir kurz auf die phonetische Lösung, die R. Blondin[35] vorgeschlagen hat, zu sprechen. Für ein lateinisches *habēbam* bzw. eine berech-
tigterweise anzusetzende altprovenzalische Ausgangsform *avia* dürfen
wir in unserem Gebiet folgende phonetische Entwicklung annehmen:

---

[32] Unser Gewährsmann behauptete, »ich habe« heiße auch nur *étén*, nicht *yé*.

[33] Im Präsens heißt es genau so gut *yèy* wie *étén*, entsprechend auch in den
anderen Personen, was nicht in allen Mundarten der Fall ist.

[34] Da wir die Formen von Arconsat dem zitierten Werk von S. Escoffier entnehmen und dort keine Pronomina angegeben sind (vgl. *op. cit.*, S. 242
und 245, Anm. 5), müssen wir hier auf deren Wiedergabe verzichten. Man
vergleiche aber einige Angaben der Autorin, *op. cit.*, S. 209ff.

[35] *RLiR* 19, 1955, S. 106–116. S. Escoffier, *op. cit.*, folgte im wesentlichen
dem Vorschlag Blondins. Vgl. hierzu unseren Aufsatz, *ZRP* 81, S. 66ff.
u. S. 70.

$$av\underset{.}{\iota}a > av\underset{.}{\iota}\underset{.}{o} > av\underset{.}{\iota}\underset{.}{o} > a\underset{.}{\iota}\underset{.}{o} > \underset{.}{a}\underset{.}{\iota}o^{36}$$

Lateinisches *eram* hat altprovenzalisches *era* ergeben, was, lautgesetzlich entwickelt, in den uns beschäftigenden Mundarten Formen wie *èro, èræ, èrè, èr* erwarten läßt. Neben der altprovenzalischen Form *era* dürfen wir jedoch auch Formen mit analogischer Endung *-ia* ansetzen, wobei wohl das Paradigma von *avia* und die Imperfekte der zweiten und dritten Konjugation Pate gestanden haben[37]. In der ersten und zweiten Person Plural heißt es ja auch *erian, erias*[38] in der Sprache des Felibrige gegenüber altem *erám, erátz*. Die Karte 512 des *ALF*[39] enthält für die erste Person Plural z. B. sehr viele *-ry*-Formen, die erhalten sind, neben denjenigen, bei welchen *ry* sich zu *y* entwickelt, z. B.:

P. 506	$k\tilde{a}t\ n$	$éry\tilde{e}$	P. 866	$k\tilde{a}_nt$	$éry\tilde{a}_n$
P. 616	$k\tilde{a}_n\ n$	$èry\tilde{a}$	P. 872	$k\tilde{a}_n$	$éry\tilde{a}_n$
P. 618	$k\tilde{a}_nt$	$éry\tilde{a}m$	P. 873	$k\tilde{a}_n$	$éry\tilde{a}_n$
P. 800	$t\tilde{e}k\ n$	$éry\tilde{e}$	P. 876	$k\tilde{a}_n$	$éry\tilde{a}_n$
P. 844	$k\tilde{a}_n$	$éry\tilde{a}_n$	P. 878	$k\tilde{a}n$	$éry\tilde{a}_n$
P. 855	$k\tilde{a}_n$	$éry\tilde{a}$	P. 882	$k\tilde{a}$	$éry\tilde{a}_n$
P. 861	$k\tilde{a}_n$	$éry\tilde{a}_n$	P. 884	$k\tilde{a}_n$	$éry\tilde{a}$
P. 862	$k\tilde{a}_n$	$éry\tilde{a}_n$	P. 885	$k\tilde{a}_n$	$éry\tilde{a}_n$

P. 886	$k\tilde{a}_n$	$éry\tilde{e}_n$
P. 887	$k\tilde{a}_n$	$éry\tilde{e}_n$
P. 889	$k\tilde{a}_n$	$éry\tilde{a}_n$
P. 893	$k\tilde{a}_n$	$éry\tilde{a}$
P. 894	$k\tilde{a}_n$	$éry\tilde{a}_n$
P. 895	$k\tilde{a}_n$	$éry\tilde{a}_n$
P. 897	$k\tilde{u}r$	$éry\tilde{a}_n$

Entwicklung von *-ry-* zu *-y-* kann man z. B. finden an den Punkten 708, 801, 803, 806, 807, 811, 863, 871, 875, 883. Andere Karten des *ALF* mit weiteren Imperfektformen von *être* zeigen nicht eine solche Verbreitung von *-ry-* oder *-y-*Formen[40]. Vornehmlich die Mundarten des Südostens

---

[36] Die chronologische Reihenfolge mag vielleicht auch $av\underset{.}{\iota}\underset{.}{o} > \underset{.}{a}v\underset{.}{\iota}o > \underset{.}{a}\underset{.}{\iota}o$ gewesen sein.

[37] Die Endung *-ia* hat auch auf die Verben der ersten Konjugation übergegriffen, so daß manche Mundarten das Imperfekt der ersten Klasse ganz eliminiert haben. In Etroussat heißt so das Paradigma von *chanter, partir* und *coudre* im Imperfekt (vgl. Blondin, *op, cit.*, S. 109):

1 $ $atyò$	$partyò$	$kuzyò$
2 $ $atyá$	$partyá$	$kuzyá$
3 $ $atò$	$partò$	$kuzò$
4 $ $aty\tilde{a}$	$party\tilde{a}$	$kuzy\tilde{a}$
5 $ $atyá$	$partyá$	$kuzyá$
6 $ $aty\tilde{a}$	$party\tilde{a}$	$kuzy\tilde{a}$

Allerdings ist auch in manchen Fällen ein Übergreifen der ersten Klasse auf die *-ia*-Gruppe festzustellen, und häufig ist bis heute keine Stabilität eingetreten. Wir notierten in Chalouze für das Imperfekt von *coudre* sowohl *kuzavo* als auch *kuzyo*, und dies entsprechend in allen Personen.

[38] Die Endungen *-ian, -ias* für die 1. und 2. Person Plural sind analogisch auch auf die erste Konjugation ausgedehnt worden, wobei allerdings in der Sprache der Feliber das Formans *-av-* erhalten blieb. Wir erhalten also ein *portavian, portavias* (bzw. *pourtavian, pourtavias*) gegenüber altem *portavam, portavatz*.

[39] »Nous avons été riches et heureux *quand nous étions* jeunes.«

[40] Vgl. z. B. Karte 511 »*Si c'était* bien cuit, j'en mangerais bien« oder Karte 513 »comme les arbres *en étaient* chargés.«

(Dép. Bouches-du-Rhône, Drôme, Gard und Vaucluse), die wir oben für die erste Person Plural anführten und die der Schriftsprache der Feliber sehr nahe stehen, bewahren im Singular und in der dritten Person Plural die normal weiterentwickelten Formen des Altprovenzalischen. Im Singular gibt Ronjat[41] fürs Limousin nach Chabaneau *èrio, èriã* an, und auch im *ALF* findet man an Punkt 605 (Limoges, Haute-Vienne) auf den Karten 511 und 513 die Formen *ềryồ, ếryề*. Für einige Mundarten des Forez muß man ebenfalls im Imperfekt von *être* die Endung *-ia* usf. annehmen[42], so daß man mit gutem Recht für unsere Gegend in der ersten Person Singular des Imperfekts von *être* auch eine Ausgangsform *eria* ansetzen darf und wohl muß, um zu einem Endresultat *eyo* zu kommen. Die Entwicklung wird etwa so verlaufen sein:

$$ era\ >\ eria\ >\ erio\ >\ ery_o\ >\ ey_o\ >\ eyo^{43} $$

Auf dem gleichen Weg sind 2 *erias*, 3 *eria*, 4 *eriam (-ian)*, 5 *erias*, 6 *erian* zu *eya, eyo, eyã, eya, eyã* geworden, wobei wir nicht auf die Akzentverhältnisse eingehen, noch die in den Mundarten teils abweichenden Endungen der ersten und dritten Person Plural näher erläutern. Jedenfalls dürfte man bei normaler phonetischer Entwicklung von *avia* und *eria* lautlich wohl unterschiedene Paradigmen von *sein* und *haben* erwarten, wie sie, wenn auch mit abweichenden Einzelformen, Chantelle, Naves, Veauce und Vicq wirklich bieten.

Blondin ging es jedoch in seinem Aufsatz um die Erklärung der Formen von Etroussat und Jenzat, die für *haben* und *sein* in dem einen Dorf 1 *àyồ*, im andern 1 *àyoe* heißen, wobei diese Formen die ganz regelmäßige lokale Entwicklung von *avia* zeigen. Blondin versuchte nun, auch *eria* lautgesetzlich zu *àyồ* bzw. *àyoe* werden zu lassen, und er schlug hierfür folgende Stufen vor:

$$ era\ >\ eria\ >\ erio\ >\ ery_o\ >\ ary_o\ >\ orjo\ >\ oyo. $$

---

[41] *Gram. ist. des parl. prov. mod.* III, S. 287.

[42] Vgl. P. Gardette, *Etudes de géographie morphologique sur les patois du Forez*, S. 67.

[43] Evtl. *ery_o > oryo > oyo*. Es sei übrigens ausdrücklich vermerkt, daß ein ganz normal entwickeltes *eram > era > ero* durch Analogieeinfluß von *ayo (< avyo < avio < avia)* direkt zu *eyo* werden könnte, wobei *r* durch *y* ersetzt wäre. Die analogische Beeinflussung von *era* durch *avia* muß also nicht unbedingt alt sein. Sie kann theoretisch durchaus zu dem Zeitpunkte eingetreten sein, als die lautgesetzliche Entwicklung von *-vy-* und *-ry-* zu *-y-* bereits beendet war. Auch läßt sich nicht mit Sicherheit sagen, ob wir in älterer Zeit nicht nur einzelne Personen von *sein* mit analogischer Endung annehmen müssen. Etwa:
1 *era > ero*, 2 *eras > era*, 3 *era > ero*, 4 *eriam > eyã*, 5 *eriatz > eya*, 6 *eran > erã*.
Auf Grund der ersten und zweiten Person Plural und des vollständigen Paradigmas von *haben* hätten sich dann die anderen Personen angeschlossen, wobei die dritte Sg. in einigen Mundarten nicht mitmachte.

Problematisch ist nur die Öffnung von vortonigem bzw. nebentonigem *e* zu *a*. Grundsätzlich handelt es sich hier allerdings um ein sehr bekanntes und weit verbreitetes Phänomen, welches vor allem gerne auftritt, wenn *r* (oder *l*) die Silbe schließt und der vorhergehende Vokal nicht den Hauptton trägt. Auch bei folgendem Doppel-*r* zeigt sich diese Erscheinung, die in der französischen Sprachgeschichte ebenfalls häufig, wenn auch chronologisch später als bei Nebentonsilben, den Hauptton beeinflußt. So ergibt gall. *dĕrbĭta* > nfz. *dartre*, frk. **skĕrpa* > nfz. *écharpe*, frk. **herda* > nfz. *harde*, lat. *lăcrĭma* > nfz. *larme* etc. Nebentonig findet sich das Phänomen in *per* > nfz. *par*, *mĕrcātu* > nfz. *marché*[44] usw., wobei man allerdings für einige Wörter auch Assimilation an den Haupttonvokal annehmen kann, so etwa bei *sĭlvāticu* > nfz. *sauvage*.

Für das Altprovenzalische[45] und generell für die galloromanischen Mundarten gilt Ähnliches. Dauzat[46] weist für die Basse-Auvergne nicht nur die Öffnung von *e* zu *a*, sondern auch die Schließung von *a* zu *e* nach, je nach der Artikulation des folgenden *r*. In Chalouze notierten wir selbst für *terra tsṳ̈ǫ̀rò* und für *ferru fy̦à*, in Boënat *tsṳ̈ǫ̀rò* und *fṳ̈à*, in Nades *tsṳ̈ǫ̀rò* und *fy̦à*, in Sussat *tsṳ̈ǫ̀rò* und *fy̦à* usw.[46a] Man könnte also geneigt sein, Blondins Hypothese zu akzeptieren, obwohl er selbst keine weiteren Beispiele zur Stützung seiner Ausführungen angibt. Kritisch wird die Sache erst, wenn man nicht nur die Verhältnisse in Etroussat und Jenzat bzw. in Charroux, Durmignat, Lapeyrouse, La Celle, Louroux-de-Bouble, Echassières betrachtet, wo nämlich der Stammvokal *a*- oder *ay*- ist, sondern wenn man hiermit die Paradigmen mit Stammvokal *e*- bzw. *ey*- in Biozat, Charmes, Ebreuil, Le Mercurol, Poëzat, Saint-Bonnet, Saint-Genès, Villeneuve, Chalouze, Saulzet konfrontiert, ganz zu schweigen von den Formen in Moureuille und Arconsat oder auch in Buxières-sous-Montaigut, wo durch die Aphärese des Stammvokals eine

---

[44] Auch das umgekehrte Phänomen existiert, nämlich haupttonig *a* + *r* > *er*, nebentonig *a* + *r* > *er*. Die hierfür in Frage kommenden Wörter sind größtenteils als falsche Rückbildungen zu erklären, indem hier ursprüngliches *ar* als vulgäre Aussprache des Volkes aufgefaßt wurde und die »bessere Gesellschaft« irrtümlich *er* wiederherstellte. Davon abgesehen ist selbstverständlich wichtig zu wissen, ob man es mit Zungen- oder Zäpfchen-*r* zu tun hat, da das erste nämlich *e* zu *a* öffnen, das zweite aber *a* zu *e* schließen kann. Der Ersatz des dentalen bzw. alveolaren Zungen-*r* durch ein velares bzw. uvulares Zäpfchen-*r* in der französischen Hochsprache mag zur Erhaltung von Lautungen wie *šęr* (geschrieben *chair*) statt lautgesetzlichem *šar* beigetragen haben. Wir verweisen auf M. Grammont, *Traité de phonétique*, S. 217, M. K. Pope, *From Latin to Modern French*, §§ 496–498, H. Rheinfelder, *Altfranzösische Grammatik*, Teil I, §§ 68, 85, 112, 135.

[45] Siehe z. B. C. Appel, *Provenzalische Lautlehre*, § 37.

[46] *Géographie phonétique de la Basse-Auvergne*, *RLiR* 14, S. 72–75.

[46a] Für den Wandel von *é* zu *á* vor Doppel-*r* vgl. man auch die Karte 1299 des *ALF (terra)*.

Entscheidung über die Entstehung der identischen Formen sehr erschwert wird.

Wenngleich nun, wie wir zeigten, in Chalouze eine Entwicklung von *e* zu *a* vor folgendem *r* grundsätzlich möglich ist und durch viele andere Beispiele weiter gestützt werden könnte, ist hier keine *ayo-*, sondern eine *eyo-*Form anzutreffen, obwohl der Diphthong *ay-* bzw. der Triphthong *way, ẅay* – sehr häufig auftritt und man annehmen dürfte, daß selbst dann, wenn *eryǫ* nicht über *aryǫ* > *ǫryo* zu *ayo* geworden wäre, der Diphthong *ey* in *eyo* < *eria* sich ohne weiteres zu *ay (eyo > ayo)* hätte öffnen können [47]. Hier einige Beispiele aus Chalouze, das stellvertretend auch für andere Mundarten steht:

calĭcŭlu (REW 1513) > *càlày*, altprov. *calelh; sōlĭcŭlu (REW* 8059) > *sulày*, altprov. *solelh; apĭcŭla (REW* 523) > *àbày*, altprov. *abelha; cerĕsia (REW* 1823) > *sèràyzò*, altprov. *cerieiza; dĭgĭtu (REW* 2638) > *dày*, altprov. *det; frĭgĭdu (REW* 3512) > *frày*, altprov. *freg, frei; me(n)se (REW* 5500) > *mày*, altprov. *mes; pĭsu (REW* 6543) > *pày*, altprov. *pes; crĭsta (REW* 2330) > *kràyto*, altprov. *cresta; capĭtĭu (REW* 1637) > *càbày*, altprov. *cabetz; flŭxĭna (REW* 3392) > *ęḷẅ̀àynò*, altprov. *floisina; magĭstru (REW* 5229) > *mẅàytrė*, altprov. *maestre; nĭgru (REW* 5917) > *này*, altprov. *negre; ŏcŭlu (REW* 6038) > *ẅày*, altprov. *uelh; genŭcŭlu (REW* 3737) > *jènẅày*, altprov. *genolh; pĕtra (REW* 6445) > *pàyrò*, altprov. *peira; fēria (REW* 3250) > *fàyrò*, altprov. *feira; habēre (REW* 3958) > *àvàyr*, altprov. *aver; vĭdēre (REW* 9319) > *vàyr*, altprov. *vezer, veire.*

Wollte man mit Blondin nach einer nur phonetischen Lösung unserer Probleme suchen, so müßte man allein für die auf *avia* und *eria* zurückführenden Formen der verschiedenen Mundarten drei voneinander gänzlich abweichende Erklärungen geben. Man müßte nämlich folgende drei Entwicklungen postulieren:

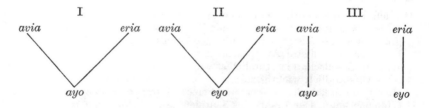

Wenn dies *a priori* auch nicht einfach als unmöglich abgetan werden kann, so ist doch die Wahrscheinlichkeit gering, daß in einem relativ kleinen Gebiet so grundverschiedene lautliche Entwicklungen sich zeigen,

---

[47] S. Escoffier, *op. cit,,* S. 245, spricht von der allgemeinen Tendenz zur Entwicklung von *ey-* zu *ay-* in unserem Gebiet. In anderen Gegenden gibt es natürlich auch die umgekehrte Tendenz *(ay > ey)*. Vgl. Dauzat, *Géogr. phon. de la B.-A.*, S. 95–96.

wenngleich auch die *ayo*- und *eyo*-Paradigmen nicht wahllos von einem Ort zum andern durcheinander gehen, sondern anhand unserer Karte[47a] durchaus eine eindeutige geographische Verteilung festzustellen ist. Während man nämlich für den phonetischen Zusammenfall von *avia* und *eria* in I *(ayo)* Blondins Vorschlag diskutieren kann und, wenn man ihm nicht zustimmen will, noch immer die von uns erwähnte Möglichkeit einer späteren Entwicklung von *eyo* zu *ayo* bliebe, so ist bei II (*avia* und *eria* zu *eyo*) mit einer phonetischen Erklärung nichts auszurichten; denn man müßte eine Entwicklung von *avia* zu *ayo* und danach eine Schließung von *ay(o)* zu *ey(o)* annehmen, was aber den Tatsachen und allgemeinen Lauttendenzen in den in Frage kommenden Mundarten widerspricht. Schließlich liegen die Mundarten des Typs III auch in unserem Kerngebiet und sind weder vom Typ I noch vom Typ II weit entfernt. Aus all diesen Gründen haben wir nach einer allgemeineren Lösung gesucht, wie sie sich auf Grund unseres Materials, aber auch durch den Vergleich mit ähnlichen Fakten aus der Romania, auf die wir weiter unten zu sprechen kommen, anbietet.

Lautgesetzliche Entwicklung zeigen nur die Mundarten vom Typus III[48]. Typus I und II stellen nicht lautgesetzliche Entwicklungen dar. Einen Schlüssel für die Erklärung dieser beiden Typen liefern uns die Mundarten von Arconsat und Moureuille, in denen wir, ohne daß es den geringsten Zweifel darüber geben könnte, ein vollkommen gleiches Paradigma für *haben* und *sein* antreffen (ausgenommen ist nur die 1. Pers. Sg. in Arconsat), wobei der vorliegende Wortkörper etymologisch ganz eindeutig eine Form von *sein* ist. Arconsat hat zunächst noch das Bedürfnis empfunden, die häufig gebrauchte erste Person Singular für die beiden Begriffe deutlich zu scheiden. In anderen Mundarten ist diese Scheidung nicht in der ersten, sondern in der dritten Person Singular als eine Notwendigkeit empfunden worden. Sicher ist auch, daß nicht nur das Bedürfnis nach eindeutigem Ausdruck und die Notwendigkeit zu schwierigkeitsloser Kommunikation hier eine Rolle gespielt haben. Man darf ja nicht vergessen, daß auch die Auxiliarien *haben* und *sein* am Schicksal der gesamten Verbalflexion mehr oder minder teilnehmen und daß innerhalb des Verbalsystems die dritte Person Singular z. B. in unserer Gegend manchmal eigene Wege geht.

Jedenfalls ist die Form *eyo* für »ich hatte« in Arconsat recht interessant. Für ihre Erklärung möchten wir nämlich weder die Lautgesetze bemühen noch eine Entlehnung bei anderen Mundarten annehmen, was selbstverständlich eine durchaus zu bedenkende Möglichkeit wäre. Wir möchten meinen, daß die ursprüngliche Form für »hatte« auch in Arconsat *ayo*

[47a] Vgl. Tafel III.

[48] Selbstverständlich zeigt eine Mundart wie die von Boënat auch eine lautgesetzliche Entwicklung im Imperfekt von *haben* und *sein*. Dies interessiert aber nicht in bezug auf unser Problem.

war. Dieses *ayo* – und entsprechend das ganze Paradigma – ist jedoch in seinem Stammvokal von der korrespondierenden Form des Imperfekts von *sein* beeinflußt worden[49]. Eine solche gegenseitige Beeinflussung der Auxiliarien in ihrer lautlichen Form müssen wir nämlich für die in unseren Aufnahmen berücksichtigten Ortschaften mehrmals annehmen, ohne daß es dadurch immer zu einem »Conflit homonymique« gekommen wäre. So scheint z. B. das Imperfekt von *sein* in Beaune, Colombier, Hyds, Louroux-de-Beaune, Montvicq und Vernusse von *haben* beeinflußt zu sein, wogegen in Chirat-L'Eglise, Nades und Ussel-d'Allier *haben* selbst unter dem Einfluß von *sein* steht[50].

S. Escoffier, die Blondins Erklärungsversuch in ihrer Thèse d'Etat[51] wieder aufgreift und die ebenfalls den *ey*-Formen wenig Rechnung zu tragen scheint, zeigt sich jedoch gegenüber der rein phonetischen Lösung etwas skeptischer und stellt nur fest, daß die Lautentwicklung zu einer Homonymisierung von *avia* und *eria* hintendierte. Sie bemerkt außerdem: ». . . le verbe ›avoir‹, dans toute la zone auvergnate, (là où, précisément, il semble que ce soit le paradigme en *è*, de ›être‹, qui l'ait emporté) n'a d'autre emploi qu'auxiliaire, étant régulièrement remplacé par ›tenir‹ . . .« Obgleich diese Feststellung sehr interessant und wichtig ist, scheint sie uns doch nicht ganz der Wahrheit zu entsprechen, jedenfalls nicht in dieser wenig nuancierten Form. Vor allem sind wir nicht mit den Schlüssen einverstanden, die die Verfasserin daraus zieht. Nach ihr nämlich ist der Ersatz der Formen von *habēre* durch diejenigen von *tenēre* ein Grund dafür, daß eine einzige Form für »hatte« und »war«, sei es nun *ayo* oder *eyo*, sich durchsetzte; denn wenn einerseits die Formen von *habēre*, als reines Auxiliarium jedweden semantischen Eigenwertes bar, nur noch dazu dienen, die Begriffe von Zeit und Person auszudrücken, und wenn andererseits die Begriffskategorie des Besitzens ihren Ausdruck in *tenēre*-Formen findet, dann mag man leicht das Trachten der Sprache nach Vereinfachung verstehen, welches sich im Eliminieren eines Pleonasmus geäußert hätte.

Nun ist aber der Ersatz von *habēre* durch *tenēre* gar nicht so regelmäßig und allgemein, wie das aus obiger Feststellung S. Escoffiers hervorgehen

---

[49] Es mag natürlich sein, daß 2 *èri*, 3 *èrò*, 4 *èrȭ*, 5 *èrà*, 6 *èrȭ* direkt die alten Formen mit *ay*- des Imperfekts von *haben* ersetzt haben und daß erst danach die erste Person Singular in ihrem Vokalismus beeinflußt wurde. Eine grundsätzliche Entscheidung ist unmöglich.

[50] Die Formen von Nades widersprechen dem, was S. Escoffier, *op. cit.*, S. 245, Anm. 6, sagt: »Dans la région où l'imparfait de ›être‹ est en *èr*-, l'imparfait de ›avoir‹ est toujours régulièrement en *ày*-.« Allerdings stimmt Escoffiers Behauptung für das von ihr gesammelte Material. Nach S. Escoffier hat in Ussel-d'Allier das Imperfekt von *sein* den Stamm *èt*-, das von *haben* den Stamm *ay*- (siehe *op. cit.*, S. 245, Anm. 1). Wir haben die von uns angeführten Formen von zwei Auskunftspersonen bekommen.

[51] *op. cit.*, S. 243ff.

könnte. Wir haben im Wissen um diese Dinge bei unseren Aufnahmen besonders auf dieses Phänomen achtgegeben und unsere Ergebnisse in den Fußnoten zu den Tabellen kurz mitgeteilt. In vielen Ortschaften hat das Verbum *tèni̯* dieselbe Bedeutung und denselben Anwendungsbereich wie das neufranzösische *tenir*. In anderen konkurrieren Einzelformen von *tèni̯* mit den entsprechenden Formen von *avąyr*, wobei es möglich ist, daß in der 1. Pers. Sg. z. B. *ézé* und *étèn* vollkommen synonym sind, so daß manchmal die Form von *avąyr* gar nicht mehr gebraucht wird, daß aber in der 2. Pers. Sg. schon wieder die ursprüngliche Bedeutung von *tèni̯* auftritt und der Austausch zwischen beiden Verben unmöglich wird. Schließlich gibt es auch Mundarten, wo *tèni̯ avąyr* ganz verdrängt hat – als Vollverbum wohlgemerkt –, meistens jedoch nicht in allen Zeiten. Das Imperfekt scheint bei weitem die am meisten betroffene Zeit zu sein. In Chalouze vertritt *tèni̯*[52] niemals *avąyr*, und der Mundartsprecher wird immer *ézé ẽ prą̀* »ich habe, besitze eine Wiese« sagen, niemals *étèn ẽ prą̀*, wie man denn auch im Imperfekt stets *ézę̇yò ẽ kųc* »ich hatte ein Schwein« hören wird, obwohl dies falsch verstanden werden könnte und der Sprecher Gefahr läuft, sich in einer bestimmten durch die Umstände begünstigten Situation lächerlich zu machen.

Das, was S. Escoffier als Grund anführt, ist in Wahrheit nur eine Wirkung, ein Ergebnis, das durch andere Faktoren bedingt ist. Das galloromanische Gebiet kennt für *tenēre* ursprünglich und allgemein nicht die Bedeutung »haben, besitzen«. Dort, wo diese Bedeutung erscheint (Pyrénées-Orientales, das alte Roussillon), haben wir es mit der Iberoromania[52a] zu tun (katalanisches *tenir*). Wenn heutzutage *tenir* »haben, besitzen« in der Auvergne auftritt, kann es sich, wie wir die Dinge beurteilen, nur um eine sekundäre Erscheinung handeln. Die Identität von *haben* und *sein* im Imperfekt hat zu einem gewissen Unbehagen, zu einem Homonymenkonflikt geführt, und zur Vermeidung dieses ständig auftretenden Konfliktes greift man zu einem klassischen Mittel, nämlich zum Ersatz eines der im Konflikt stehenden Verben – hier *haben* und *sein* – durch ein anderes sinnverwandtes Verbum[52b]. Die Wahl ist in unserem Fall auf den Begriff *haben* gefallen, und als neuer Sinnträger wurde *tenēre* gewählt. Es ist noch besonders hervorzuheben, daß Verständnisschwierigkeiten durch die Identität von *haben* und *sein* vornehm-

---

[52] Präsens: 1 *étę̇n*, 2 *tètèną̀y*, 3 *ótę̃*, 4 *nètènę̃*, 5 *vutènę̇*, 6 *étènǫ̃*.
Imperfekt: 1 *étę̇ǫ̀*, 2 *tètę̇ǫ̀ą*, 3 *òtę̇ǫ̀ò*, 4 *nètènę̃*, 5 *vutèną̇*, 6 *étę̇ǫ̃* (Akzent wechselt für das ganze Paradigma innerhalb des Satzgefüges).

[52a] Im rein geographischen Sinn! Wir wollen nicht die vieldiskutierte Frage der Zugehörigkeit des Katalanischen aufwerfen.

[52b] S. Escoffier sieht auch in ihrem neuerlichen, gut dokumentierten Aufsatz *TENERE* »avoir« aux confins de l'Auvergne et du Bourbonnais (Festschr. v. Wartburg 1968) die Probleme anders. Ihre Argumente können uns allerdings nicht überzeugen. Unseren Aufsatz, *ZRP* 81, S. 63–85, scheint sie nicht zu kennen.

lich[53] dann auftreten, wenn *haben* als Vollverbum gebraucht wird, d.h. wenn es nicht, wie in seiner Funktion als Hilfsverbum, nur ein grammatisches Werkzeug zum Ausdruck von Zeit und Person darstellt, sondern wenn es vollgültiger Träger des Begriffes »besitzen« ist.

Das Unbehagen, von dem wir soeben sprachen, wurde im übrigen nicht in allen Ortschaften und von allen Sprechern gleich empfunden. Wir möchten Blondins Erfahrungen[54] für eine seltene Ausnahme halten. Unsere eigenen Gewährsleute haben niemals von sich aus die Rede auf diese merkwürdige Erscheinung gebracht, und sie war ihnen in den allermeisten Fällen vollkommen unbewußt. Dadurch scheint uns auch bewiesen zu sein, daß die hier beschriebene Homonymie oder, um uns in der Terminologie noch neutral zu verhalten, die Identität des Wortkörpers von *sein* und *haben* im Imperfekt unseren Mundartsprechern nicht sonderlich unangenehm oder hinderlich war bei der Verständigung mit Sprechern desselben sprachlichen Milieus. Die Sprache als ein Phänomen der menschlichen Gesellschaft ist selbstverständlich zunächst ein Kommunikationsmittel. Um diesen ersten Zweck zu erfüllen, muß sie klar, präzis und verständlich sein. Die Verständlichkeit jedoch ist stets etwas Relatives und hängt – um mit H. Schuchardt[55] zu sprechen – vom »Umfang der zwischen den Personen bestehenden Gemeinsamkeit[55a] an Sachkenntnis« ab, wobei diese »Sachkenntnis« sich auch auf die sprachlichen Fakten bezieht. In jeder Sprache fehlen gewisse sprachliche Ausdrucksmittel, die in anderen Sprachen vorhanden sind. Trotzdem ist dadurch nicht das ausgezeichnete Funktionieren der betreffenden Sprachen beeinträchtigt, wie denn auch keineswegs die Begriffe für gewisse Dinge einfach fehlen, sondern nur ein eindeutiger Begriffsträger hierfür nicht vorhanden ist. *ézéyò* kann in Chalouze und anderswo wirklich »ich hatte« und »ich war« bedeuten. Diese beiden virtuellen Bedeutungen erfordern aber einen Bestimmungsfaktor, der die Eindeutigkeit der Aussage herbei-

---

[53] Auch im Plusquamperfekt können in unserer Gegend Sinnschwierigkeiten auftreten, obwohl hier *haben* als Hilfsverb fungiert. Isolierte Einzelsätze mit transitiven Verben („ich hatte geliebt, gelobt, gescholten" etc.) können stets passivisch verstanden werden („ich wurde geliebt" usw.).

[54] Bezüglich der Identität von *haben* und *sein* im Imperfekt sagt er wörtlich: »Le patoisant bilingue s'en montre fort surpris et attire d'emblée l'attention de l'enquêteur sur un fait qu'il ne s'explique pas, mais qui lui paraît une curiosité certaine« (*RLiR* 19, S. 106).

[55] *Schuchardt-Brevier*, Halle ²1928, S. 281.

[55a] »... je größer diese Gemeinsamkeit ist – so sagt W. Havers, *Handbuch der erklärenden Syntax*, S. 171 –, desto stärker regt sich der dem Deutlichkeitsstreben entgegenarbeitende Trieb nach Kürze und Bequemlichkeit, und es ist bezeichnend für die Bedeutung dieser beiden entgegengesetzten Tendenzen, daß ein Kenner des Sprachlebens wie v. d. Gabelentz ... sein Urteil dahin abgibt, daß sich die Geschichte der Sprachen in der Diagonale zweier Kräfte bewege, des Bequemlichkeitstriebes und des Deutlichkeitstriebes«.

führt. Dieser Bestimmungsfaktor nun ist der sprachliche Kontext, der selbstverständlich weit über den Rahmen des Satzes hinausgeht, bzw. die Situation. Wie es nämlich unmöglich ist, eine eindeutige Sinnbestimmung isolierter Einzelsätze vom Typus »Une minute plus tard il était mort«[56] oder »Ser' su' l'trottoir«[57] ohne Kenntnis der Situation zu geben, so ist es auch vollkommen indiskutabel, ohne den Kontext, die Gesprächssituation und die Satzintonation zu kennen, entscheiden zu wollen, ob *ólę́yò ę̃ kᵱc* nun »er war ein Schwein« oder »er hatte ein Schwein« heißt.

Ehe wir nun unsere eigene Erklärung des hier behandelten Phänomens geben, möchten wir, wie schon in unserem Aufsatz[58], unsere Terminologie präzisieren. Wir sprechen von Homonymie und Homonymisierung nur dann, wenn es sich um Fälle handelt, die mit folgendem Schema vergleichbar sind:

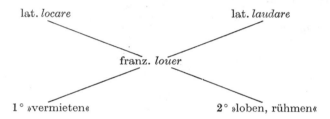

Um Polysemie und Polysemisierung handelt es sich in den Fällen, die wie folgendes Beispiel strukturiert sind:

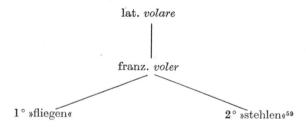

Wenden wir nun diese Terminologie auf *avia* und *eria* an, so können wir folgendes klarstellen:

I verläuft die Entwicklung

---

[56] Vendryès, *FM* 21, S. 89.
[57] Vendryès, *FM* 21, S. 86.
[58] *ZRP* 81, S. 71ff.
[59] Mit anderen Worten: Der diachronische Prozeß der Homonymisierung führt zur synchronischen Homonymie, der der Polysemisierung zur Polysemie.

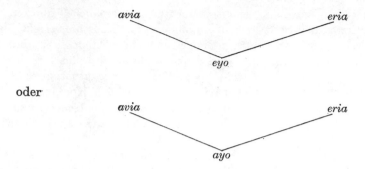

oder

und zwar auf lautgesetzlichem Weg, so dürfen wir von Homonymie sprechen. Wir glauben gezeigt zu haben, daß diese Lösung auszuscheiden ist, wenngleich theoretisch *eyo* eventuell zu *ayo* werden könnte gemäß den Tendenzen, die wir aufgezeigt haben.

II   Bekommen wir aber

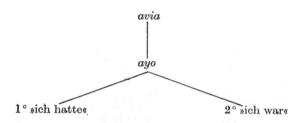

oder

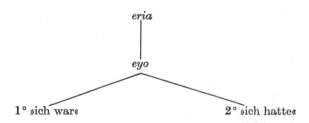

so müssen wir von Polysemie und Polysemisierung sprechen. Wir halten diese letztere Lösung für die richtige, und es gilt nun zu zeigen, warum und wie man zu diesem Ergebnis gelangt ist. Hierzu scheint es uns nötig, von den Auxiliarien *sein* und *haben* in den zusammengesetzten Zeiten auszugehen. Numerisch kommt diesem Gebrauch wesentlich größere Bedeutung zu als dem, wo *haben* als Vollverb im Sinne von »besitzen« fungiert. Auch das Schwanken der romanischen Sprachen seit dem Mittel-

alter hinsichtlich der Wahl des Hilfsverbs bei der Bildung der zusammengesetzten Zeiten ist hinreichend bekannt. Ferner wird Übereinstimmung
darin herrschen, daß die normale phonetische Entwicklung in unseren
Mundarten die beiden Auxiliarien im Imperfekt lautlich näher zusam-
mengebracht hat *(avia > ayo, eria > eyo)*. Auf Grund ihrer identischen
Funktion und ihrer klanglichen Ähnlichkeit nun waren diese beiden Formen ein Pleonasmus. Die Tendenz der Sprache zur Vereinfachung ließ in
der einen Mundart die *ay*-Form, in der andern die *ey*-Form zum Sieg
kommen[60]. Wir haben also zunächst eine Multifunktionalisierung von *eyo*
oder von *ayo* in ihrer Eigenschaft als Hilfszeitwort. Darauf folgt dann
eine sekundäre Polysemisierung für den Gebrauch von *haben* als transiti-
ves Verbum *(éyò* oder *àyò* »ich besaß«). Schematisch ließe sich der Sachverhalt etwa so darstellen:

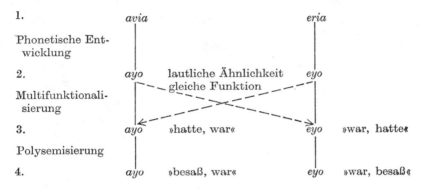

1.   *avia*   *eria*

Phonetische Ent-
wicklung

2.   *ayo*   lautliche Ähnlichkeit   *eyo*
              gleiche Funktion

Multifunktionali-
sierung

3.   *ayo*   »hatte, war«   *eyo*   »war, hatte«

Polysemisierung

4.   *ayo*   »besaß, war«   *eyo*   »war, besaß«

Wir verzichten hier auf die Erörterung der nichtidentischen Personen
des Imperfekts von *sein* und *haben* in den Orten, wo bei allgemeiner
Identität nur die erste oder häufiger die dritte Person Singular der beiden
Auxiliarien klar differenziert ist. Wir verweisen einstweilen auf unseren
Aufsatz[61], möchten jedoch ausdrücklich betonen, daß uns eine eingehende

---

[60] Die Erklärung Dauzats für *avo* »avait, était« in Martres-de-Veyre tendiert
ebenfalls in diese Richtung.
Es ließe sich denken, daß nicht *eyo* die Form *ayo* oder *ayo* seinerseits *eyo*
verdrängt hat, sondern daß die *a*-Form die *e*-Form bzw. die *e*-Form die
a-Form nur im Vokalismus beeinflußt hat, wie solches bei den Auxiliarien
ja sehr häufig vorkommt und von uns auch aufgezeigt wurde. Da eine
solche Analogieeinwirkung jedoch nicht lautgesetzlich ist und zumindest
die unbewußte Bereitschaft zum Wandel bei einer vorgegebenen Sprach-
gemeinschaft voraussetzt, ist der wirkliche Vorgang im Sprachbewußtsein nicht wesentlich verschieden von dem oben von uns vorgeschlagenen.
Daß unser Vorschlag wahrscheinlich der Wahrheit näher kommt, wird
auch durch die Mundarten von Arconsat und Moureuille bestätigt, wo ja
nicht nur eine Beeinflussung des Stammvokals vorliegen kann, sondern
wirklich das Imperfekt von *sein* auch die Funktion des Imperfekts von
haben übernommen hat.
[61] *ZRP* 81, S. 74–75.

Untersuchung dieses Phänomens unerläßlich erscheint, um eine gültige Aussage machen zu können. Vor allem wäre zu klären, ob es sich bei den lautlich ziemlich vom sonstigen Normaltyp abweichenden Formen (z. B. *avo* statt *ayo*, *er* statt *eyo* oder allenfalls *ero*) wirklich nur um fremde Wandertypen handelt, wie wir es in unserem Aufsatz für wahrscheinlich hielten, oder ob nicht zum Teil doch Eigenentwicklungen der betreffenden Mundarten vorliegen können, die ja nicht lautgesetzlich sein müssen.

Kurz erwähnen wollen wir nochmals die Formen von Buxières-sous-Montaigut: 1 *ézyõ*, 2 *tyà*, 3 *ózyõ*, 4 *nyē*, 5 *vuzyá*, 6 *ézyõ*. Wir sagten schon weiter oben, daß hier eine Aphärese[61a] des ursprünglichen Stammvokals vorliegt und daß es natürlich sehr schwierig ist festzustellen, wie es zu dem identischen Paradigma von *haben* und *sein* gekommen ist. Denkbar sind folgende 5 Möglichkeiten:

I

gleichzeitige oder aufeinanderfolgende Aphärese bzw. Synkope der beiden verschiedenen Stammvokale

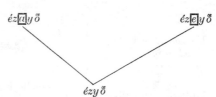

II

Ersatz von *haben* durch *sein*

Aphärese (Synkope) des Stammvokals

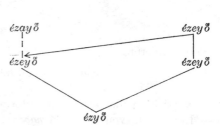

III

Ersatz von *sein* durch *haben*

Aphärese (Synkope) des Stammvokals

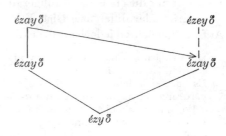

IV

Ersatz von *sein* durch *haben*

Aphärese (Synkope) des Stammvokals

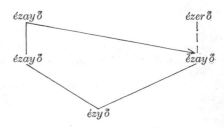

96

V
Aphärese (Synkope) des
Stammvokals von *haben*

Ersatz von *sein* durch *haben*

Wir möchten persönlich keine Entscheidung darüber treffen, welche von den 5 angegebenen Möglichkeiten wohl die wahrscheinlichste ist. Zieht man die Verhältnisse in den Ortschaften in Betracht, die Buxières am nächsten liegen und die ebenfalls ein identisches Paradigma aufweisen (Durmignat, Echassières, La Celle, Lapeyrouse), so könnte man geneigt sein, Nummer III oder IV als wahrscheinlich anzusehen. Vergleicht man jedoch das Imperfekt von Buxières mit den nicht-identischen Paradigmen von Marcillat, Péraclos und Pouzol, so wäre eine Entwicklung, wie sie Schema V wiedergibt, zumindest ebenso gut denkbar und durchaus möglich[62]. Weitere Argumente für die eine oder die andere Lösung sind im Augenblick nicht beizubringen, und wir können uns auch nicht vorstellen, auf Grund welcher Tatsachen man zu einer eindeutigen Entscheidung kommen sollte, da Zeugnisse über ältere Sprachstufen unserer Gegend selten sind und für Buxières und die nähere Umgebung gänzlich fehlen.

[61a] Der Begriff der *Aphärese* ist besser durch den der *Synkope* zu ersetzen, da die phonetische Entwicklung, wie wir sie aufzeigen, wohl nur im satz-phonetischen Zusammenhang (Pronomen + Verb) möglich war. Betrachtet man jedoch nur das Einzelwort, so muß man von Aphärese sprechen. Beim Satzzusammenhang geht der Druckakzent des Einzelwortes weitgehend verloren.

[62] Die Paradigmen in Effiat verhalten sich ähnlich. Hier wurde *vy* nicht zu *y*, weil der Stammvokal *a* wohl vor dem Wandel von intervokalischem -*vy*- zu -*y*- ausgefallen ist und so *vy*- im Anlaut stand.

B. Italienisch

Auch im italienischen Sprachraum zeigen sich Fälle der Verwechslung von *sein* und *haben* im Imperfekt, wobei es vorkommt, daß entweder die Formen von *haben* oder aber die Formen von *sein* die Funktion beider Verben übernommen haben. Es findet sich ebenfalls der Fall, daß die Formen beider Verben in einer Mundart weiterbestehen, jedoch unterschiedslos bald für *haben*, bald für *sein* gebraucht werden. Obwohl unser Material sehr lückenhaft ist und eine Behandlung der gesamtitalienischen Verhältnisse durch das Fehlen des Imperfekts von *haben* in den Materialien des *AIS*[1] unmöglich gemacht wird, wollen wir doch kurz das behandeln, was uns aus den einschlägigen Standardwerken, aus Mundartmonographien und aus dem *AIS* – bezüglich des Imperfekts von *essere!* – bekannt geworden ist, weil unsere Ausführungen über die Probleme im französischen Zentralmassiv hierdurch eine wesentliche Stütze erfahren und weil vielleicht umgekehrt auch die italienischen Verhältnisse in neuem Lichte erscheinen.

Wir erwähnten diesbezüglich schon anderenorts[2] die Arbeiten O. Kellers über die Mundarten des Sottoceneri[3], die zum lombardischen Dialektgebiet gehören. Die Imperfekttypen von *sein* und *haben* scheinen hier in den einzelnen Lokalmundarten noch wenig gefestigt zu sein, und derselbe Sprecher gebraucht im gleichen Text – derselben Sprechsituation folglich – die verschiedensten Typen zur Wiedergabe ein und desselben Begriffes. Es würde zu weit führen, Kellers Material der einzelnen Dorfmundarten hier nochmals im Detail aufzuführen und zu erklären. Schematisierend kann man die Sachlage jedoch folgendermaßen veranschaulichen. Auszugehen ist für den Begriff *haben* im Imperfekt von einem Paradigma:

I   1 *avẹva*[4], 2 *avẹvat*[5], 3 *avẹva*, 4 *avẹvum*, 5 *avẹvuf*, 6 *avẹva(n)*

---

[1] Diese Lücke ist uns vollkommen unverständlich geblieben, und wir haben vergeblich nach einer Erklärung gesucht.

[2] *ZRP* 81, S. 69.

[3] Siehe *RLiR* 10, 1934, S. 189–297, und *RLiR* 13, 1937, S. 127–361.

[4] Die Partikel *g* < *ge* (vgl. *REW* 4252) ist zum integrierenden Bestandteil des Verbums *haben* geworden und fällt nur bei *haben* als Hilfsverb weg. Der Einfachheit halber unterlassen wir es, *g-avẹva* usw. zu schreiben, machen aber darauf aufmerksam, daß bei völlig identischen Formen für »hatte« und »war« z. B. die Homonymie von *era* »war« und *g-era* »hatte« durch die Affigierung von *g* vermieden wird.

[5] Auf die Endungen soll hier nicht eingegangen werden.

Diese Vollformen haben ihrerseits eine zweite Reihe von Kurzformen ergeben, bei denen, wahrscheinlich zunächst im Satzzusammenhang, die Anlautsilbe eliminiert wurde:

II 1 $ęva$, 2 $ęvat$, 3 $ęva$, 4 $ęvum$, 5 $ęvuʃ$, 6 $ęva(n)$

Für den Begriff *sein* haben wir zunächst ein regelmäßiges Paradigma:

III 1 $ęra$, 2 $ęrat$, 3 $ęra$, 4 $ęrum$, 5 $ęruʃ$, 6 $ęra(n)$

Daneben steht eine zweite Formenreihe, die ihren Anlautkonsonanten wohl vom Präsensparadigma, in anderen Mundarten vielleicht auch vom Infinitivstamm *essere*[6] hergenommen hat:

IV 1 $sęra$, 2 $sęrat$, 3 $sęra$, 4 $sęrum$, 5 $sęruʃ$, 6 $sęra(n)$

Wir sehen, daß, vom anlautenden *s* abgesehen, dieses Paradigma mit Nummer III übereinstimmt. Es muß allerdings erwähnt werden, daß die dritten Personen in den von O. Keller behandelten Mundarten kein *s* aufweisen, sondern hier die Formen von III auftreten. Wenn die Analogie nach dem Präsensparadigma streng beachtet wird, ist dies ohne weiteres einsichtig. Um eine klare Übersicht zu bekommen, haben wir jedoch *s*-Formen auch hier angesetzt, da sie in anderen Mundarten vorkommen[7]. Neben dem Typus IV nun gibt es eine weitere *s*-Serie, über deren Entstehung man geteilter Meinung sein kann:

V 1 $sęva$, 2 $sęvat$, 3 $sęva$[8], 4 $sęvum$, 5 $sęvuʃ$, 6 $sęva(n)$[8]

Es kann sich hier um eine primäre Bildung vom Präsens aus mit den normalen Imperfektendungen, wie sie bei *aveva*[9] auftreten, handeln. Es mag jedoch für die hier behandelten Mundarten des Sottoceneri ebenfalls möglich sein, Typ IV als Vorstufe anzusetzen. Sobald dann *eva* für *era* eintrat, konnte es auch *seva* statt *sera* heißen. Es ließe sich auch denken, daß *eva* zunächst schon »war« bedeutete und daß dann erst eine nach dem Präsens erfolgte Analogiebildung ein *s* in das Paradigma brachte.

Aus der Mischung dieser 5 Typen haben sich die einzelnen Mundarten

---

[6] Vgl. Rohlfs, *Hist. Gram. d. it. Spr.* II, S. 340.

[7] Interessant ist, daß der hier beschriebene Imperfekttypus auch im Galloromanischen vorkommt. Das Imperfekt von *sein* lautet z. B. in der Mundart von Saint-Nicolas-des-Biefs (Bourbonnais): 1 $sẽ$, 2 $só$, 3 $só$, 4 $sã$, 5 $sò$, 6 $sã$ (vgl. Escoffier, *La rencontre*, S. 240). Wir verweisen auch auf J. U. Hubschmied, *Zur Bildung des Imperfekts im Frankoprovenzalischen*, S. 124–25, Anm.

[8] Bezüglich des *s* im Anlaut vgl. das zu IV Gesagte. In der südlichen Toskana, in Santa Fiora, heißt das Paradigma: 1 *sevo*, 2 *sevi*, 3 *seva*, 4 *sevamo*, 5 *sevate*, 6 *sevano* (Meyer-Lübke, *Italienische Grammatik*, S. 247). Einzelformen kommen gelegentlich auch in der älteren italienischen Schriftsprache vor, so z. B. 4 *savam*, 5 *savate*, 6 *savano* bei Pulci, 5 *savate* bei Guittone d'Arezzo. Vgl. Meyer-Lübke, *op. cit.*, § 449, und ebenfalls *Grammatik der Romanischen Sprachen* II, § 262, sowie Rohlfs, *op. cit.* II, § 553.

[9] Ebenfalls *poteva*, *sapeva*, *voleva* etc.

nun Paradigmen geschaffen, die, wie wir schon feststellten, nach Kellers Materialien zu urteilen, noch ziemlich fluktuieren. Die Verwechslung zwischen II und III scheint zunächst am ehesten begreiflich. Beide Formenreihen stehen sich sehr nahe in ihrer Lautung, und es ist nicht auszumachen, ob wir etwa bei einer Form *era* »hatte« direkten Ersatz von *eva* durch eine Form von *sein* oder nur lautliche Beeinflussung[10] (*r* statt *v* durch Analogie) ansetzen müssen. Eine schrittweise lautliche Beeinflussung der Paradigmen von *sein* und *haben* muß wohl für andere Mundarten unbedingt angenommen werden. Sobald aber dann das System an einem Punkte erschüttert ist, steht der Weg frei für jedweden direkten Ersatz der einen Reihe durch die andere.

Wir sagten bereits, daß Typ II Kurzformen von I darstellt, die durch Wegfall der Anlautsilbe entstanden sind. Es ist höchstwahrscheinlich, daß diese Allegroformen nicht nur durch syntaktische Einflüsse zu erklären sind, sondern daß bei ihrer Bildung schon das Imperfekt von *sein* Pate gestanden hat.

Aus den Arbeiten von C. Vignoli über die Mundarten der Provinz Rom bzw. des alten Latium geht hervor, daß auch hier die vollständige bzw. partielle Identität von *sein* und *haben* im Imperfekt vorkommt. So heißen die Paradigmen in den Orten I Amaseno, II Castro dei Volsci und III Veroli:

I[11]		II[12]		III[13]	
haben	sein	haben	sein	haben	sein
1. *eva*[14]	*eva*	*eva*[16]	*eva*	*aveva*	*era*[19]
2. *ivi*	*ivi*	*ivẹ*	*ivẹ*	*avivi*	*iri*[19]
3. *eva*	*eva*	*eva*	*eva*	*aveva*	*era*[19]
4. *avamẹ*	*avamẹ*	*avamẹ*	*avamẹ*	*avamẹ*[17]	*eravamẹ*[17]
5. *avatẹ*	*avatẹ*	*avatẹ*	*avatẹ*	*avatẹ*[18]	*eravatẹ*[18]
6. *évẹnẹ*	*évẹnẹ*[15]	*évẹnẹ*	*évẹnẹ*	*avévẹnẹ*	*érẹnẹ*[19]

[10] Wenn z.B. der Infinitiv von *haben* im Sottoceneri *avẹ* oder *vẹ*, derjenige von *sein* *vẹs* lautet, so haben wir es bei letzterer Form wohl eindeutig mit einer analogischen Beeinflussung durch die ersteren zu tun; denn anders läßt sich das anlautende *v* kaum erklären. Dauzat verzeichnet für das frz. Zentralmassiv *ves* als Infinitiv von *haben* (*Un cas de désarroi morphologique: l'infinitif* avér *[avoir] dans le Massif Central*, in *Mélanges Haust*, S. 83–95). Blondin behandelt eine Form *vèr* als Infinitiv von *sein* (vgl. *RLiR* 19, S. 115f.).
Betreffs italienischer Mundarten möchten wir auch auf die interessanten Ausführungen H. Lausbergs, *Die Mundarten Südlukaniens*, §§ 355–363 und §§ 380–381, hinweisen, in denen der Verfasser die in seinem Gebiet neben dem lautlich normalen Paradigma von *haben* auftretende Präsensreihe 1 *ẹ́ǵǵ*, 2 *ẹ́y*, 3 *ẹ́*, 4 *ẹmə*, 5 *aβẹ́sə* (selten *ẹ́sə*), 6 *ẹnə* als durch die 3. Pers. Sg. Präs. von *sein* beeinflußt erklärt. Bemerkenswert ist auch der Infinitiv *ẹ́ǵǵere* »essere« in Maglie (vgl. Salvioni, *RIL* 44, S. 781) sowie die altitalienische Form *ènno* »sono«, die sich zu *è* verhält wie *hanno* zu *ha*.

Unsere Aufstellung gibt die Normalparadigmen wieder, wobei wir die Varianten in den Fußnoten angegeben haben. In Amaseno und Castro dei Volsci können für beide Begriffe auch *r*-Formen auftreten, die aber nach Vignoli nicht die genuinen Formen der Mundart darstellen, sondern jüngeren Datums sind. Veroli hält im allgemeinen die Formen beider Auxiliarien klar auseinander, doch treten auch hier beiden gemeinsame Formen vor allem in der ersten und zweiten Person Plural auf. Es ist aus Vignolis Material nicht ersichtlich, ob die Formen 1 *ęva*, 2 *ivi*, 3 *ęva*, 6 *évęnę*, die er für *sein* angibt, auch für *haben* gelten können, wie man es eigentlich erwarten dürfte. Die erste und zweite Person Plural in Amaseno und Castro dei Volsci zeigt eindeutig den Ersatz von *sein* durch eine Form von *haben*, während die Varianten *arimę, aritę* in Veroli von Vignoli auch klar als Formen von *haben* dargestellt werden, deren Deutung jedoch nicht ganz problemlos ist. Man ist leicht geneigt, das auftauchende *r* als einen Einfluß des normalen Paradigmas von *sein* anzusehen. Die Endung *-ime* bleibt aber dann auch noch seltsam. Wir besitzen nicht genügend Material, um Definitives aussagen zu können. Immerhin ist interessant, daß die normalen Endungen des Imperfekts der ersten Konjugation 1 *-ava* (selten *-ęva*), 2 *-ivi*, 3 *-ava* (*-ęva*), 4 *-avamę*, 5 *-avatę*, 6 *-ávęnę* (selten *-évęnę*), die der anderen Konjugationen 1 *-ęva*, 2 *-ivi*, 3 *-ęva*, 4 *-avamę*, 5 *-avatę*, 6 *-évęnę* heißen und daß für *-avamę*, *-avatę* meistens *-arimę, -aritę* eintritt, so daß diese Imperfektformen meistens dann dem Konditionalis gleich sind, dessen Endungen 1 *-aria (-ęra)*, 2 *-arišti*, 3 *-aria (-ęra)*, 4 *-arimę*, 5 *-aritę*, 6 *-aríęnę (-ęręnę)* lauten. Entsprechend einfach gibt Vignoli seine Deutung: ».. . le persone 1ª e 2ª plurale sono sostituite quasi sempre dalle corrispondenti del condizionale presente in tutti i verbi, eccettato *ęssę* e forse anche *da*«[20]. Uns scheint diese so leicht hingeworfene Behauptung einer eingehenden Beweisführung bedürftig. *A priori* widerspricht nichts der Tatsache, daß Konditionalformen die Funktion des Imperfekts übernehmen. Hierfür müßten dann aber Gründe angeführt werden, und zwar nicht nur für das Faktum als solches, sondern auch dafür, daß diese Erscheinung nur in den ersten beiden Personen des Plurals auftritt. Auffallend ist immerhin, daß die

[11] Vgl. Vignoli, *Vernacolo e canti di Amaseno*, in *I dialetti di Roma e del Lazio* I, S. 75–76.

[12] Vgl. Vignoli, *Il Vernacolo di Castro dei Volsci*, in *Studj Romanzi* VII, S. 172–73.

[13] Vgl. Vignoli, *Il Vernacolo di Veroli*, in *I dialetti di Roma e del Lazio* III, S. 54–55.

[14] Auch *avęva*.   [15] Nebenform *jevęnę*.

[16] Ebenfalls *avęva*. *i'avęva, ęva* oder *ęra raǵǵǫnę* »avevo ragione« sind völlig gleichwertig.

[17] Auch *arimę*.   [18] Auch *aritę*.

[19] Hierfür auch 1 *ęva*, 2 *ivi*, 3 *ęva*, 6 *évęnę*.

[20] Das Imperfekt von *haben* ist für die genannten Personen *arimę, aritę*, der Konditionalis aber *avarimę, avaritę*.

normalen Imperfektendungen der ersten und zweiten Person Plural
(*-avamę, -avatę*) mit den entsprechenden Imperfektformen von *haben*
übereinstimmen, daß aber ebenfalls die neuen Imperfektendungen
-arimę, -aritę mit den Varianten für die erste und zweite Person von
haben identisch sind. Dies kann man selbstverständlich durch eine Analogiebildung zu erklären versuchen. *kompravamę* würde sich zu *avamę*
verhalten wie *komprarimę* zu x, wobei dann x *arimę* ergibt. Dies macht
aber nicht einsichtig, warum überhaupt *komprarimę* für *kompravamę*
eingetreten ist. Eine andere Analogiereihe scheint uns viel wahrscheinlicher:

1 *komprera* verhält sich zu *kompreva*[21] wie *era* zu *eva*
3 *komprera* verhält sich zu *kompreva*[21] wie *era* zu *eva*
6 *kompréręnę* verhält sich zu *komprévęnę*[21] wie *éręnę* zu *évęnę*

Folglich verhält sich auch (im Sprachbewußtsein des Mundartsprechers):

4 *komprarimę* zu *kompravamę* wie $\boxed{arimę}$ zu *avamę*

5 *kompraritę* zu *kompravatę* wie $\boxed{aritę}$ zu *avatę*

Da nun *eva* und *era* durcheinander gebraucht werden, geschieht dasselbe
mit *avamę* und *arimę* und anschließend daran auch im Imperfekt der
einzelnen Konjugationen. Die Identität der ersten und zweiten Person
Plural mit den entsprechenden Formen des Konditionals wäre also nicht
primär, sondern sekundär, und es wäre interessant zu wissen, wie die
Mundarten auf die Homonymie reagiert haben oder noch reagieren
werden.
Wir geben nachstehend noch einige Materialien aus dem *AIS*[22] bezüglich
des Imperfekts von *sein*. Da wir die Formen von *haben* nicht zum Vergleich heranziehen können, läßt sich nicht sagen, in welchem Maße in den
einzelnen Mundarten identische Formen von *haben* und *sein* auftreten.
An den genannten Punkten läßt sich jedoch auf Grund der Formen für
sein zumindest partielle Identität erwarten, da hier die Einflüsse von
haben unverkennbar sind (man vergleiche etwa Punkt 658 oder 714):

71 *sẹ̆va, sẹ̆va, ẹ̆va, sẹ̆ᵛum, sẹ̆ᵛuf, ẹ̆va*
73 *sẹ̆va, sẹ̆va, ẹ̆va, ẹ̆va, sᵢ̆ᵛu, ẹ̆va*
139 *sẹ̆va, sẹ̆va, ẹ̆va, sẹ̆va, sẹ̆va, ẹ̆va*
121 *ịo, ịị, ịị, ịaŋ, ịo, ị̆õᵑ*
122 *ịo, ịe, ịe, ʔ, ʔ, ịọŋ*
169 *ẹ̆a, ẹ̆i, ẹ̆a, ẹ̆rmu, ẹ̆i, ẹ̆aŋ*
193 *lẹ̆ϑa, lẹ̆ϑi, lẹ̆ϑa, lẹ̆ϑimụ, —, —*
244 *sịe, sịęt, ịa, sịa, sịęf, ịa*

---

[21] Diese Formen sind für die *a*-Konjugation zwar seltener, aber möglich. Für
die übrigen Konjugationen sind sie aber die Normalformen.
[22] Karte 1690, Konjugationstabellen.

305 ẹ́a, ẹ́s, ẹ́a, ẹ́ŋ, ẹ́ᵃzẹ, ẹ́a
315 sómvẹ, évẹ, ẹ́va, sómvẹ, sẹ́yvẹ, ẹ́va
316 sẹ́e, sẹ́ẹs, ẹ́a, sẹọ́ŋ, sẹá, ẹ́a
658 yǎvə, yĭvə, yǎvə, yavǎymə, yavátə, yǎvə
712 štẹ̌vᵃ, štĭẹvə, ẹ́vᵃ, avǎmə, avátə, ẹ́vanə
714 ẹ́vᵃ, ẹ́vⁱ, ẹ́vᵃ, avǎm°, avátə, ẹ́vənə
    und: stẹ̌vᵃ, stĭvⁱ, stẹ̌vᵃ, stavǎm°, stavátə, stẹ̌vᵃn°
715 ẹ́βə, ẹ́βə, ẹ́βə, əβáŋ, əβǎ, əβánt
717 yẹ̌və, ĭvə, yẹ̌və, yẹ́mmə, yĭvvə, yẹ̌vənə
818 ĭa, ĭvⁱ, ĭa, ĭvumu, ĭvu, ĭǔ, ĭọ̃[23]

---

[23] Auf Vollständigkeit haben wir hier keinen Wert gelegt. So haben wir z. B. die Einzelformen für die Punkte 178, 187, 189, 199 weggelassen.

II
A FI »SEIN« UND DIE BILDUNG ZUSAMMENGESETZTER ZEITEN DES AKTIVS IM RUMÄNISCHEN

Die romanischen Sprachen lassen sich, was die Bildung der zusammengesetzten Zeiten anbetrifft, grob zunächst in zwei Gruppen einteilen. Gruppe I ist dadurch charakterisiert, daß hier beide Hilfsverben – *sein* und *haben* – bei der Bildung von Perfekt, Plusquamperfekt und Futurum Exactum miteinander in Konkurrenz treten, während Gruppe II für die betreffenden Zeiten nur *haben* kennt. Zur ersten Gruppe gehören die zentralen Sprachen der Romania – Provenzalisch, Französisch, Rätoromanisch, Italienisch, Sardisch –, während die Randsprachen – Portugiesisch, Spanisch, Katalanisch auf der einen Seite, Rumänisch auf der andern – die zweite Gruppe bilden. Es ist wohl reiner Zufall, daß sich die Aufteilung so ergeben hat, wenngleich auch beide Gruppen durch andere Gemeinsamkeiten, vornehmlich lexikalischer Art, verbunden sind. Wir möchten ausdrücklich betonen, daß diese Aufteilung in zwei Gruppen nur für die genannten Haupt- bzw. Schriftsprachen gilt, daß aber in den Mundarten der einzelnen Sprachgebiete manchmal die Verhältnisse anders sind. Wir wollen hier auch nicht die Verteilung der einzelnen Verben in Gruppe I auf die beiden Auxiliarien erläutern, die zwar ursprünglich von ganz bestimmten Faktoren determiniert war – Transitivität, Intransitivität, punktuelle und durative Aktionsart, Zugehörigkeit zu transitiv-reflexiven oder intransitiv-reflexiven Verbklassen etc.[1] –, die jedoch im Laufe der einzelsprachlichen Entwicklung durch allerlei Gründe gestört wurde und heute mehr in den Bereich des Lexikons als in den der Grammatik gehört. Interessieren soll uns auch nicht, daß in Gruppe II z. B. das Altspanische und Altportugiesische beide Auxiliarien kannten, daß das neuere Portugiesisch *habere* durch *tenere* ersetzt, daß das ältere Katalanisch[1a] nicht ohne weiteres vom Altprovenzalischen getrennt werden kann usw. Wir wollen uns hier einem bedeutsamen und schwierigen Problem im Rumänischen zuwenden, das wir bereits an

---

[1] Vgl. a. H. Lausberg, *Romanische Sprachwissenschaft* III, §§ 854–60.
[1a] Vgl. etwa Badía Margarit, *Gram. hist. cat.*, §§ 175–176.
Für die Entwicklung im Spanischen s. J. Benzing, *Zur Geschichte von ser als Hilfszeitwort bei den intransitiven Verben im Spanischen.*

anderer Stelle[2] gestreift haben, dessen erneute Behandlung sich in unserem Rahmen jedoch um so mehr rechtfertigt, als uns seit der Veröffentlichung unseres Aufsatzes eine Arbeit von M. Manoliu[3] bekannt wurde, die sich eingehend mit unserem Thema beschäftigt, deren Ausführungen uns jedoch an manchen Punkten der Klärung bedürftig erscheinen. Bemerkenswert am rumänischen Verbalsystem ist nämlich nicht die Tatsache, daß z. B. das zusammengesetzte Perfekt aller Verben im Indikativ mit *a avea* gebildet wird – das ist ein weitverbreitetes Phänomen in der Romania, wenn man die mundartlichen Verhältnisse mitberücksichtigt –, sondern daß die östlichste der romanischen Sprachen ein Mischsystem ausgebildet hat, bei dem ein und dasselbe Verbum für das System der zusammengesetzten Zeiten bald mit *a avea*, bald mit *a fi* konstruiert wird. Es heißt also im Perfekt Indikativ Aktiv:

1. *am dat*	4. *am dat*
2. *ai dat*	5. *aţi dat*
3. *a dat*	6. *au dat*

Im Konjunktiv heißt es aber nicht:

1. **să am dat*	4. **să avem dat*
2. **să ai dat*	5. **să aveţi dat*
3. **să aibă dat*	6. **să aibă dat*

bzw. in älterer Zeit 1 **să aib(u)*, 2 **să aibi dat* etc., sondern heute sagt man nur:

1. *să fi dat*	4. *să fi dat*
2. *să fi dat*	5. *să fi dat*
3. *să fi dat*	6. *să fi dat*

Da dieses Perfekt des Konjunktivs für alle sechs Personen gleich ist, muß gegebenenfalls das Personalpronomen gesetzt werden, sofern der sprachliche Kontext nicht genügend Aufschluß gibt. Bis zum Anfang des neunzehnten Jahrhunderts wurde im übrigen die Form von *a fi* durchkonjugiert, wobei zwar die Personen – bis auf die dritte Sg. und Pl. – klar

---

[2] *ZRP* 81, S. 68–69.

[3] *Une déviation du système de conjugaison romane: temps composés avec a fi »être« à la diathèse active, en roumain.* Es handelt sich hier um ein auf dem 9. Internationalen Romanistenkongreß in Lissabon (1959) gehaltenes Referat, das im selben Jahr gedruckt erschien in *Recueil d'Etudes Romanes*, Bukarest 1959, S. 135–144. Unser Thema wurde auch behandelt in E. Seidel, *Elemente sintactice slave în limba romîna*, Bukarest 1958, S. 38–43. Dieses Buch ist uns leider erst nach Fertigstellung dieser Arbeit zugänglich gewesen. Ebenso wenig konnten wir uns rechtzeitig besorgen A. Graur, »A fi« şi »a avea«, ein Aufsatz, der im *Buletinul Ştiinţific al Academiei R.P.R., secţia de Ştiinţa limbii, literatură şi arte*, Jan.–Juni 1951, S. 39ff. erschienen ist.

voneinander geschieden waren, dafür aber in den maskulinen Personen des Singulars vollständige Homonymie mit dem Konjunktiv Präsens Passiv bestand:

1. *să fiu dat*   4. *să fim dat*
2. *să fii dat*   5. *să fiţi dat*
3. *să fie dat*   6. *să fie dat*

Die Homonymie konnte in der ältesten Zeit ebenfalls für die weiblichen Personen und für den gesamten Plural eintreten, da das Partizip auch für das Aktiv veränderlich war, wogegen es sich heute nur im Passiv nach Numerus und Genus richtet.
Das Plusquamperfekt Indikativ Aktiv unseres Beispielverbums heißt in der heutigen Schriftsprache:

1. *dedesem*[4]   4. *dedesem*[5]
2. *dedeseşi*   5. *dedeseţi*
3. *dedese*   6. *dedese*

Neben dieser Formenreihe, die auf den Konjunktiv Plusquamperfekt des Lateinischen[6] zurückgeht und deren indikativischer Sinn eine Eigentümlichkeit des Rumänischen ist, steht im Altrumänischen[7] seit den ältesten Texten ein periphrastisches Paradigma:

1. *eram (era) dat*   4. *eram(u) dat*
2. *erai dat*   5. *eraţi dat*
3. *era dat*   6. *erau (era) dat*

Da auch bei diesen Formen das Partizipium sich in Genus und Numerus nach dem Subjekt richten konnte, war homonymischer Zusammenfall mit dem Imperfekt des Passivs möglich. Die in allen übrigen romanischen Sprachen anzutreffende Umschreibung des Plusquamperfekts mit dem Imperfekt von *haben* ist im Dakorumänischen der älteren Zeit sehr selten und heute unmöglich, wogegen dieses Verfahren sich im Aromunischen[8] und Meglenitischen[9] durchgesetzt hat. Dafür kennt das Dakorumänische in der Volkssprache bis heute eine überzusammengesetzte Form des Plusquamperfekts[10], die schon im Altrumänischen existierte:

---

[4] Auch *dădusem* usw.
[5] Im Plural gibt es ebenfalls erweiterte Formen: *dedeserăm, dedeserăţi, dedeseră.*
[6] Wir verweisen auf das grundlegende Werk E. Gamillschegs, *Studien zur Vorgeschichte einer romanischen Tempuslehre,* S. 81ff.
[7] und nur hier!
[8] *avea mîcată* »er hatte gegessen«.
[9] *vea durmit* »er hatte geschlafen«.
[10] Nach Weigand wäre die synthetische Form *dedesem* etc. vorwiegend in der Walachei gebräuchlich, wogegen man im Banat, in Siebenbürgen und in der Moldau die analytische Form *am fost dat* etc. bevorzuge. Vgl. Gamillscheg, *op. cit.,* S. 85.

1. *am fost dat*	4. *am fost dat*
2. *ai fost dat*	5. *aţi fost dat*
3. *a fost dat*	6. *au fost dat*

Diese geht in ihrer Bildung wohl auf *eram dat* zurück – Ersatz des Imperfekts *eram* durch ein zusammengesetztes Perfekt *am fost* –, wobei es natürlich schwer ist zu entscheiden, inwieweit in alter Zeit durch diese überzusammengesetzte Zeit eine spezielle Tempus- bzw. Aspektnuance ausgedrückt wurde[11].

Parallel zu *am fost dat* existiert ein ähnlich konstruierter Konjunktiv des Plusquamperfekts, bei dem statt des Präsens von *haben* nun wieder eine Form von *sein* gebraucht wird, die man in der älteren Sprache durchkonjugierte:

1. *să fiu fost dat*	4. *să fim(u) fost dat*
2. *să fii fost dat*	5. *să fiţi fost dat*
3. *să fie fost dat*	6. *să fie fost dat*

Dieses Paradigma teilt sich das Aktiv wiederum mit dem Passiv, und da das oben über die Veränderlichkeit des Partizips Gesagte auch hier gilt, muß der Kontext determinieren, was eigentlich gemeint ist. Das gleiche gilt von der heute für alle Personen im Aktiv und Passiv gültigen Form *să fi fost dat*, bei der allerdings das Passiv bei femininen Personen bzw. im Plural anders ausschaut. Immerhin ist in einem isolierten Satze wie *nu cred să fi fost învins* nicht zu sagen, ob man verstehen muß »ich glaube nicht, daß er gesiegt hätte« oder »ich glaube nicht, daß er besiegt worden wäre«. Dies ist umso hinderlicher, als bei dieser Konstruktion auch die Zeitstufe in Aktiv und Passiv gleich ist. Während nämlich *eram dat* »ich hatte gegeben« und »ich wurde gegeben« heißen kann, d.h. einmal ein Plusquamperfekt und zum andern Mal ein Imperfekt bezeichnet, und innerhalb eines sprachlichen Kontextes bzw. einer Sprechsituation so ein weiteres Kriterium zur Sinnbestimmung gewonnen ist – normalerweise sollte nämlich der Kontext z.B. entweder ein Imperfekt oder aber ein Plusquamperfekt erwarten lassen –, muß man auf dieses Kriterium bei *să fi fost dat* verzichten.

Das Futurum Exactum des aktiven Verbums lautet:

1. *voi fi dat*	4. *vom fi dat*
2. *vei fi dat*	5. *veţi fi dat*
3. *va fi dat*	6. *vor fi dat*

---

[11] Man denke etwa an frz. *j'avais donné* gegenüber *lorsque j'ai eu donné*... Es soll nicht unerwähnt bleiben, daß man im Altrumänischen auch einige seltene Fälle der Umschreibung eines Plusquamperfekts mit Hilfe des Plusquamperfekts von *sein* (*fusesem* usf.) + Partizip Perfekt registriert hat: *fusesem dat*. Siehe hierzu O. Densusianu, *Histoire de la langue roumaine*, Bd. II, S. 222ff. und speziell S. 225.

Wie man sieht, stimmt diese Formenreihe mit dem einfachen Futur des Passivs überein[12]. Entsprechend verhält es sich mit dem Konditional II des Aktivs bzw. dem Konditional I des Passivs:

1. *aș fi dat*   4. *am fi dat*
2. *ai fi dat*   5. *ați fi dat*
3. *ar fi dat*   6. *ar fi dat*

Auch der Konditional II des Passivs fällt mit der überzusammengesetzten Zeit des Aktivs (in der Bedeutung gleich dem Vorherigen) zusammen:

1. *aș fi fost dat*   4. *am fi fost dat*
2. *ai fi fost dat*   5. *ați fi fost dat*
3. *ar fi fost dat*   6. *ar fi fost dat*

Schließlich kann ein Konflikt zwischen Aktiv und Passiv auch bei den Infinitiven und beim Gerundium auftreten. So bedeutet *a fi dat* »gegeben haben« oder »gegeben werden«, *a fi fost dat* »gegeben haben« (wie *a fi dat*) und »gegeben worden sein«, endlich *fiind dat* »gegeben habend« bzw. »gegeben werdend oder seiend«.

Man muß zugeben, daß die Häufigkeit des Zusammenfalls von aktiven und passiven Formen im rumänischen Verbalsystem und die daraus resultierenden Verständnisschwierigkeiten zunächst verwirrend sind und daß vom gemeinromanischen Standpunkt eine Erklärung schwer fällt, obwohl ähnliche Phänomene, wie wir weiter unten zeigen werden, auch anderswo in der Romania vorkommen. Wenngleich die rumänischen Verhältnisse sicher teils aus den lateinischen Ansätzen – man denke etwa an die Deponentien und an Perfektpartizipien mit aktivem Sinn –, teils aus innersprachlichen Entwicklungstendenzen erklärt werden könnten[13], leuchtet die vollkommene Verschiedenheit von den anderen romanischen Schriftsprachen eigentlich doch nur dann ein, wenn man eine fremde Sprache als direktes Vorbild annimmt. Diese Hypothese ist auch mehrmals schon vorgebracht worden[14], wenngleich nur immer in aller Kürze[14a], und man will dieses Vorbild im Slawischen sehen. Wir möchten persönlich diese Meinung für wahrscheinlich halten, obwohl natürlich wegen des späten Auftretens von schriftlichen Zeugnissen im Rumänischen – 15./16. Jhd. – niemals mit absoluter Sicherheit ausgemacht werden kann, warum und wie sich die slawische Beeinflussung des rumänischen Verbalsystems im einzelnen ausgewirkt hat. Das, was uns in der heutigen

---

[12] Für das Futur II des Aktivs und Passivs kommt auch die Form *voi fi fost dat* vor.
[13] S. hierzu Manoliu, *op. cit.*, S. 135–144.
[14] Vgl. z.B. Kr. Sandfeld, *Linguistique balkanique*, S. 149.
[14a] Jetzt jedoch ausführlicher von E. Seidel, *Elemente sintactice slave*.

Sprache von diesem *wahrscheinlichen* Einfluß erhalten ist, sind ja nur Bruchstücke. Noch das Altrumänische hat z.B. die indikativische Form *era dat*, die natürlich im Hauptsatz stehen konnte und so viel eher zu einem Homonymenkonflikt führen mochte, als das bei der entsprechenden heute erhaltenen Konjunktivform *să fi fost dat* möglich ist, die ja doch immer von einem vorausgehenden Hauptsatz abhängig und dadurch weitgehend determiniert ist. Es ist natürlich legitim anzunehmen, der slawische Einfluß habe sich vor allem bei den ersten Übersetzern bemerkbar gemacht, die weitgehend slawische Vorlagen hatten. Da nun einerseits das Rumänische ein sehr schwach ausgebildetes Zeitstufensystem gehabt habe, die Formen von *a avea* aber nicht mehr produktiv genug gewesen seien[15] ein solches zu schaffen, andererseits die slawischen Vorlagen aber ein nuanciertes Zeitstufensystem zeigten, habe man bei der Übersetzung sich auch morphologisch stark an das Slawische angelehnt.

Selbstverständlich ist es aber auch berechtigt anzunehmen – und wir halten das für wahrscheinlicher –, daß der slawische Einfluß sich im Rumänischen bemerkbar gemacht hat, lange bevor die ersten Übersetzungen religiöser Texte entstanden sind. Diese mögen bei dem ganzen Problem auch ihre Bedeutung haben, doch hatten Slawen und Rumänen seit Jahrhunderten in engem Kontakt gelebt, als die ersten Texte aus dem Kirchenslawischen ins Rumänische übersetzt wurden, und es scheint uns mehr als wahrscheinlich, daß auch in der grammatischen Struktur, nicht nur im Wortschatz, das Rumänische dem Slawischen seinen Tribut zollen mußte, wenngleich man annehmen darf, daß der Kampf um die Sprachstruktur, um das Flexionssystem und die Syntax viel härter gewesen ist und hier das Rumänische insgesamt den Sieg für die Romanität errungen hat.

Manolius Argument von der geringen Produktivität und der »dégradation formelle« des Hilfsverbums *a avea* ist nach unserer Meinung keineswegs stichhaltig. Wer könnte denn wirklich mit gutem Gewissen behaupten, es hätte den Plusquamperfekttyp *aveam dat* im schriftlich nicht belegten Stadium des Altrumänischen nicht gegeben? Es ist durchaus möglich, daß dieser Typus allgemein verbreitet war und im Laufe der Zeit durch *dedesem, eram dat* oder *am fost dat* ersetzt wurde. Bemerkenswert ist doch auch, daß das zusammengesetzte Perfekt nur *am dat* heißt, nicht **sînt dat*, obwohl hier das Slawische auch eine Form mit *byti* hat. Dagegen heißt es im entsprechenden Konjunktiv *să fi(u) dat* und nicht *să aib(u) dat*, obwohl das Altrumänische eigene Konjunktivformen des Präsens von *haben* kennt und obgleich das Slawische *keine* Konjunktivformen – es sei denn erstarrte – besitzt. Man möchte meinen, wenn man die Phänomene eingehender prüft, daß das Rumänische unter sehr starkem slawischen Druck gestanden hat und zunächst vielleicht auch Formen des

---

[15] Vgl. etwa Manoliu, *op. cit.*, S. 140.

Slawischen übernahm bzw. eigene Formen nach dem übernommenen Muster entwickelte – z. B. die Konjunktive –, die für sein eigenes grammatisches System äußerst unbequem waren. Da das zusammengesetzte Perfekt sehr häufig gebraucht wird, weit häufiger jedenfalls als das Plusquamperfekt, und hier ein ständiger Konflikt hätte entstehen können, hat die eigenständige Form *am dat* dem slawischen Muster widerstanden, so daß es nie zu einer Konstruktion *sint dat »ich habe gegeben« gekommen ist oder aber diese Form wieder eliminiert wurde.

Man darf ganz allgemein behaupten, daß das Rumänische keine homonymenfreundliche Sprache ist, und daß es dort, wo sich entsprechende Kollisionen einstellen – etwa durch regelmäßige lautliche Entwicklungen –, schnell für Abhilfe sorgt. Man muß vielleicht auch die seltsam zwitterhafte Verteilung von *a avea* und *a fi* auf Indikativ bzw. Konjunktiv der zusammengesetzten Zeiten unter diesem Gesichtspunkt beurteilen. Unter dem Druck des Slawischen hat die rumänische Sprache ihr eigenes Verbalsystem modifiziert, jedoch nur so viel, daß die Verständlichkeit nicht zu sehr darunter litt. Dort, wo es zu wirklichen und dauernden Schwierigkeiten kam, hat die Sprache Wege gefunden, die Homonymie zu vermeiden. So ist z. B. *eram dat* »ich hatte gegeben« eliminiert worden, *să fiu dat* »daß ich gegeben habe« zu *să fi dat* vereinfacht worden, während das Passiv die durchkonjugierte Form weiter beibehält. Interessant ist in diesem Zusammenhang, daß diese letztere *Therapeutik* der Sprache zu einem Zeitpunkt sich einstellte, da die Passivkonstruktion durch fremden Einfluß – Deutsch, Französisch, Italienisch – in Rumänien an Boden gewann. Bis dahin war sie nämlich höchst unpopulär, wenn auch nicht unmöglich, und man sagte viel lieber *Hoţul se pedepseşte* oder *Pedepsesc pe hoţul* für »Der Dieb wird bestraft«. Im guten Stil ist das noch heute so, und vielleicht liegt hier der tiefere Grund für die Übernahme des slawischen Musters der Konjugation mit *sein*, die gegen den Geist der rumänischen Sprache verstieß und Schwierigkeiten mit sich brachte, die im slawischen System nicht vorhanden sind.

Das Indogermanische besaß kein eigenes Verbum für *haben*[16]. Der Besitz oder die Zugehörigkeit eines Objekts zu einem Subjekt wurde durch Umschreibungen ausgedrückt, wobei das, was in den germanischen und romanischen Sprachen z. B. Objekt ist, zum Subjekt, und das, was Subjekt ist, zu einem Genitiv, Dativ oder einer präpositionalen Wendung wurde. Die Verbindung zwischen beiden grammatischen Kategorien wurde durch das Hilfsverbum *sein* hergestellt, welches allerdings in der einzelsprachlichen Entwicklung zum Teil in gewissen Zeitstufen ausgelassen wurde (vgl.

---

[16] Es ist natürlich ideologisch verzerrt, wenn man daraus die Folgerung zieht »că în comuna primitivă, neexistînd proprietate privată, nu era necesară prezenţa verbului ›a avea«. Wir zitierten I. Iordan, *Limba romînă contemporană*, S. 448, Anm. 1, der Gedanken aus dem zitierten Aufsatz von Graur wiedergibt.

etwa das Russische). »Ich habe ein Haus« wurde also zu *Mir ist ein Haus, Bei mir ist ein Haus* etc. Die slawischen Sprachen haben diese Ausdrucksweise bis heute erhalten. Sie ist aber keineswegs nur in indogermanischen Sprachen anzutreffen. Man denke etwa an die entsprechenden Konstruktionen im Arabischen, Finnischen, Ungarischen, Türkischen usf.[17]

Da der Begriff *haben, halten, besitzen* etc. wohl auch den Urvölkern vertraut war, ist es ohne weiteres einleuchtend, daß viele indogermanische Einzelsprachen die Tendenz zeigten, sich einen eigenen Sinnträger für diesen Begriff zu schaffen bzw. einen schon vorhandenen Wortkörper in seiner Bedeutung zu spezialisieren. Diese Bemühungen bewegten sich im allgemeinen im semantischen Feld folgender Begriffe, die wir nach v. Ginneken zitieren:

1. *prendre, s'emparer, recevoir*[18];
2. *tenir, garder*;
3. *posséder, habiter*;
4. *avoir* (verbe transitif);
5. *avoir* (verbe auxiliaire);
6. *être a* . . . ou *être* avec Datif;
7. *être* avec prédicatif;
8. *être* (verbe auxiliaire);

Auch das Altbulgarische hat ein Verbum für den Begriff *besitzen (iměti)*. Dieses Verbum hat aber im Kirchenslawischen weder die Nummer 4 in seiner Entwicklung erreicht noch hat es den weiteren Schritt bis zur Nummer 5 getan, letzteres auch nicht in den modernen slawischen Sprachen, wenn man von einigen bulgarischen Dialekten absieht, wo wir es wohl mit fremdem Einfluß zu tun haben[19]. Als grammatisches Werkzeug für die Bildung der zusammengesetzten Zeiten des Aktivs und des Passivs kennen die einzelnen slawischen Sprachen nur das Hilfsverbum *byti*[20]. Das Slawische steht mit diesem Verfahren wiederum keineswegs

---

[17] Das hier nur kurz umrissene Problem ist äußerst interessant und für die allgemeine Sprachwissenschaft von fundamentaler Bedeutung. Wir erlauben uns, einige Titel wichtiger Arbeiten anzugeben: R. de la Grasserie, *Du Verbe: Être*, Paris 1887; A. Meillet, *Le développement du verbe »avoir«*, Festschr. Wackernagel, Göttingen 1924, S. 9–13; Ch. Bally, *L'expression des idées de sphère personnelle et de solidarité dans les langues indo-européennes*, Festschr. Gauchat, Aarau 1926, S. 68–78; J. Vendryès, *Sur l'emploi de l'auxiliaire »avoir« pour marquer le passé*, Mélanges van Ginneken, Paris 1937, S. 85–92; J. van Ginneken, *Avoir et Être*, Mélanges Bally, Genève 1939, S. 83–92; E. Benveniste, *»Être« et »avoir« dans leurs fonctions linguistiques*, jetzt in Probl. de ling. gén., S. 187–207.

[18] op. cit., S. 83.

[19] S. Sandfeld, *Linguistique balkanique*, S. 106.

[20] Die Entwicklung des lateinischen *habere* zur Auxiliarität behandelt bis heute grundlegend Ph. Thielmann, *Habere mit dem Part. Perf. Pass.*, Arch. f. lat. Lexikogr. II, S. 372–423 und 509–549. Für die romanischen Sprachen sei in diesem Zusammenhang verwiesen auf E. Herzog, *Das to-*

allein da, da andere indogermanische (z. B. das Armenische) und nicht-indogermanische Sprachen (z. B. das Türkische) sich derselben Möglichkeit bedienen. *Byti* erscheint dabei nur als Ausdrucksmittel der Person, des Tempus und des Modus, während das Genus Verbi, Aktiv oder Passiv, durch die Endung des Partizips ausgedrückt wird. Hier liegt ein fundamentaler Unterschied im Vergleich mit dem romanischen System, und unter diesem Blickwinkel ist der Einfluß des Slawischen auf das Rumänische und des letzteren Reaktion doppelt interessant und erstaunlich.

Das Perfekt Aktiv von *geben* heißt durchkonjugiert im Altbulgarischen:

Maskulinum	*Femininum*
1. *dalъ jesmь*	*dala jesmь*
2. *dalъ jesi*	*dala jesi*
3. *dalъ jestъ*	*dala jestъ*
4. *dali jesmъ*	*daly jesmъ*
5. *dali jeste*	*daly jeste*
6. *dali sǫtъ*	*daly sǫtъ*

Die korrespondierende, ebenfalls mit dem Präsens von *byti* gebildete präsentische Passivform heißt *danъ*[21] *jesmь* usw., wobei allerdings unterstrichen werden muß, daß diese Umschreibung des präsentischen Passivs auch im Slawischen nicht sehr beliebt ist, sondern auch hier eine reflexive Konstruktion bzw. eine aktive Wendung vorgezogen wird (statt »er wird geliebt« entweder »er liebt sich« oder im vorliegenden Fall besser »sie lieben ihn«).

Außer dem Perfekt werden mit dem aktiven -*lъ*-Partizip noch gebildet das

Plusquamperfekt:	*dalъ běchъ*	»ich hatte gegeben«
Futur II:	*bǫdǫ dalъ*[22]	»ich werde gegeben haben«
Konditional II:	*bimь dalъ*[22]	»ich hätte gegeben«.

Partizip im Altromanischen, Beiheft XXVI zur *ZRP*, Teil I, S. 76–186, und J. Kuryłowicz, *Les temps composés du roman*, Prace Filogiczne, Bd. XV. Es mag interessant sein hier anzuführen, daß auch das Ungarische ein Plusquamperfekt durch die Kombination der durchkonjugierten Perfektform des betreffenden Verbums und einer invariablen Imperfekt- *(vala)* oder Perfektform *(volt)* von *sein* bildet: *vártam vala* oder *vártam volt* »ich hatte gewartet«, *vártál vala* »du hattest gewartet« usw. Entsprechend wird das Konditional II mit dem Perfekt des Hauptverbums und unveränderlichem *volna* »wäre« gebildet: *vártam volna* »ich hätte gewartet«. Diese Bildungen sind jedoch nicht volkstümlich. Für die Sprachtypologie aber ist diese Erscheinung sehr von Interesse, weil Ähnliches z. B. auch bei der Bildung des arabischen Plusquamperfekts sich findet: *kana* (Perfekt von *sein*) *Zaidun kataba* (Perfekt von *schreiben*) »Zaid hatte geschrieben«.

[21] Das Slawische besitzt auch, je nach den Verben, ein passivisches Partizip der Vergangenheit auf -*tъ*, das zwar weniger häufig ist als das -*nъ*-Partizip, das aber dem rumänischen *to*-Partizip *(cântat, avut, vîndut, fugit)* wesentlich näher steht, z. B. *pětъ* »gesungen«, *jętъ* »genommen«.

[22] Auch umgestellt *dalъ bǫdǫ* etc.

Im Passiv haben wir mit derselben Form von *byti*, jedoch einem Unterschied in der Zeitstufe wie im Rumänischen das

Imperfekt:	*danъ běchъ*	»ich wurde gegeben«
Aorist:	*danъ bychъ*	»ich bin gegeben worden«
Futur I:	*danъ bǫdǫ*	»ich werde gegeben werden«
Konditional I:	*danъ bimь*	»ich würde gegeben werden«
Konditional II:	*danъ byl bimь*	»ich würde gegeben worden sein«.

Schließlich wäre noch zu nennen der Infinitiv *danъ byti* bzw. *dani byti* je nach dem Subjekt des Satzes.

Um die Fortsetzung dieses Systems in der modernen Zeit deutlich zu machen, seien hier die Formen von zwei westslawischen[22a] Sprachen zitiert, bei denen die Zusammensetzung noch recht deutlich ist:

Aktiv

	Polnisch	Tschechisch
Imperfekt Perfekt	*dałem*[23]	*dal jsem*
Plusquamperfekt	*dałem byl*	*byl jsem dal*
Konditional I	*dałbym*	*dal bych*
Konditional II	*dałbym byl*	*byl bych dal*

Passiv

	Polnisch	Tschechisch
Präsens	*jestem dany*	*dán jsem*
Imperfekt Perfekt	*bylem dany*	*byl jsem dán*
Futur	*będę dany*	*budu dán*
Konditional I	*bylbym dany*	*byl bych dán*
Konditional II	*bylbym byl dany*	*byl bych byl dán*
Infinitiv	*być danym*	*býti dán*

Resümierend möchten wir festhalten: Das rumänische System der zusammengesetzten Zeiten des Aktivs scheint uns wirklich vom Slawischen beeinflußt; denn die Gemeinsamkeiten sind frappant und das

---

[22a] Selbstverständlich hätte man auch das Serbokroatische als südslawisches Beispiel zitieren können; doch geht es hier nicht um die größere oder kleinere Distanz und etwaige direkte Beeinflussung, sondern nur um eine Veranschaulichung des Strukturtyps.

[23] *-em* ist die Personalendung von *jestem* »ich bin«.

rumänische System ist für eine romanische Sprache ungewöhnlich. Um dem Rumänischen ein solch ungewöhnliches System aufgezwungen zu haben, muß der Einfluß des Slawischen sehr stark gewesen sein, ob mehr durch gelehrten Einfluß (z.B. Übersetzertätigkeit) oder durch täglichen direkten Kontakt der beiden Bevölkerungsschichten oder durch beides läßt sich nicht genau feststellen. Jedenfalls muß angenommen werden, daß die Passivkonstruktion im ältesten Altrumänisch, ohne Zweifel zur Zeit der teilweisen Übernahme des slawischen Systems, nicht sehr volkstümlich war, da sonst die Funktion der Sprache als klares Verständigungsmittel stark beeinträchtigt, wenn nicht gar vollständig unmöglich gewesen wäre. Im Laufe der Sprachgeschichte läßt sich alsdann die sprachliche *Therapeutik* im Rumänischen recht gut beobachten, und es wäre wünschenswert, daß man im einzelnen die Entwicklung der zusammengesetzten Zeiten mit *a fi* von den Anfängen bis heute innerhalb der jeweiligen Sprachstrukturen betrachtete. Die einzelnen Veränderungen (z.B. *să fiu dat* zu *să fi dat*) ließen sich dann vielleicht mit Sicherheit durch eine Modifizierung des ganzen Sprach- bzw. Verbalsystems erklären.

DAS HILFSZEITWORT *SEIN* UND DIE BILDUNG ZUSAMMEN-GESETZTER ZEITEN DES AKTIVS TRANSITIVER VERBEN IN ITALIENISCHEN UND KATALANISCHEN MUNDARTEN

Eine große Anzahl italienischer Mundarten Piemonts, der Toskana, Latiums, der Marken, der Abruzzen, Kampaniens und Apuliens zeigen eine bemerkenswerte Bildung des zusammengesetzten aktiven Perfekts transitiver Verben mit dem Hilfszeitwort *sein*. So heißt z.B. das entsprechende Paradigma von *mangiare* in Amaseno[1] (Latium):

1. *sọ mañatẹ*   (auch *ài mañatẹ*)
2. *sì mmañatẹ*
3. *à mañatẹ*
4. *sẹmẹ mañatẹ*
5. *sẹtẹ mañatẹ*
6. *au mañatẹ*[1a]

Während also die erste Sg. sowohl *sein* als auch *haben* zuläßt und die dritte Sg. und Pl. nur mit *haben* konstruiert werden, bedienen sich die zweite Sg. und Pl. sowie die erste Pl. nur des Hilfszeitworts *sein*. Genau so verhalten sich die Pronominalverben, mag nun das zugehörige Pronomen im Dativ oder Akkusativ stehen:

1. *mẹ sọ llavatẹ, m'ai lavatẹ*
2. *tẹ sì llavatẹ*   (scil. *lẹ mani*)
3. *s'a lavatẹ*
4. *ćẹ sẹmẹ lavatẹ*
5. *vẹ sẹtẹ lavatẹ*
6. *s'au lavatẹ*

Ähnliches kann man in Castro dei Volsci[2] beobachten. Auch hier haben die dritte Sg. und Pl. fast immer eine Form von *haben* (*à dittẹ* »er hat gesagt«, *ẹụ* oder *àụ dittẹ* »sie haben gesagt«, *s'à lavatẹ* »er hat sich gewaschen«,

---

[1] Vgl. C. Vignoli, *Vernacolo e canti di Amaseno*, S. 71.
[1a] Für Subiaco gibt A. Lindsstrom, *Studj Romanzi* V, S. 263, die Formen: 1 *so mañatu*, 2 *si mañatu*, 3 *a mañatu* (als 3. Person von *sein* findet man *op. cit.*, S. 264, *e* und *a*), 4 *simu mañatu*, 5 *site mañatu*, 6 *au mañatu*.
[2] Vgl. C. Vignoli, *Studj Romanzi* VII, S. 168.

s'aų lavatę »sie haben sich gewaschen«). Bei Pronominalverben werden die zweite Sg. und Pl. nur mit *sein* gebildet, während die erste Sg. und Pl. beide Auxiliarien zulassen (*mę sonǧę lavatę* und *m'ai lavatę*).

Auch die Mundart von Veroli[3] (Latium) verhält sich im wesentlichen wie die beiden genannten Schwestermundarten, jedoch mit dem Unterschied, daß die dritte Person beide Hilfszeitwörter kennt (*a ditto* und *ę ditto*).

Filzi kommt auf diese eigentümliche Bildungsweise kurz in seinen syntaktischen Studien über die italienischen Dialekte[4] zu sprechen, ohne allerdings eine Erklärung zu versuchen, und Salvioni[5] erwähnt sie im Zusammenhang mit einer Besprechung von Gauchats Artikel über *soi avutz* in der Monaci-Festschrift, auf den wir im nächsten Kapitel noch eingehen werden. Salvioni weist die hier behandelte Konstruktion nach für Terdobbiate (*son fai* »ho fatto«, *v'son sempar ubidì* »vi ho sempre ubbidito«) und Trecate (*i son vist* »ho visto«, *i son trová* »ho trovato«, *i son facc corraro* »l'ho fatto correre«, *mi son pardur* »io l'ho perduto«) in der Provinz Novara, für Rapagnano (*so riciuto* »ho ricevuto«) in den Marken, für Moncalieri (*son manǧá* »ho mangiato«) in Piemont, für Marino (*so dormito*[6] »ho dormito«, *so veduto* »ho visto«) in Latium.

Ziemlich eindeutig in seiner geographischen Verbreitung läßt sich das Phänomen anhand der Karten des *AIS* verfolgen, obwohl selbstverständlich der Atlas keine Auskunft über zulässige Varianten in jedem Einzelfall geben kann (z. B. bezüglich des Schwankens im Gebrauch von *haben* und *sein* in den einzelnen Personen desselben Verbums). So mag es zu erklären sein, daß ein Punkt *x* oder *y* auf der einen Karte das zusammengesetzte Perfekt eines transitiven Verbums mit *sein* bildet (z. B. P. 126 auf Karte 390 »ho visto« *sųm víşt*), auf der andern aber mit *haben* (P. 126 auf Karte 826 »che ho comprati« *k y ę́ kųmprá*). Prüft man nun eingehend das Material des *AIS*[7] im Hinblick auf unser Problem und ist man sich bewußt, daß die Karten notwendigerweise manches verschweigen, so möchte man für die genannte Perfektbildung mittels *sein* in den ersten beiden Personen des Singulars und Plurals, mittels *haben* in der

---

[3] Vgl. C. Vignoli, *Il vernacolo di Veroli*, S. 51.

[4] *Contributo alla sintassi dei dialetti italiani*, Studj Romanzi XI, S. 58ff.

[5] S. *AGI* 16, S. 208.

[6] Salvionis Angaben sind phonetisch wohl kaum zu verwerten.

[7] In der Hauptsache sind es die Karten 390, 397, 512, 770, 826, 834, 887, 913, 1107, 1111, 1145, 1248, 1264, 1537, 1599, 1618, 1635, 1649, 1652, 1667, 1673. Hierin sind alle Personen enthalten. Es muß allerdings bemerkt werden, daß Karte 1599 z. B. *(avete guadagnato qualchecosa)* statt der zweiten Pl. meistens die zweite Sg. verzeichnet. Auch zeigt etwa Karte 1264 *(hanno già cominciato)* eine wesentlich größere Verbreitung von Formen mit *sein* als wir es in unserer Aufstellung angeben (z. B. an den Punkten 710, 714, 720, 724, 725, 731, 733, 735, 740). Dies scheint im vorliegenden Fall jedoch durch den Satzzusammenhang bedingt zu sein (i ciliegi hanno già cominciato a fiorire), wo *essere* eventuell durch *fiorire* bedingt ist.

dritten Person Sg. und Pl.[8] folgende 20 Punkte als die wesentlichsten anführen:

1. P. 137 Carpignano (Prov. Novara)
2. P. 559 Sant'Elpidio a Mare (Prov. Ascoli)
3. P. 569 Grottammare (Prov. Ascoli)
4. P. 577 La Rocca, Montefortino (Prov. Ascoli)
5. P. 578 Ascoli Piceno (Prov. Ascoli)
6. P. 608 Bellante (Prov. Teramo)
7. P. 618 Castelli (Prov. Teramo)
8. P. 619 Montesilvano (Prov. Teramo)
9. P. 625 Genzano, Sassa (Prov. Aquila)
10. P. 639 Crecchio (Prov. Chieti)
11. P. 645 Tagliacozzo (Prov. Aquila)
12. P. 646 Trasacco (Prov. Aquila)
13. P. 648 Fara San Martino (Prov. Chieti)
14. P. 654 Serrone (Prov. Roma)
15. P. 662 Nemi (Prov. Roma)
16. P. 664 Santa Francesca, Veroli (Prov. Roma)
17. P. 666 Roccasicura (Prov. Campobasso)
18. P. 682 Sonnino (Prov. Roma)
19. P. 701 San Donato (Prov. Caserta)
20. P. 719 Bari (Prov. Bari)[9]

Seltsamerweise ist die Bildung des zusammengesetzten Perfekts vom Typus *ich bin gewußt* statt *ich habe gewußt* auch in katalanischen Mundarten anzutreffen. Badía Margarit[9a] hat sie für Gerona[10] und Olot[11] auf spanischem Boden verzeichnet. Der *Atlas Lingüistic de Catalunya* und der *Atlas Lingüistic d'Andorra* geben keinerlei Angaben über diese Konstruktion, dagegen liefert der *ALF* diesbezüglich Formen für die fünf Ortschaften katalanischer Sprache, die innerhalb des weiten Netzes galloromanischer Mundarten Berücksichtigung fanden und die das ganze Roussillon repräsentieren. Es handelt sich um die Punkte 794 (Olette), 795 (Ille-sur-Têt), 796 (Arles-sur-Tech), 797 (Rivesaltes) und 798 (Collioure)[11a]. Es ist leider nicht möglich, anhand des vorliegenden Materials eine genaue Übersicht über die Verhältnisse zu gewinnen, da der *ALF* nicht alle Personen berücksichtigt. Auf Grund der vorhandenen Unter-

---

[8] Eine Ausnahme bilden z.B. Punkt 664 und 666 auf Karte 1111 (*ce l'ha dato*), wo wir eine Bildung mit *essere* haben: *ćel ę tåt°, ćǝr ę δåtǝ*. Erwähnenswert sind die Verhältnisse in Tursi (Lukanien), wo im allgemeinen die Perfektbildung transitiver Verben mittels *haben* geschieht, wo aber die dritte Person Singular eine Form von *sein* benützt: *yillǝ ę mmanǵåtǝ nu pånǝ* »egli ha mangiato un pane«. Siehe hierzu Lausberg, *Die Mundarten Südlukaniens*, §§ 357–359.

[9] Man vgl. auch Rohlfs, *Hist. Gr. d. it. Spr.* II, § 730.

[9a] *Gram. hist. cat.*, S. 326, Anm. 2.

[10] Punkt 36 des *Atlas Lingüistic de Catalunya*.

[11] Punkt 33 des *ALC*.

[11a] Krüger, *RDR* 1913, S. 53–54, weist die Konstruktion auch für Capcir und Fenouillet nach.

lagen darf man jedoch annehmen, daß die Probleme nicht wesentlich verschieden sind von den italienischen. Hier nun zunächst vier Beispiele für die erste Person Singular:

794	*săn pắzằt*[12]	*săn tĭngắt*[13]
795	*săn pắzằt*	*săn tĕngắt*
796	*săn pắzằt*	*săn tĭngắt*
797	*săn pắzằt*	*săn tĭngắt*
798	*săn pắzằt*	*săn tĭngắt*

794	*săn ằgằfằt*[14]	*săn sằpĭgắt ằcyŏ*[15]
795	*săn ằgằfằt*	*ŭ săn sằpĭgắt*
796	*săn ằgằfằt*	*săn sằpĭgắt ằcyŏ*
797	*săn ằgằfằt*	*ŭ săn sằpĭgắt*
798	*săn prĕs*	*săn sằpĭgắt ằcyŏ*

Auch für die dritte Person Singular seien vier Beispiele angegeben, zwei für transitive Verben mit oder ohne Akkusativobjekt und zwei für Reflexivverben mit Pronomen im Akkusativ:

794	*ă rằsằpĭgắt*[16]	*l ă sằngrằt*[17]
795	*ă rằbắt*	*l ă sằngrằt*
796	*ă r̄ằsằpĭgắt*	*l ă sằngrằt*
797	*ă rằbằt*	*l ă sằnnằt*
798	*ă rắsằpĭgắt*	*l ă sằngrằt*

794	*s ĕs pằndjyằdé*[18]	*s ĕs kắtcyằdé*[19]
795	*s ĕs pằndjyằdá*	*s ĕs kắdjyằdá*
796	*s ĕs pằndjyằdá*	*s ĕs lụngằdá*
797	*ĕḷĕ s ĕs pằndjyằdĕ*	*ĕḷĕ s ĕs kắdjyằdĕ*
798	*s ĕs pằndjyằdá*	*s ĕs kắdjyằdá*

Es fällt auch hier wiederum auf, daß die dritte Person Sg. gegenüber der ersten z. B. eine Ausnahme macht und das zusammengesetzte Perfekt mit *haben* bildet. Auch die dritte Plural verhält sich entsprechend: *ằm pòst* »elles ont pondu«[20], *ằn ằkằbằt* »elles ont fini«[21]. Nur die Pronominalverben benützen auch in der dritten Person *sein*[22]. Bei den intransitiven Verben scheint der Gebrauch zu schwanken, vielleicht je nach dem Verbum und wohl auch je nach der Ortschaft. In 794 heißt es z. B. *m ă kằygằt* »elle m'est tombée«[23], *ằn ằnằt* »ils sont allés«[24], in 796 sagt man

---

[12] *ALF* 847, *j'ai mis.*   [13] *ALF* 102, *j'ai eu.*
[14] *ALF* 1090, *j'ai pris.*   [15] *ALF* 1203, *j'ai su ça.*
[16] *ALF* 1890, *il a reçu.*   [17] *ALF* 1181, *le médecin l'a saigné,*
[18] *ALF* 1662, *elle s'est pendue.*   [19] *ALF* 1519, *elle s'est couchée.*
[20] *ALF* 1678.   [21] *ALF* 578.
[22] Wie ein Pronominalverb mit Pronomen im Dativ sich verhält, können wir nicht sagen.
[23] *ALF* 1312.
[24] *ALF* 32.

aber *m ĕs kằygằt* und *sằn'anằts*. Eine größere Materialfülle ist hier unbedingt erforderlich, um ein sicheres Urteil abgeben zu können[25].

Obwohl wir uns des hypothetischen Charakters und der mangelnden historischen Perspektive unserer Ausführungen durchaus bewußt sind, möchten wir die Erklärung des beschriebenen Phänomens etwa folgendermaßen sehen: Zunächst handelt es sich nicht um archaische Sprachzustände, die so zu deuten wären, daß die Form *sono visto* als »ich bin ein Gesehen-Habender« zu verstehen wäre. Wir haben es weder in Italien noch im katalanischen Sprachgebiet mit Reminiszenzen an die lateinischen Deponentien und Semi-Deponentien zu tun. Es ist bekannt, daß das ursprüngliche Verbaladjektiv auf *-to-* (vgl. gr. λυτός etc.) in einer Reihe indogermanischer Einzelsprachen zum Partizip Perfekt Passiv ausgebildet wurde. Anfangs war es jedoch sowohl tempus- als auch genus-indifferent und drückte nur aus, »daß der Vorgang des Verbalbegriffs dem Bezugswort als Eigenschaft anhaftete«[26]. Von hier aus war der Weg frei zur passiven, aber auch zur aktiven Bedeutung. Während wir nun im allgemeinen bei aktiven Verben die passivische und bei Deponentien die aktive Bedeutung antreffen, ist letztere auch bei einer Reihe aktiver Verben erhalten: *potus* »einer, der getrunken hat«, *cɩnatus* »einer, der gespeist hat»*, juratus* »einer, der geschworen hat« usw. Ähnliches findet sich im Germanischen (vgl. dt. *Geschworener*) und in den romanischen Sprachen[27], wobei man sich für die letzteren noch nicht hat einigen können, ob es sich im wesentlichen um eigene innersprachliche Entwicklungen oder um weitgehende Übernahme aus dem Lateinischen handelt. Für unsere Ausführungen ist das auch ohne weitere Bedeutung, da die Gruppe der betroffenen Verben erstens verhältnismäßig klein ist und zweitens ihre Problematik nicht direkt mit der unseren in Zusammenhang gebracht werden kann. *Un homme osé* ist ja nicht *un homme qui a osé*, sondern *un homme qui ose*, und entsprechend ist jemand *qui est osé* nicht eine Person, »die gewagt hat«, sondern die durch Wagemut und Keckheit charakterisiert ist.

Selbst wenn in unseren Mundarten das Partizipium sich in Genus und

---

[25] Wir können z.B. auch nicht sagen, ob für die hier beschriebene Bildung mittels *sein* nur das zusammengesetzte Perfekt in Frage kommt, oder ob das gleiche etwa auch für das Plusquamperfekt zutrifft. Die Beantwortung dieser Frage scheint uns recht bedeutend zu sein, da sie für die Erklärung des gesamten Phänomens Aufschlüsse geben könnte.

[26] F. Sommer, *Handbuch der lateinischen Laut- und Formenlehre*, § 379. Man vgl. auch E. Kieckers, *Historische lateinische Grammatik*, S. 276ff., und J. B. Hofmann–A. Szantyr, *Lateinische Syntax und Stilistik*, Bd. II, 1. Lieferung, S. 290 und S. 391ff.

[27] Bezüglich der romanischen Probleme seien genannt A. Tobler, *Vermischte Beiträge* I, S. 122–134; W. Meyer-Lübke, *Gr. d. rom. Spr.* III, S. 14ff.; E. Rigal, *Les participes osé, avisé, entendu, dans les locutions un homme osé, un homme avisé, un homme entendu*, *RLR* XXV, S. 257–259, und E. Herzog, *Das to-Partizip im Altromanischen*, S. 129–135.

Numerus nach dem entsprechenden Subjekt richten würde, muß man dies als eine sekundäre Erscheinung werten, die gar nichts über den Ursprung der Konstruktion aussagt[28]. Sobald nämlich einmal der Schritt von *abbiamo visto* zu *siamo visto* mit demselben aktiven Sinn getan ist, hat die Analogie freie Hand, auch weitere Schritte einzuleiten. Wenn wir trotzdem in der Regel ein unveränderliches Partizip des maskulinen Singulars in den Mundarten vorfinden, so mag das sehr wohl aus Gründen der Klarheit und allgemeinen Verständlichkeit zu erklären sein. Auch sprachökonomische Gründe und Tendenzen zur Vereinfachung mögen mit im Spiele sein; denn die funktionelle Verfügbarkeit erhöht sich ja keineswegs mit der Veränderlichkeit des Partizips; ganz im Gegenteil.

Wir meinen, daß unsere Mundarten in romanischer Zeit an der allgemeinen Herausarbeitung zusammengesetzter Zeiten mit Hilfe von *haben* und *sein* teilgenommen haben und daß die Verteilung der transitiven, intransitiven, pronominalen und unpersönlichen bzw. »einpersönlichen« Verben des Aktivs auf die beiden Auxiliarien hier mehr oder minder die gleiche gewesen ist wie in anderen Territorien der Romania. Wie es nun aber Sprachen und Mundarten des romanischen Raumes gibt, die in allen Fällen *haben* verallgemeinert haben, so hat sich für die hier in Frage stehenden italienischen und katalanischen Mundarten die entgegengesetzte Tendenz gezeigt, das Hilfsverb *sein* zu generalisieren[28a]. In beiden Fällen handelt es sich um das grundsätzlich gleiche Streben der Sprache nach Ausgleich. Während nämlich die ursprüngliche Zuordnung von *sein* oder *haben* zu einem gegebenen Verbum von sehr präzisen semantischen Kriterien bestimmt wurde, ließ der sprachliche Abnutzungsprozeß im Laufe der Zeit diese Kriterien verblassen. *Sein* und *haben* wurden mehr und mehr zu grammatischen Werkzeugen, deren semantischer Eigenwert sich sehr stark reduzierte und die zu Beziehungsmitteln degradiert wurden. Sie dienten nur noch dazu, das bedeutungstragende Partizip mit dem zugehörigen Subjekt zu verbinden und Tempus, Modus, Numerus und Person auszudrücken. Während nun der Ersatz von *sein* durch *haben* in den zusammengesetzten Zeiten des Aktivs nach dem hier beschriebenen Prozeß niemanden über Gebühr befremdet – ähnliches gibt es ja nicht nur in den romanischen Sprachen[28b] –, findet man die Verdrängung von *haben* durch *sein* deswegen sonderlich, weil es dadurch zur

---

[28] Parducci verzeichnet z.B. für die Toskana *siam vinti* »abbiamo vinto« (*Stud. Rom.* II, 213).

[28a] Bemerkenswert ist das Schwanken einzelner Personen zwischen *sein* und *haben* bei ein und demselben Verbum sowie das weitgehende Festhalten der dritten Person am alten Auxiliar *haben*. Beide Tatsachen unterstützen unsere Hypothese von der Verdrängung des ursprünglichen *haben* durch sekundäres *sein*. Das Verhalten der dritten Person würde eine eigene Untersuchung verdienen, da diese auch in anderen Fällen eine Sonderentwicklung zeigt. Man denke etwa an die Mundarten des Zentralmassivs.

[28b] Zum Vergleich ziehe man etwa das Englische und Schwedische heran.

Homonymie mit Passivformen kommen kann. Hier nun liegt nach unserer Meinung das eigentliche Problem, das wir mangels ausreichenden Materials nicht definitiv lösen können, obwohl wir glauben möchten, mit unseren Hypothesen der Wahrheit nicht allzu ferne zu sein. Die präsentische Passivform vom Typ *sono visto* in der Bedeutung »ich werde gesehen« ist nicht volkstümlich. Sie drückt mehr den Zustand als die Aktion aus. Größere Klarheit verschaffen Wendungen wie *mi vedono* oder in anderen Fällen *la chiesa viene chiusa, la casa si vende*, in den Abruzzen auch die Konstruktion mit *oma* »man«[29]: *l'a l'oma cacciata* »è stato mandato via«. Sobald aber *sono visto* aus dem passiven Verbalsystem ausgeschaltet ist, steht seiner funktionalen Neuorientierung nichts mehr im Wege.

Die Karte 709 des *AIS* scheint für eine Reihe von Ortschaften unsere Vermutungen zu bestätigen. *Fu ben curata* wurde an Punkt 645 wiedergegeben durch *lo mále l a ssapúto kurá*, an Punkt 719 durch *la warírana bbóna*, an Punkt 569 durch *a vúta na bḛlla kŭrα* (= ha avuto . . .). An anderen Punkten haben wir zwar eine Passivkonstruktion, doch darf man nicht außer acht lassen, daß es sich um eine Zeit der Vergangenheit handelt: P. 625 *ę stáda guráda bbǫna*, P. 664 *fú kuráta bbḛne* usf. Hiermit hängt vielleicht die Tatsache zusammen – und wir sagen dies mit aller gebotenen Vorsicht –, daß *sein* nur im Präsens zur Bildung des zusammengesetzten Perfekts[30] transitiver Verben des Aktivs verwendet wird und daß es folglich in den anderen Zeiten wieder für die Passivfunktion frei wird.

Es ist sehr verlockend, ein heutiges *sono mangiato* »ich habe gegessen« aus einer ursprünglichen pronominalen Wendung mit expletivem Fürwort im Dativ zu erklären. Man kennt zur Genüge die Vorliebe italienischer[31] und katalanischer Mundarten[32], statt eines mehr objektiven *lo mangio* lieber subjektiv *me lo mangio* und im zusammengesetzten Perfekt *me lo sono mangiato* zu sagen. Der Schwund des Pronomens in einem Satze wie *mi sono mangiato una pera* könnte verhältnismäßig spät eingetreten sein und von Gründen abhängen, die nur noch das Personalpronomen betreffen und die genauer zu untersuchen wären. Einfacher und wahrscheinlicher scheint uns, an eine syntaktische Kreuzung der beiden Konstruktionen *ho mangiato una pera* und *mi sono mangiato una pera* zu denken, zumal es z.B. in Amaseno bei regelmäßigen Pronominalverben sowohl *mę sǫ llavatę* als auch *m'ai lavatę* heißen kann.

---

[29] Rohlfs, *op. cit.*, II, § 737.

[30] Wir vermerkten schon weiter oben, daß wir bisher keine anderen Zeiten attestiert gefunden haben.

[31] Auch in der normalen italienischen Umgangssprache ist ein *mi sono preso tutto* statt *ho preso tutto* durchaus geläufig, wie es denn auch nicht außergewöhnlich ist, daß das Partizipium sich in solchen Fällen nach dem Subjekt des Satzes richtet: *Si è messa il cappello*.

[32] Auch in anderen Idiomen der Romania trifft man diesen Gebrauch an.

IV

SOI AVUTZ »ICH BIN GEWESEN« UND ÄHNLICHE BILDUNGEN IM ALTPROVENZALISCHEN, ALTFRANZÖSISCHEN, ALTOBER-ITALIENISCHEN UND IN MODERNEN GALLOROMANISCHEN UND OBERITALIENISCHEN MUNDARTEN

Das letzte hier abzuhandelnde Problem, über das wir uns an anderer Stelle[1] schon ausgelassen haben, könnte man fast als ein Perpetuum Mobile der romanischen Philologie bezeichnen. Es handelt sich zunächst um den Ersatz von *gewesen* durch *gehabt* in den zusammengesetzten Zeiten des Auxiliars *sein*: *sum habutus, eram habutus* usf. statt *sum status, eram status* bzw. *habeo statu, habebam statu*. Schon 1836 bemerkt Raynouard im zweiten Band seines *Lexique Roman*[2] zum Hilfsverbum *haben*: »Il forma aussi ses temps composés en employant l'auxiliaire ESSER.« Dies ist eine höchst irreführende Ausdrucksweise[3]; denn wie die drei von

---

[1] *Les formations du type* soi avutz *»j'ai été« en ancien provençal, dans les dialectes gallo-romans et en italien septentrional.* Wir hielten dieses Referat 1964 auf dem IVᶜ Congrès International de Langue et Littérature d'Oc et des Etudes Franco-Provençales; jetzt auch gedruckt in *Actes*, S. 33–41.

[2] S. 157 b.

[3] Auch andere Autoren scheinen den eigentlichen Vorgang nicht recht erfaßt zu haben oder aber geben ihren richtigen Vorstellungen seltsame sprachliche Fassungen, z.B. N. Nicolet, *Der Dialekt des Antronatales* (Beiheft 79 zur *ZRP*), 1929, S. 80: »Das Passivum wird in Antr. mit ›avere‹ gebildet: *Le bi mandǫ vía* ›è stato congedato‹.« In den *Oeuvres complètes de Rutebeuf*, publiées par Edmond Faral et Julia Bastin, Bd. I, Paris 1959, S. 171, liest man: »*-estre* comme auxiliaire du verbe *avoir*: fussiez vous evesque eü.« Wir möchten aus der kurzen Bemerkung und dem beigefügten Beispiel schließen, daß den Herausgebern die eigentlich vorliegende Konstruktion entgangen ist. Statt *eü* heißt es wohl auch richtiger *eüs*, wie G. Frank in ihrer Ausgabe (*CFMA*, 2. Aufl. 1949) abdruckt. Zu übersetzen wäre dann: »Vous auriez été évêque.« Es sei nicht verschwiegen, daß Monmerqué und Michel sowie in ihrem Gefolge Kressner aus *eüs* ein *e [se]us* gemacht hatten.
E. Littré, *Histoire de la Langue Française* (1873), Bd. 2, S. 415, gibt ein uns hier interessierendes Beispiel aus dem Girart de Roussillon an. »*Si sont heü trop foul de faire le contraire*; ce qui signifie: ils ont été trop fous de faire le contraire.« Abschließend sagt er dann: »Mais il ne me souvient pas d'avoir rencontré ailleurs que dans *Girart de Rossillon* la locution que je signale ici; c'est un véritable passif du verbe *avoir* employé pour représenter le verbe *être*.«

ihm angeführten Beispiele zeigen, muß man wohl verstehen, daß das Hilfszeitwort *sein* auch manchmal seine zusammengesetzten Zeiten mit Hilfe des Perfektpartizips von *haben* bildet. Über das erste Beispiel Raynouards ließe sich eventuell streiten:

> *Selh qu'eron de pretz avug,*
> *Enqueron com pretz an baissan*[4].

Raynouard gibt eine das Verständnis erleichternde wörtliche Übersetzung, die natürlich ganz unfranzösisch ist, die aber die provenzalische Konstruktion augenfällig macht: »Ceux qui *étaient eu* de mérite demandent comment le mérite va baissant«. Man könnte meinen, Raynouard habe bei der obigen Wendung etwa an lateinisches *habere* bzw. *haberi* mit einem Genitivus Qualitatis gedacht, so daß wörtlich in passablem Französisch etwa zu übersetzen wäre: »Ceux qui étaient tenus en estime ...« oder besser, aber weniger die Konstruktion des Urtextes wiedergebend: »Ceux qui passaient pour avoir du mérite ...«.
Jeanroy, der die Gedichte Gavaudans neu herausgegeben und kommentiert hat[5], versteht *eron avug* genauso wie wir als eine Form von *sein*. Er übersetzt die von ihm wie folgt edierte Stelle

> *Silh qu'eron ja de pretz avug*
> *Enqueron cum Pretz an bayssan.*

mit »Ceux qui brillaient jadis par la valeur
    demandent comment il se fait que la valeur aille diminuant«.
Während Jeanroys Übersetzung jegliche Deutung zuläßt, beseitigt der Kommentar[6] allen Zweifel über seine Auffassung: »*Eron avug* est synonyme de *eron* (ou *avion*) *estat.*« Nach einigen Angaben über ähnliche Konstruktionen bei anderen Dichtern heißt es dann weiter: »*Esser de pretz* nous offre le même emploi de *de* que *esser de proeza, d'ardimen* dans Guillaume IX (*Pos de chantar*, V. 25), où *de* marque la propriété.«
Die beiden anderen von Raynouard zitierten Beispiele (*Enans que fos agutz prelatz* aus der *Vida de S. Honorat* und *Moult es avutz belhs sos comensamens* von G. Riquier) könnte man eventuell auch verstehen als »Avant qu'il ait été considéré comme ou tenu pour prélat« bzw. »Son commencement a été considéré comme très beau«, doch möchten wir persönlich stark bezweifeln, daß ein Provenzale des 13. Jahrhunderts sie so aufgefaßt hat. Wir sind überzeugt, daß jedermann verstand »Avant qu'il ait été prélat« und »son commencement a été très beau«, und man darf auch mit einigem Recht annehmen, daß Raynouard sie selbst auch so interpretiert hat; denn die Übersetzung, die er beifügt, ist reines Kauderwelsch, die ihn als Franzosen kaum befriedigen konnte. Sie war jedoch

---

[4] Gavaudan Le Vieux: *A la pus longa nuech de l'an.*
[5] *Poésies du Troubadour Gavaudan,* Romania 34 (1905), S. 497–539.
[6] *Rom.* 34, S. 507.

wohl geeignet, dem Benützer des Wörterbuchs in frappanter Weise die zumindest überraschende Konstruktion vor Augen zu führen.

Wir wollen jedoch nicht leugnen, daß Sätze wie das obige erste Beispiel oder etwa dieses Zitat aus einer Urkunde von 1518 ».. . *ung ort que ero agut de Peyron Vachares . . .*« sehr wohl den Austausch von *estat* gegen *agut* und umgekehrt mit vorbereiten halfen. Letzteren Satz kann man sich nämlich sehr gut mit dem einen oder andern Partizip vorstellen, ohne daß dadurch ein beträchtlicher Sinnunterschied aufträte. Im 16. Jahrhundert allerdings wird wohl jeder *ero agut* als »war gewesen« verstanden haben. Nichts hindert uns jedoch daran, ähnliche Sätze für eine frühere Zeit anzunehmen, in der *agut* seiner ursprünglichen Bedeutung noch wesentlich näher war und in der es, durch die Konstruktion des Satzes bedingt, in ein semantisches Feld eindrang, das sich *sein* und *haben* teilten. Wir gehen jedoch nicht so weit zu behaupten – das tut E. Herzog[7] –, in der Form *sum habutus* für *sum status* oder *habeo statum* hätte sich lateinisches *haberi* bzw. späteres *habere* direkt erhalten.

Nach Raynouard hat eine ganze Legion von Romanisten den Typus *sum habutus* erwähnt oder auch zu erklären versucht. Die kurzen Bemerkungen bei Anglade[8] oder Schultz-Gora[9] würden das wohl kaum vermuten lassen. Im Jahre 1949 kann Rohlfs[10] jedoch noch feststellen: »Die Formel ›sono avuto‹ im Sinne von ›sono stato‹ ist sehr verbreitet . . . Die Entstehung dieser Ausdrucksweise ist noch ungeklärt.« Dieser negative Befund überrascht um so mehr, als unter den Bearbeitern und Kommentatoren eine Reihe bekannter Namen zu nennen sind: Appel, Bartsch, Diez, Foulet, Gauchat, Herzog, Jeanroy, Meyer-Lübke, Mussafia, P. Meyer, Ronjat usw.

Einige der ersten Beobachter[11] des hier behandelten Phänomens fanden

---

[7] *Das to-Partizip im Altromanischen*, S. 183f.

[8] *Grammaire de l'Ancien Provençal*, S. 317: »Enfin on trouve même la combinaison *soi avut*: ex.: *agut suy en lur cort = ai estat en lur cort*, j'ai été à leur cour.«

[9] *Altprovenzalisches Elementarbuch*, S, 107: »In den zusammengesetzten Zeiten wird das Part. Perf. *estat (< statum)* nicht nur mit *aver*, sondern auch mit *esser* verbunden, es heißt also *ai estat* oder *soi estatz* (F. *estada*) ›ich bin gewesen‹. Daneben begegnet noch eine eigentümliche Verbindung: *soi avutz*.«

[10] *Hist. Gr. d. it. Sprache* II, S. 566, Anm.

[11] Bei J. F. Schnakenburg, *Tableau synoptique et comparatif des idiomes populaires ou patois de la France*, Berlin 1840, S. 64, heißt es z.B.: »Dans le département du Haut-Rhin, dans quelques parties de la Franche-Comté et sans doute dans plusieurs autres contrées, le langage a consacré des méprises bizarres, telles que *vos ates avû*, ce qui signifie littéralement *vous êtes eu*, et ce qui doit signifier: vous avez été.«
Ähnlich sagt Adam, *Patois lorrains*, 1881, S. 121: »Par une bizarrerie vraiment inexplicable, le participe passé du verbe ›être‹ se substitue à celui du verbe ›avoir‹ dans un certain nombre de communes de la partie occidentale du département des Vosges (Gelvécourt, Légeville, Bainville-

verständlicherweise, daß die Sprache im vorliegenden Fall doch eigentlich etwas zu weit gegangen sei. Sie waren aber immerhin verständig genug, sich mit den vorgefundenen Formen – es handelte sich um moderne Mundarten – abzufinden, was manche Herausgeber alter Texte nicht getan haben[11a]. Das Staunen über die Konstruktion hat jedoch bis heute nicht aufgehört. So kann man z. B. in einer modernen Mundartmonographie über das Hilfsverb *être* lesen: »Ici nous trouvons la plus belle bizarrerie de la conjugaison patoise qui n'en manque pas par ailleurs; le participe passé de être qui n'existe pas est remplacé par celui de avoir: *èvù*. Et comme le verbe être se sert à lui-même d'auxiliaire aux temps du passé, le patois dit au passé composé: je suis eu, au lieu de: j'ai été et le français régional: je suis été.«[12]

Nach anfänglichem Zögern und Zweifeln machte man sich erfolgreich daran, *sum habutus* »ich bin gewesen« in einer großen Anzahl alter Texte sowie in den lebenden Mundarten nachzuweisen, und das, was zunächst ungewöhnlich und einzigartig, ja sogar verdächtig geschienen hatte, erwies sich nun als sehr geläufig und geographisch weit verbreitet, wenn auch, was die Erklärung anbelangt, äußerst schwierig.

Es ist nicht leicht, die genaue Ausdehnung von *sum habutus* für das Mittelalter anzugeben. Dies liegt erstens daran, daß wir nicht alle in Frage kommenden mittelalterlichen Texte exzerpieren können; denn die hierfür aufgewandte Mühe würde wohl kaum in einem annehmbaren Verhältnis zum gefundenen Resultat stehen. Und zweitens ist es häufig äußerst problematisch, die Texte selbst geographisch zu lokalisieren. Dabei wollen wir noch nicht einmal an die Schwierigkeiten denken, die aus der handschriftlichen Überlieferung erwachsen. *Sum habutus* scheint nämlich eine Wendung des Volkes gewesen zu sein. Es kommt in den alten Texten praktisch nie als einziger Ausdruck für »ich bin gewesen« vor, sondern wechselt mit *sum status* oder *habeo statum*, wobei die letzteren numerisch überwiegen, zumindest am Anfang. Die Frage ist nun, ob z. B. ein einmalig auftauchendes *sum habutus* auf Kosten des Autors geht, dem so ein Vulgarismus praktisch *entrutscht* wäre, oder ob wir dieses Hapax einem späteren Schreiber zuschreiben müssen, der vielleicht nur

---

aux-Saules, Vaubexy, Saint-Vallier, Ménil, Houécourt, Vittel, Lignéville, Saint-Baslemont, Attigny). Ex.: à Sanchey, *j'â tu maleide* j'ai été malade; *j'â tu do mau* j'ai eu du mal.

On dit indifféremment à Mazelay: *j'â èvu* ou *j'â ttu* j'ai eu, *t'é èvu* ou *t'é ttu* tu as eu, etc.« Adams Bemerkungen sind deshalb bedeutend, weil er unseres Wissens der erste ist, der den Ersatz von *gehabt* durch *gewesen* erwähnt.

[11a] Z. B. Sommer im *Livre d'Artus*, vgl. Foulet, *Romania* 51, 1925, S. 240.

[12] Paul Alex, *Le patois de Naisey*, Paris 1965, S. 100. Naisey liegt im Canton de Roulans, Arrondissement de Besançon. Eine Erklärung des Phänomens wird in der angeführten Arbeit nicht versucht noch auch irgendeine der einschlägigen Untersuchungen angegeben.

noch *sum habutus* aus dem täglichen Gebrauch kannte, sei es, daß er z.B. 100 Jahre später lebte als der Autor oder aber aus einer ganz anderen Gegend kam als dieser. Die hier angedeuteten Probleme sind keineswegs so theoretisch, wie es zunächst den Anschein haben mag.

Paul Meyer[13] sieht in dem Vers *Sirvens sui avutz et arlotz* des Raimon d'Avignon[14] das älteste Beispiel[15] für *sum habutus*. Im 11. Lied Wilhelms von Poitiers[16] kann man jedoch in der Handschrift R für die siebte Strophe ein *soy avut* nachweisen. Jeanroy nimmt für den offiziellen Text als *Manuscrit de base* die Handschrift D[17], in der die Strophe wie folgt lautet[18]:

> *De proeza e de joi fui,*
> *Mais ara partem ambedui;*
> *E eu irai m'en a scellui*
> *On tut peccador troban fi.*

Nach R müßte es aber heißen[19]:

> *De proesa e d'ardimen*
> *Soy avut, may vau m'en parten,*
> *Et ieu a seluy yray m'en*
> *On totz peccadors penran fi.*

Beide Handschriften stammen ungefähr aus derselben Zeit (14. Jhd.), wobei R wohl etwas jünger ist. Wir sind im vorliegenden Fall auch der Meinung, daß in R allerlei auf das Konto der Schreiber geht, nicht nur *soy avut* (es hätte im 11./12. Jhd. wohl auch *avutz* geheißen), doch nicht immer sind die Probleme so klar. Wie soll man z.B. Vers 6012–13 der *Chanson d'Aspremont*[20] interpretieren?

> *En halte cort ne devons estre eü,*
> *Se ne poons tenir un mescreü.*

Es ist möglich, *estre eü* als »être tenus« zu deuten. Nichts hindert uns jedoch *a priori* daran, »avoir été« zu verstehen. Gegen diese letztere Deutung spricht die Tatsache, daß *estre eü* das einzige Beispiel in der ganzen Chanson (11376 Verse!) wäre, in der es sonst *avoir esté* heißt[21].

---

[13] *Romania* 35 (1906), S. 359, Anm. 1.

[14] Anfang 13. Jahrhundert.

[15] Das obige Beispiel Gavaudans, das wohl älter ist, scheint Meyer anders interpretieren zu wollen.

[16] In der Ausgabe der *CFMA* von Jeanroy.

[17] Als Graphie legt Jeanroy im allgemeinen die von C zugrunde.

[18] S. 40.

[19] Vgl. S. 43 der Ausg. Jeanroys.

[20] Ausgabe von L. Brandin in den *CFMA*.

[21] *estre eü* im Sinne von »être tenu« ist allerdings auch ungewöhnlich, weil für diese Bedeutung seit den frühesten Zeugnissen *tenir* gebraucht wird.
Die *Chanson d'Aspremont* stammt aus dem 12. Jhd., die Handschrift W (= Wollaton Hall), nach der Brandin den Text wiedergibt, aus der zweiten Hälfte des 13. Jahrhunderts.

Sieht man nun von den vorstehenden Problemen ab und begnügt sich mit etwas elastischeren Angaben, so darf festgestellt werden, daß man den Ersatz von *ich bin gewesen* durch *ich bin gehabt* in literarischen und nicht-literarischen Texten des französischen und frankoprovenzalischen, pro-venzalischen und norditalienischen Sprachgebietes seit dem Ende des 12. bzw. dem Anfang des 13. Jahrhunderts antrifft und daß im Mittel-alter das Poitou[22] die westliche, das Piémont und die Lombardei[23] die östliche und Katalonien[24] die südliche Grenze des Phänomens gewesen zu sein scheinen. Für den Norden ist eine Begrenzung schwieriger, doch sollte man als groben Anhaltspunkt Burgund festhalten[24a].

Für die neuere Zeit ist es leichter, das für *sum habutus* und ähnliche Er-scheinungen in Frage kommende Gebiet abzustecken, weil man über zahlreiche Mundartmonographien und über die Sprachatlanten verfügt. Im zweiten Band[25] seiner Grammatik der romanischen Sprachen gibt Meyer-Lübke schon ohne die Hilfe der Atlanten eine ziemlich genaue geo-graphische Begrenzung unseres Phänomens, die Gauchat[26] 1901 nur noch durch den schweizerischen Kanton Wallis ergänzt, den Meyer-Lübke aus-gelassen hatte[27]. Zieht man nun noch den *ALF*, den *AIS* und die *Tableaux phonétiques des patois suisses romands* zu Rate, so findet sich unsere Konstruktion in der Haute-Marne, Haute-Saône, im Gebiet um Belfort, in der Yonne, Côte-d'Or, im Doubs, in der Nièvre, der Saône-et-

---

[22] Man vgl. etwa F. Tendering, *Laut- und Formenlehre des poitevinischen Katharinenlebens*, Herrigs Archiv 67, 1882, S. 305, und Boucherie, *Le dialecte poitevin au XIIIe siècle*, S. 85: »Li plusor sont ogu confès e acumengé.«

[23] Filzi, *Contributo alla sintassi dei dialetti italiani*, S. 57, gibt auch ein alt-venezianisches Beispiel. Um ganz genau zu sein, müßte man auch das Altveronesische (Katharina) und das Tessin nennen.

[24] Mussafia, *Ich bin gehabt = ich bin gewesen, Jahrbuch für romanische und englische Philologie* 5, 1864, S. 248, gibt ein katalanisches Beispiel aus Keller, *Romvart*, 699: »... *gran be qui conagut*
  No fora si no fos haut
  Peccat e pena per peccat.«

[24a] Fr. Diez, *Grammatik der romanischen Sprachen* II[3], S. 149–50, Anm., erwähnt *sum *habutus* und gibt eine summarische Begrenzung des Phä-nomens: »Einen merkwürdigen bei diesem Verbum [essere] vorkommen-den Idiotismus der Alten *sono avuto* für *sono stato*, auch im Provenzali-schen, Altfranzösischen, Catalanischen, Waldensischen vorkommend, be-spricht Mussafia, *Beiträge zur Gesch. der roman. Spr.*, S. 24, vgl. auch Bartsch zu Sancta Agnes S. 68.«

[25] § 344.

[26] *Sono avuto, Scritti vari off. a E. Monaci*, S. 61–65.

[27] Meyer-Lübke, *loc. cit.*, spricht von einem Gebiet, »das nördlich am wel-schen Belchen beginnt, sich durch Franche-Comté, Burgund, die franzö-sische Schweiz und die Dauphiné zieht, das Wallis und Savoyen beiseite läßt, aber auch einen Teil Oberitaliens umfaßt, ...«

Loire, im Jura und Ain, im Puy-de-Dôme[28], in der Haute-Loire und der Isère, in der Drôme, den Hautes-Alpes, Alpes-Maritimes und 1892 noch im Poitou[28a], in den Schweizer Kantonen Neuchâtel, Vaud, Fribourg, Bern und Wallis, im Tessin[29] und Graubünden[30] und schließlich an den Punkten 115 (Ornavasso) und 117 (Antronapiana) des *AIS*, die in der Provinz Novara liegen und sprachlich zur Lombardei gehören.

Dauzat, der die Konstruktion *sum habutus* in seiner Morphologie der Mundart von Vinzelles zitiert[31] und der ihre Existenz neben der Form *sum status* bezeugt, glaubt, daß »cette hésitation tient à l'absence de participe chez ESSE en latin classique«[32]. Man sieht aber dann nicht recht ein, warum denn *sum habutus* neben *sum status* existiert, wo doch beide die gleiche Funktion haben, und selbst wenn es nur *sum habutus* gäbe, ist doch schwer zu begreifen, warum zu einer Zeit, da *esse* und *habere* im funktionalen und semantischen Bereich noch gut getrennt waren, das erstere nun gerade das Partizipium seines direkten Konkurrenten übernommen hätte, obwohl eine ganze Reihe semantisch näherstehender Verben (z. B. *stare, sedere*) sich für die Ausfüllung der Lücke anbot und ja auch in der ganzen Romania entsprechende Berücksichtigung gefunden hat.

In einer Besprechung der Dissertation G. Dobschalls[33], die eine verdienstvolle Zusammenstellung der verschiedenen Möglichkeiten bei der Bildung

---

[28] Der *ALMC* vermerkt Nr. 1898 (Bd. III): »Au point 11, le participe de *être* est remplacé par celui de *avoir*.« Als Beispiele zitiert er: *i ḍu* »il a été«, *sõ ḍu* »ils ont été«, *i ḍutǫ* »elle a été«, *sõ ḍutę* »elles ont été«, *i pa ḍu numǎ* »il n'a pas été nommé«. Punkt 11 ist Cistrières und befindet sich an der Nordgrenze der Haute-Loire. Man vgl. auch A. Dauzat, *Morphologie du patois de Vinzelles*, S. 193–94.

[28a] Vgl. Rousselot, *De vocabulorum congruentia*, S. 26. Der *ALF* bietet nichts für das Poitou.

[29] S. Punkt 41 des *AIS*. Vgl. Salvioni in *AGI* 9, S. 188–248, und 16 S. 549–590. Cavergno liegt in der Valmaggia.
Das von Salvioni, *AGI* 9, S. 231–33, für *sum habutus* in Anspruch genommene tessinische *somba* (vgl. Meyer-Lübke, *Gr. d. rom. Spr.* II, §§ 270 und 344) ist von O. Keller, *ZRP* 58, S. 526ff., mit überzeugenden Argumenten verworfen worden; *-ba* ist nicht gleich *bü* < *habutu*, sondern entspricht lat. *bene*.

[30] Punkt 45 des *AIS* (Soglio im Kreis Bregaglia). Zu bergellischen Mundarten vgl. auch H. Morf, *Drei bergellische Volkslieder, Nachr. von der königl. Ges. der Wiss.*, 1886, S. 73–90. S. 88 erwähnt Morf auch die Formen *sum habutus*, die er lombardischem Einfluß zuschreibt.

[31] *op. cit.*, S. 193f.

[32] Vorsichtiger sagt H. Schmid: *Zur Formenbildung von* dare *und* stare *im Romanischen*, S. 132, Anm. 2: »Ist vielleicht die Formel SUM HABUTUS für das periphrastische Perfekt von *esse* (›ich bin gewesen‹) (vgl. *RG* 2, 385, u.a.) eine späte Folge der unvollständigen Formenreihe von lat. *esse* ?«

[33] *Wortfügung im Patois von Bournois* (Département du Doubs), Diss. Heidelberg, Darmstadt 1901.

128

der zusammengesetzten Zeiten von *haben* und *sein* gibt, versucht E. Herzog[34] *sum* *habutus durch die überzusammengesetzten Zeiten zu erklären: »Wie *j'ai eu porté* neben *j'ai porté* bestand, so bildete man *je suis eu allé* zu *je suis allé, il est eu trouvé* zu *il est trouvé, je me suis eu assis* zu *je me suis assis*, was ja das weit verbreiteteste und am ältesten belegte zu sein scheint; oder aber wo *je suis été* bestand wie im Prov. Ital., konnte umgekehrt zu *je suis été allé* ein *j'ai été porté* statt *j'ai eu porté* gebildet werden (Arr. de Pontarlier); dann weiter im ersten Fall wegen *je suis allé = je suis malade* zu *je suis eu allé* ein *je suis eu malade* statt *je suis été malade* oder *j'ai été malade*, im zweiten Fall wegen *j'ai porté = j'ai une maison* zu *j'ai été porté* ein *j'ai été une maison*.« Es folgen dann weitere Ausführungen über den totalen Zusammenfall von *ich bin gewesen* und *ich habe gehabt*, die bald mit einer *forma unica habeo habutu*, bald mit *habeo statu* realisiert werden. Herzogs Hypothese krankt vor allem daran, daß die ältesten Beispiele für *sum habutus* »ich bin gewesen« nicht in überzusammengesetzten Konstruktionen vorkommen[35], und er hat selbst in der Folgezeit auf diese seine Erklärung verzichtet.

Daß natürlich lautliche Entwicklungen bei der Konstituierung der Perfektparadigmen von *sein* und *haben* eine Rolle gespielt haben, ist höchst einleuchtend. Wenn Vouxey für *sein* und *haben* nur *j'ai eu*, Sanchey nur *j'ai été* kennt, so mag das damit zusammenhängen, daß in den östlichen Mundarten manche Präsensformen von *sein* und *haben* zusammengefallen sind. Wenn in der Mundart von Bournois[36] (Arr. Montbéliard) die zweite Person Sg. und Pl. des Präsens von *haben* und *sein* gleich sind (2 *té* 5 *vóz é*), folgt daraus ganz natürlich, daß auch die entsprechenden Personen des zusammengesetzten Perfekts identisch sind, vorausgesetzt allerdings, daß *sein* schon das Partizip von *haben* übernommen hatte, und das scheint ja in der Tat der älteste Wandel innerhalb des hier besprochenen Formensystems zu sein, da die ältesten Texte nur den Ersatz von *status* durch *habutus* kennen, nicht den umgekehrten Prozeß *status* für *habutus*. Auch kommt es in der alten Zeit nie zur Homonymie der beiden Sinnträger für *ich bin gewesen* und *ich habe gehabt*. Sind aber einmal zwei von sechs Personen identisch (2 *té ěvu* »du hast gehabt« und »du bist gewesen«, 5 *vóz é ěvu* »ihr habt gehabt« und »ihr seid gewesen«), so kann die Analogie ein Übriges tun und das ganze Paradigma entsprechend ausgleichen.

Nach Gauchat[37] ist *sum* *habutus aus der Konkurrenz von *es* und *a* im

---

[34] *ZRP* 26, 1902, S. 737–741; vgl. für unser Problem S. 740. Herzog erwähnt das Problem *sum habutus* schon in seinen *Materialien zu einer neuprovenzalischen Syntax*, § 42 (in: *25. Jahresbericht der K. K. Staats-Unterrealschule im V. Bezirk von Wien*; Wien 1900).

[35] Vgl. M. Cornu, *Les formes surcomposées en français*, S. 20: »Au demeurant, les formes surcomposées sont absentes de la poésie des troubadours.«

[36] Cf. Ch. Roussey, *Glossaire du Parler de Bournois*, S. XLIV–XLV.

[37] *Sono avuto, op. cit.*, 64–65.

Sinne von »es gibt« entstanden. Wie es nämlich neben *a plenetat de genz* auch *es plenetat(z) de genz* heißt, sagt man im zusammengesetzten Perfekt *a agut plenetat de genz* neben *es estada plenetatz de genz*[38]. Aus der Kreuzung von *a agut* und *es estat(z)* in der zitierten syntaktischen Verwendung sei es zu *es agut(z)* gekommen, das sich von hier aus dann auch auf andere Konstruktionen erstreckt habe. G. Paris[39] und P. Savj-Lopez[40] finden diese Erklärung überzeugend, während Salvioni[41] sich skeptisch zeigt: »Confesso di non potermene persuadere, per quanto alla mia volta nulla possa proporre. Nella Lombardia[42], p. es., non si dice che *el gh'è* ›vi è‹, ma *el g'a* ›vi ha‹.« Wir meinen, daß Gauchats Lösung einerseits weder grundsätzlich zu verwerfen ist noch andererseits als allein ausreichend angesehen werden darf. Sie enthält wohl ein Körnchen Wahrheit, aber nicht die ganze Wahrheit, jedenfalls nicht nach unserer Auffassung[43].

Wir sagten schon, daß E. Herzog seinen ersten Lösungsversuch zurückgezogen hat, und deuteten eingangs an, daß er im Rahmen einer größeren Arbeit über die Lehre vom syntaktischen Wandel, dargestellt am *to*-Partizip[44], eine zweite Lösung vorgeschlagen hat. Hierbei führt er *sum habutus* direkt auf lateinisches *haberi* als Vorbild zurück, da dieses sowie auch *se habere*, später *habere* allein, im Sinne von »sich befinden; gehalten, gehabt werden« in manchen Wendungen zu *esse* in Konkurrenz tritt. Es sei erlaubt, seine Beispiele zu zitieren, die sich jedoch leicht durch weitere aus dem *Thesaurus Linguae Latinae* ergänzen lassen:

1. *Ecclesia in qua illi supra memorati habentur lapides.*
2. *Abentur namque in dicto vico balnea calida.*
3. *De spelunca in rupe montis Oliveti habita.*
4. *Cella hospitum quae ex antiquo habita fuit.*
5. *Habebat de eo loco ad montem Dei quatuor milia* (unpers.).
6. *Habet in ipsa cripta hebraeis litteris scriptum nomina.*
7. *Et deus in te est et praeter te non alter habetur.*
8. *Ibi habetur capella, quae inibi habere videntur.*
9. *Quorum pignora in ipso monastirio habentur inserta.*
10. *Nisi quod hic descriptum habetur.*

Auch Schauwecker[45] scheint dieser These beizupflichten. Er ist sogar

---

[38] G. Paris gibt in seiner Besprechung des Gauchatschen Aufsatzes (*Rom.* 31, 1902, S. 604) diesen Satz in der Form *es estat plenetat(z) de genz.*
[39] *op. cit.* [40] *ZRP* 27, 1903, S. 218. [41] *AGI* 16, S. 208.
[42] Wo es ja die Formel *sum habutus* gibt!
[43] Auch Ronjat, *Gram. ist. des parlers provençaux mod.* III. § 585, meint, man müsse mehrere Ausgangspunkte annehmen. Dem schließt sich Foulet, *Rom.* 51, S. 238, Anm. 5, an: »L'explication donnée jusqu'à présent ... – selon laquelle *sum habutus* serait en dernière analyse le produit d'une confusion entre *a agut* et *es estatz* – n'est pas fausse, mais elle n'est pas assez compréhensive.«
[44] *op. cit.*, S. 183ff.
[45] *Die Genera Verbi im Französisch/Provenzalischen*, *ZFSL* 70, 1960, S. 69ff.

noch konsequenter als Herzog; denn er sieht im provenzalischen *avutz* die Fortsetzung des lateinischen *habitus* im Sinne von »befindlich, seiend«. Folglich entspricht einem *habitus sum* ein prov. *soi avutz*, und zwar nicht mehr in der Bedeutung eines Perfekts »ich bin gewesen«, sondern präsentisch »ich bin seiend, ich bin«. Wir können uns dieser Meinung keineswegs anschließen. *Soi avutz* ist für uns ein Perfekt und heißt »ich bin gewesen«, wie denn auch *era avutz* nicht »ich war«, sondern »ich war gewesen« heißt. Daß aber das Plusquamperfekt an die Stelle des Imperfekts und das Perfekt an die Stelle des Präsens tritt – Schauwecker gibt zur Unterstützung seiner These entsprechende Beispiele –, ist eine ganz andere Frage, die vom Problem *soi avutz* statt *soi estatz* getrennt behandelt werden sollte.

Wir glauben nicht an die Erhaltung des lat. *haberi, se habere, habere* »sich befinden« im Romanischen[46]; denn nirgends in der Romania, weder in alter noch in neuer Zeit – soweit wir informiert sind natürlich –, gibt es so etwas wie **Charles a à Toulon* oder **Pierre s'avait dans la cuisine* in der Bedeutung von »Karl befindet sich in Toulon« bzw. »Peter befand sich in der Küche«[46a]. Selbst das unpersönliche *haben*, das in der Bedeutung »es gibt« existiert, tritt nur mit einem folgenden Akkusativ bzw. Obliquus auf, jedenfalls in der alten Zeit und bei korrekter Ausdrucksweise. Es mag allerdings sein, wie wir weiter oben schon durchblicken ließen, daß *habere* ursprünglich in den romanischen Sprachen noch mit der vollen Bedeutung »haben, halten, besitzen« übernommen wurde und natürlich von diesem transitiven Verbum ein Passiv gebildet werden konnte, das in gewissen Fällen – man denke an das oben zitierte Beispiel *ung ort que ero agut* – mit *sein* vertauscht werden mochte.

Versuchen wir nun, das Problem auf einer ganz anderen Ebene zu betrachten und einer Lösung zuzuführen. Wir wollen dabei von vornherein feststellen, daß nicht nur *sum habutus* »ich bin gewesen« zu erklären ist, wenngleich das wohl die ältest bezeugte Wendung ist und fast alle Forscher nur ihr ihre Aufmerksamkeit zuwandten, sondern daß es gleichfalls gilt, *habeo statu* »ich habe gehabt« und einige andere Konstruktionen mit in unseren Lösungsversuch einzubeziehen. Da wir über die beiden Infinitive *habere* und *esse* sowie die entsprechenden Partizipien *habutu* und *statu* verfügen – wir nehmen die lateinischen Formen als Stellvertreter

---

[46] J. Stefanini, *La voix pronominale en ancien et en moyen français*, S. 485, Anm. 4, akzeptiert Herzogs These, fügt aber eine wichtige Einschränkung bei: »Nous acceptons pour notre part cette explication, en soulignant que de telles formes [z. B. *sum habutus*] ont été possibles, du jour seulement où *(h)avere* a pris un sens suffisamment abstrait pour se rapprocher de ce verbe de signification fort abstraite, de compréhension si pauvre et d'extension si vaste qu'était *esse(re)*.«

[46a] Wenn es ein *soi avoir* »sich befinden, sein« im Altfranz. gegeben hätte, würde sich die Form *sui eüs* gut erklären durch den ganz normalen Wegfall des Reflexivpronomens in den zusammengesetzten Zeiten. Für das Aprov. und Aital. gilt das gleiche.

für die im einzelnen verschiedenen romanischen Resultate[47] –, wollen wir jeden Infinitiv mit jedem Partizip kombinieren und bekommen so die 4 Formen *habere habutu, habere statu, esse habutu* und *esse statu*. Wir postulieren nun, daß theoretisch eine jede dieser 4 Formen sowohl *gehabt haben* als auch *gewesen sein* bedeuten kann und errechnen die Zahl der überhaupt möglichen Kombinationen an dem folgenden Schema:

gehabt haben

		I* *habere* *habutu*	II* *habere* *statu*	III* *esse* *habutu*	IV* *esse* *statu*
gewesen sein	I *habere habutu*	13	4	7	10
	II *habere statu*	1	14	8	11
	III *esse habutu*	2	5	15	12
	IV *esse statu*	3	6	9	16

Wie wir hieran ablesen können, gibt es im ganzen 16 mögliche Verbindungen, von denen nur 4 homonymisch sind (13, 14, 15, 16). Man kann den Sachverhalt auch mathematisch ausdrücken und sagen, es gibt n homonymische, $n^2 - n$ nicht-homonymische und n^2 Kombinationen insgesamt, wobei n selbstverständlich der Anzahl der anfangs geforderten Sinnträger für einen Begriff (z.B. *gewesen sein*) entspricht. Man wird zugeben, daß 12 Kombinationen, die die Homonymie vermeiden, eine ganz stattliche Anzahl sind und daß die Sprache meistens nicht so viele Ausweichmöglichkeiten hat. Um so erstaunter ist man bei der Feststellung, daß man die homonymischen Lösungen 13 und 14 in einer Reihe von Mundarten antrifft, während von den 12 nicht-homonymischen Kombinationen 5[48] nachweislich realisiert sind. So findet sich:

»gehabt haben« »gewesen sein«

1 *habere habutu – habere statu* z.B. im Schriftfrz., Altprov.[49]
2 *habere habutu – esse habutu* z.B. im Altprov., Altfrz., Altnordital., in zahlreichen modernen Mundarten.

---

[47] Statt *habere* und *esse(re)* könnte gegebenenfalls *tenere* und *stare*, für **habutu* ein **tenutu*, für *statu* ein **statutu*, **essutu*, **sedutu* usw. eintreten.

[48] Es ist durchaus möglich, daß neue Materialien die Existenz weiterer Kombinationen aus unserem Schema beweisen.

[49] Wir geben im Anschluß an dieses Kapitel eine Reihe von Beispielen. Vgl. Anhang.
Die Kombination 1 findet sich natürlich außerhalb des hier behandelten Gebietes etwa im Rumänischen und in den Sprachen der iberischen Halbinsel.

3	*habere habutu*	− *esse statu*	z.B. im Altfrz., Altprov., Italienischen alter und neuer Zeit, in modernen Mundarten.
4	*habere statu*	− *habere habutu*	z.B. in Mazelay[50] und an Punkt 47 des *ALF*.
6	*habere statu*	− *esse statu*	z.B. im Arrondissement von Pontarlier[51].
13	*habere habutu*	− *habere habutu*	z.B. im Arrondissement von Neufchâteau[51].
14	*habere statu*	− *habere statu*	z.B. im Arrondissement von Epinal[51].

Manche Mundarten schwanken auch in ihrem Gebrauch (z.B. Mazelay) und realisieren den Begriff »ich habe gehabt« z.B. bald durch *habeo habutu*, bald durch *habeo statu*, wobei die Wahl der einen oder andern Form von der Laune des Sprechers abzuhängen scheint. Wie soll man nun aber diese Vielzahl der Kombinationsmöglichkeiten, die jedweder sprachlichen Ökonomie zu widersprechen scheint, erklären ?

Zunächst möchten wir meinen, daß es für die verschiedenen Phänomene in den einzelnen Gebieten der Romania nicht notwendigerweise der gleiche Grund gewesen ist, der beim Ersatz von *status* durch *habutus*, von *habutus* durch *status* usw. ausschlaggebend war. Außerdem ist auch der Zeitpunkt des Auftretens ein und desselben Phänomens nicht unbedingt an allen Orten der gleiche gewesen. Es wäre z.B. möglich, daß *sum habutus* von einem Zentrum aus gewandert ist[52] und ein zeitlicher Unterschied im Auftreten an den einzelnen Orten dadurch bedingt ist. Nichts widerspricht aber auch der Möglichkeit, daß ein Phänomen X in A Jahrzehnte später auftritt als in B, daß es dabei unabhängig von B durch dieselben Gründe wie die, die in B wirkten, bedingt ist oder aber durch ganz andere, die trotzdem zum gleichen Resultat führten.

Es ist also nicht nötig, Gauchats Lösung oder Herzogs ersten Vorschlag oder phonetische Entwicklungen in einzelnen Mundarten usw. sang- und klanglos als nicht stichhaltig abzutun. Die Frage ist nur, ob man für x Mundarten oder Mundartgruppen nun x verschiedene Lösungen suchen muß, oder ob man nicht eine allgemeinere Erklärung findet, die sozusagen den gemeinsamen Nenner für alle Einzellösungen bildet und die überhaupt den tieferen Grund für die von uns umrissenen sprachlichen »Phantasien« darstellt. Wir erwähnten bereits, daß *habere* und *esse* schon im Lateinischen in Konkurrenz traten. Seit der späten Latinität und vor allem seit der Herausbildung der romanischen Sprachen wurde diese Konkurrenz immer größer. Das Schwanken der einzelnen romanischen Sprachen im Gebrauch von *haben* und *sein* ist hinlänglich bekannt. Als ein Beispiel für die geringe Fixierung des Gebrauchs in der nicht-kodi-

---

[50] Diese Kombination kann sich jedenfalls nach den von Adam, *op. cit.*, S. 121, beigebrachten Materialien einstellen.

[51] Man vgl. hierzu auch Dobschall, *op. cit.*, S. 51–53.

[52] Gauchat, *op. cit.*, S. 63, schließt das aus.

fizierten Sprache seien die Varianten *il s'est amusé, il s'a amusé* und *il a s'amusé, il est tombé, il a tombé* und *il s'est tombé* in der Volkssprache, in den Mundarten und im Kindermund zitiert. Bei den Modalverben *dovere, sapere, volere* und *potere* ist ein solches Schwanken in der italienischen Hochsprache zur Regel geworden, da hier in den zusammengesetzten Zeiten das flektierte Hilfszeitwort vom nachfolgenden Infinitiv bestimmt wird: *non sono potuto venire*, aber *ho potuto cantare*. Ähnlich hieß es im älteren Französisch: *du puis ou elle estoit deue cheoir; s'étant su lui-même avertir; et Mignot aujourd'hui s'est voulu surpasser*[53]. Auch im Provenzalischen war das üblich: *es volgu descendre*[54]; *es volgu muryr*[55]; *se son poguts escapa*[56]. Wir erinnern ebenfalls an den Wechsel von *avere* und *essere* bei unpersönlichen Verben im Italienischen: *ha nevicato* und *è nevicato; ha piovuto* und *è piovuto*. Interessant ist auch folgender Satz aus Rabelais, den Gamillscheg zitiert[57]: *Quand elle fut entree en sa maison et fermé la porte après elle . . .* Hier ist das Hilfszeitwort *haben* vor *fermé* ausgelassen, obwohl es doch eigentlich erscheinen sollte, da das zu *entree* gehörige *fut* ja normalerweise nicht bei *fermer* mit aktivem Sinn steht. Ein solches Verfahren der Sparsamkeit im Ausdruck – die ja keineswegs dem Verständnis zu schaden scheint –, ist von Tobler[58] bis ins 17. Jahrhundert belegt[59].

Wir haben in den vorausgehenden Kapiteln zur Genüge dargetan, wie in den verschiedensten Gebieten der Romania mannigfache Gründe bewirkt haben, daß *sein* für *haben* und *haben* für *sein* eintrat, und wir möchten auch das Problem *sum habutus* mit all seinen Ausläufern in diesen Gesamtrahmen gestellt wissen. Zusammenfassend könnte man dann sagen: Seit den Zeiten des klassischen Lateins bis in unsere Tage

---

[53] Siehe Tobler, *Vermischte Beiträge* II, S. 37–38.

[54] *Istorio de Sanct Pons*, Vers 4283.

[55] *Istoria Petri et Pauli*, Vers 4913.

[56] Ronjat, *op. cit.*, § 583. Vgl. auch ibidem, § 808.

[57] *Historische französische Syntax*, S. 573.

[58] *Vermischte Beiträge* I, S. 89–90.

[59] Ein zunächst auffälliger Gebrauch des Hilfszeitworts *sein* in Verbindung mit dem Partizip von afrz., aprov. *prendre*, aital. *prendere*, gehört hier nicht direkt hin. Es handelt sich um Fälle wie *Pos de chantar m'es pres talentz; D'un sirventes m'es grans voluntatz preza; De mangier et de boire li estoit talens tres; Ne sai, don la dolors m'est prise*. In all diesen Fällen ist *prendre* intransitiv und das entsprechende Pronomen *(me, te, li)* ein Dativ. Man denke auch an modernes *qu'est-ce qui lui prend (- lui a pris)*. Sogar bei Mistral, *Mirèio*, Gesang IX; 50, 346 (Koschwitz, S. 198) heißt es: *A ieu m'a pres coume un catàrri*. Wir verzichten darauf, auf die Erklärung näher einzugehen. Die Erscheinung wird ausführlich fürs Französische besprochen von H. Kjellman, *Studier i Modern Sprakvetenskap* 6, S. 299–315. Erwähnt wird sie z.B. bei Diez, *Gr.* III³, S. 130; Cesare de Lollis, *Sordello di Goito*, S. 261; Hofmann, *Avoir und Estre*, S. 24; Wiese, *Altitalienisches Elementarbuch*, S. 174; Plattner, *Ausf. Gr. der franz. Spr.*, 2. Teil, 2. Heft, S. 170.

stellen wir für die romanischen Sprachen eine ständig fortschreitende Entsemantisierung von *haben* und *sein* fest. Im Laufe dieses Prozesses haben die beiden Verben mehr und mehr von ihrer Grundbedeutung und ihrem konkreten Sinn verloren, um dadurch gleichzeitig an grammatischer Abstraktion zu gewinnen, die sie zu hervorragenden Relationswerkzeugen zum Ausdruck vor allem temporaler und personaler Begriffe machte. Verschiedene Konstruktionen haben dazu beigetragen, die funktionale und semantische Annäherung von *sein* und *haben* zu bewerkstelligen bis zu dem Tag, an dem eine Mundart *x* den Pleonasmus empfunden hat und daraufhin das Partizipium des einen oder anderen der beiden Verben eliminierte, da für die Klarheit der Aussage der Unterschied in den flektierten Formen des Hilfsverbs genügte. Einer andern Mundart *y* war jedoch ein gewisser Reichtum des Ausdrucks durchaus willkommen, und sie bediente sich der beiden Formen, z. B. *habeo habutu* und *habeo statu*, jedoch ohne irgendeinen Unterschied, bald für *haben* und bald für *sein*, wodurch natürlich die Ausdrucksmöglichkeiten verdoppelt werden. Wir finden hier zwei Grundtendenzen der Sprache wieder, die eine zur Klarheit, zur Eindeutigkeit, aber auch zur Sparsamkeit, die andere zum Reichtum der Formen, zur Synonymik, ja sogar zum Verschwommenen. Schließlich haben wir eine dritte Kategorie von Mundarten, die sich für eine *forma unica* entscheiden, wobei der gewählte Sinnträger gleichzeitig *ich bin gewesen* und *ich habe gehabt* bedeutet. Man könnte geneigt sein zu glauben, die Sprache habe in diesem Fall gegen ihre Primärfunktion verstoßen, nämlich die, ein präzises, eindeutiges Kommunikationsmittel zu sein. Daß dem nicht so ist, braucht im Rahmen dieser Untersuchung nicht noch einmal eigens bewiesen zu werden.

Wir wollen es zum Schluß nicht unterlassen, auf eine mögliche Kreuzung von *soi estat(z)* und *ai avut* im Provenzalischen[60] hinzuweisen. Das Altprovenzalische besaß zu der Zeit, die hier in Frage kommt (13. Jhd.), für den Begriff »ich bin gewesen« zwei Formen (*ai estat* und *soi estat(z)*), wogegen »ich habe gehabt« durch *ai avut, agut, aut* ausgedrückt wurde. Da nun *soi estatz* und *ai estat* vollkommen synonym waren, und der Einfluß bzw. das Vorbild von *ai agut* als direkter Gegenspieler sich geltend machte, ist vielleicht nicht auszuschließen, daß man den formalen Unterschied zwischen *soi estatz* und *ai estat* von den flektierten Formen auf das Partizipium verlegte. Schematisch wäre der Prozeß so verlaufen:

---

[60] Für das Französisch-Frankoprovenzalische und das Italienische liegen ähnliche Sachverhalte vor.

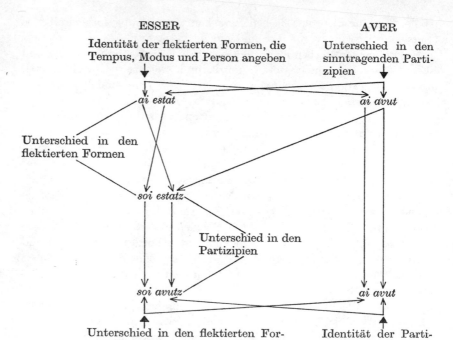

ANHANG

Belegmaterial zu *soi avutz* und ähnlichen Konstruktionen

Die folgenden Materialien legen keinerlei Wert auf Vollständigkeit. Wir könnten sie leicht auf das Doppelte ausdehnen, ohne daß damit allerdings irgend etwas für unsere Probleme gewonnen würde. Wir konnten es uns jedoch nicht versagen, wenigstens einen kleinen Teil hier zu veröffentlichen, um der künftigen Forschung zumindest teilweise die mühsame Sammeltätigkeit zu ersparen. Wir versehen unsere Beispiele mit laufenden Nummern und geben ihnen genügend klare Stellennachweise bei. Für die modernen nordfranzösischen und frankoprovenzalischen Mundarten verweisen wir auch auf Herzogs *Neufranzösische Dialekttexte* sowie auf die *Tableaux Phonétiques des Patois Suisses Romands*, Col. 306–308.

GALLOROMANIA INSGESAMT
MUNDARTAUFNAHMEN

ALF, K. 32: *sont allés*

1.	P. 3	*sõ ŭ*	8.	P. 45	*õ évŭ*
2.	P. 4	*sõr ě̆*	9.	P. 54	*sõ ềvŭ*
3.	P. 6	*sõz ě̆*	10.	P. 55	*sõ ềvŭ*
4.	P. 21	*sõ ǎvŭ*	11.	P. 56	*sõ ǎvŭ*
5.	P. 23	*sõ ềvŭ*	12.	P. 104	*sõ ŭ*
6.	P. 25	*sõ ǎvŭ*	13.	P. 105	*ề sõ ŭ*
7.	P. 44	*sã̆ ềvŭ*	14.	P. 969	*sõ̆j ǒ*

ALF, K. 102: *j'ai eu*

15.	P. 16	*y ề été*	19.	P. 47	*y ầ étŭ*
16.	P. 19	*y ề été*	20.	P. 63	*iy ềz é*
17.	P. 31	*y ề été*	21.	P. 194	*djy ā stǒ*
18.	P. 41	*y ề ềtǽ*			

137

22.	P. 6	*óz ǽ*	35.	P. 61	*l èz ŭvà*
23.	P. 23	*ó évŭ*	36.	P. 63	*éz é*
24.	P. 28	*à ǽ*	37.	P. 64	*àt évŭ*
25.	P. 38	*è ǽ*	38.	P. 70	*ḷ èj ŭ*
26.	P. 42	*sõ èvŭ*	39.	P. 71	*è óyŭ*
27.	P. 43	*ó èvŭ*	40.	P. 72	*àt àvŭ*
28.	P. 44	*ó évŭ*	41.	P. 73	*àt èyŭ*
29.	P. 47	*è ǽ*	42.	P. 120	*ăz ǽ*
30.	P. 49	*óz ǽy*	43.	P. 898	*éz àgŭdà*
31.	P. 53	*ó évu*	44.	P. 976	*d ĕ zŭ*
32.	P. 55	*ò èvŭ*	45.	P. 978	*é j ǻ*
33.	P. 56	*ó évŭ*	46.	P. 979	*y è àucà*
34.	P. 60	*l éj ó*	47.	P. 989	*l èşà àŭk*

48.	P. 3	*ĭn sõ ŭ*	66.	P. 54	*nŭ sõ àvŭ*
49.	P. 4	*ĭn sõ̦ ǽ*	67.	P. 55	*nó sõ àvŭ*
50.	P. 5	*ĭn sõr ǽ*	68.	P. 62	*nó sḛz ó*
51.	P. 6	*j sõz ǽ*	69.	P. 63	*nó sḛ é*
52.	P. 17	*j sõz è*	70.	P. 64	*nó sõt èvŭ*
53.	P. 23	*nŭ sõ vŭ*	71.	P. 65	*nǽ sõ àvŭ*
54.	P. 25	*ĭ sǻ évŭ*	72.	P. 71	*nó sḁ òyŭ*
55.	P. 27	*j õ y ǽ*	73.	P. 72	*nó sõt àvŭ*
56.	P. 28	*j sõ ǽ*	74.	P. 73	*nó sõt èyŭ*
57.	P. 35	*è sõ àvŭ*	75.	P. 74	*nó sõt àvŭ*
58.	P. 36	*ĭ sõ èvŭ*	76.	P. 75	*nó sõt àvŭ*
59.	P. 38	*j sǻ ǽ*	77.	P. 105	*ĭ n ǻ ŭ*
60.	P. 42	*nó sõ èvŭ*	78.	P. 897	*syǻ àgŭ*
61.	P. 44	*ĭ sõ àvŭ*	79.	P. 939	*õn éz àò*
62.	P. 45	*ĭ sõ àvŭ*	80.	P. 966	*nó sḛ éhŭ*
63.	P, 46	*ĭ sõ àvŭ*	81.	P. 979	*nŭ ʦḛ àŭp*
64.	P. 52	*nó sḛz ǽ*	82.	P. 989	*nó ʦḛ̦ àvŭk*
65.	P. 53	*nŭ sǻ àvŭ*			

FRANZÖSISCH
GEDRUCKTE TEXTE

COUTUMIER DE BOURGOGNE

(Ausgabe Marnier)

83. S. 539, Kap. XI.
Liz gages m'est *heus enblez*, rendez le moi.
84. S. 540, Kap. XII.
Et se aucuns achate bestez ou autre chose, se à rendre vient, se il n'en
est heus saisis et vestis, et rendu ne li hait en l'une des partie [sic], on li

puet iugier, et à droit, que il doit rendre ce de quoi il *est heus saisis et vestis*, ce que il na heu, s'il tot l'a achaté, et ses deniers *paiez ne saisis* n'en *est heus*, ne puet-il rendre. – Et se tot ciz de cui il l'achata li couenta à rendre, pour ce *n'est-il pas heus saisis* ne ne la heu. –

85. S. 540, Kap. XIV.
Ceste beste est moie et *m'est heue emblée*, . . .

86. S. 558, Kap. XXXI.
Et se cele qui est encolpée *est heue reprise ou prouée* de charraies, ou de larrecin, on ne doit prendre son escondit, se par les sains ou par le iuis non.

GIRART DE ROUSSILLON

(Ausgabe Mignard)

87. S. 18, V. 344
Et maintes grant tresour y *sont héu trové* . . .

88. S. 143, V. 3317
Ou sovant *n'est éu* de li très bien *sommé* . . .

LÉGENDE DE THÉOPHILE

(Bartsch: Langue et Litt. franç.).

89. S. 480, 32
raviz sui aut et susplantez . . .

SERMONS POITEVINS

(Ausgabe Boucherie)

90. S. 85.
Seignors, passez est li quaresmes, passé est la pasque. Li plusor *sont agu confès e acumengé*, e ont deguerpi li plusor le déable e ses ovres, pris se sunt à De e à son servise.

TOBLER–LOMMATZSCH: ALTFRANZÖSISCHES WÖRTERBUCH

(Artikel *estre*)

91. Se li vrais fuz i *fust ëuz* (Eracle 5172).
92. et n'est pas a douter dou tout que plusor miracle n'i *soient hëu* (Légende de Girart de Roussillon 196).
93. nous ne nions pas qu'il *soit hëu(z)* voir (Leg. de G. de Rouss. 222).
94. Dame, se j'ain plus hautement Ke mestiers ne me *soit ëu* (Altfranz. Liederhs. Nr. 389 d. Stadtbibl. Bern 134, 4).

95. a mon vuel *Fussiez vous* evesques *ëus*, Quant notre evesques fu fëus. (Rutebeuf: Miracle de Théophile 362).
96. Lai seroie je conëuz, Por ce que par toz *soi ëuz* (Joufrois 2755).
97. Car j'estoie a Rome, quant ce cas cy *est hut* (Poème en quatrains sur le grand schisme 25, 4).
98. En son maistre palais ou nous *sumes hëu* (Gir. de Rouss., Ausg. Mignard 99).
99. Par moi *fussient hëu* en brief temps *secouru* (Gir. de Rouss., Ausg. Mignard 201).
100. Convint eulz paier le tréhu Que li autre ont paié qui devant *sont hëu* (Gir. de Rouss., Ausg. Mignard 248).
101. *astoit ëuz* de grant ammiration (Dialogue Gregoire lo Pape 16, 24).
102. cil vaisseaz de voire en cui *astoit häuz* cil morteiz boivres (Dial. Greg. 61, 18).

ITALIENISCH

MODERNE OBERITALIENISCHE BEISPIELE

103. *l'a bgiù viaggiòu* = ha avuto (ebbe) viaggiato (*AGI* 1, 271).
104. incur ca *l'en giùda rivǎda* = quando esse sono avute (furono) arrivate (*AGI* 1, 271).
105. chi *è-l bütt* = chi è egli avuto (chi è stato) (*Rom.* 2, S. 120).
106. Al Re, ca infin' in' issa l'era stagg indulent a paltrûn, l'è *giù* 'ncûsa ca 's dasdass su dal sonn (Papanti, 632, 16).
107. le *bì mando* vía (Nicolet, S. 80).
108. le *bǘa čirǎ* (Nicolet, S. 80).
109. awán le *bì* tanta bìl (Nicolet, S. 106).
110. le *büda bę̈ñ* čürǎdɑ (*AIS*, K. 709, P. 41).
111. lę *ğǘdɑ kürę̈dɑ* bé·ⁿ (*AIS*, K. 709, P. 45).
112. lę *bǘa mazinǎda drić* (*AIS*, K. 709, P. 115).
113. lę *byǘa bę̈ŋ kųrá* (*AIS*, K. 709, P. 117).

GEDRUCKTE TEXTE

BONVESIN DA RIVA

(Mussafia, Sitz.-Ber. Wiener Akad. 39, S. 546, soweit nicht anders angegeben.)

114. e s'eo no *fosse habiudho*, tu no havrissi quel honor.
115. dond tu *serissi habiudho* d'omiunca godhio plen.
116. Maria Egiptiana sì g'ha tuto confessao;
     digio g'ha in penitentia com'è *habiudho* so stao.
117. eo *sont habiudho* trop molle.
118. se tu no *fussi habiudha*, tu anima rational,
     eo no sereve venudho il fogo sempiternal.
119. inanze ka *esse habiudho* zamai to companion,
     vorreve anze *esse habiudho* un corpo de scorpion.

140

120. la qual *fiva* servadha e *habiudha* in grand honor (Keller, *Spr. d. P. da Barsegapè*, S. 34).
121. Li beni del paradixo ello averave goduto,
S'el *fosse abiudo* denanze acorto e aveduto (Filzi, *Sintassi*, S. 57).

CRONICA DEGLI IMPERATORI

122. Donado, veschovo de pyro *fo abù* meravelgioso de vertude (Filzi, *Sintassi*, S. 57).

GALLOITALISCHE PREDIGTEN

123. car cil qui *eran avù serve*, si eran fraquitae en qual an (Filzi, *Sintassi*, S. 57).
124. *fou* temp *abyù*. (Filzi, *Sintassi*, S. 57).

KATHARINENLEGENDE

(Mussafia, Zur Katharinenlegende, Sitz.-Ber. Kais. Ak. 75, S. 239–40.)

125. El no-t serave viso ch'un sol dì *sia abuo*.
126. De la divinità ell'*era abù* maistro.
127. Unca mai no fo cotal creatura,
Tal gracia nè sì bella com'ella *è abuda*.

Monaci: CRESTOMAZIA ITALIANA

128. 69, 39 Et enper mordeçò et en *firai* ça *ahiù* viaçamentre viaçamentre alegro, ...
129. 138 Ma se alcuno lassarà di prediti dì, a lo ministro diga la casone soa, la quale, se iusta serà staha, *sia aibua excusevele*.
130. 148¹, 1 Da *fir abiù* in reveremcia lo so pare karissimo, meser Pero degli Bonaparte, Martin obimento de figlol in tuti li soy commandamente.

PIETRO DA BARSEGAPÈ

(Untersuchung Keller, S. 34)

131. Ki *era habluto* contro lo segnore.
132. Querine quili ki m'an olçu
ke molto speso *g'in abiu*.

PROVENZALISCH

GEDRUCKTE TEXTE

Appel: CHRESTOMATHIE

133. 8, 22   *agut suy* en lur cort . . . (Sant Honorat).
134. 107, 46   e fag totz los peccatz que anc *foron avut* (Izarn.)
135. 119, 107   E apres, cant aisso *fon agut* qu'ell ac vist la sancta . . . (Santa Doucelina).

Appel: PROVENZALISCHE INEDITA

136. S. 64, V. 35–36
     qu'ieu *soy avutz*, don', e soy dezirans
     de vos servir . . . (B. Carbonel).
137. S. 120, V. 45–46
     Mas non an tan cum ieu vegut
     ni no lai *son* tan luenh *avut* (G. Aymar).
138. S. 233, V. 18
     de qui tostemps vos *soy avutz* preyaire (P. Duran).

DOCUMENTS LINGUISTIQUES DU MIDI DE LA FRANCE

(Ausgabe P. Meyer)

139. S. 65.   . . ., voutres devanciers qui *sont haü* p lo temps passé, . . .
140. S. 85.   . . ., de tota la terra, ço est a saveyr non estant en la autruy juridicion, de anciann *estre aüa* y estre en present, del fe del dit mossegnor Humbert; . . .
141. S. 93.   Come p lo comandour dou Tremplo de Vilars, nos *seit heü mostra* una letra en la qual . . .
142. S. 262–63.   . . ., et nonobstant que pluzors ves *sia aguda requista* per notables senhors et donnas de la vila . . .
143. S. 263.   Item, cum lo sia causa que le *sia aguda* escricha una letra a monss. lo cardenal de Sant Martin, . . .
144. S. 263.   . . ., la qual cauza non *es agut fach* . . .
145. S. 280.   . . . per las quals lo[s] senhors sindegues, al jort de huey, *son agus amonestat* . . .
146. S. 280.   Item, es estat ordenat, que, atendut que maistre Pons Esmieu *es agut absent* e non se es pogut trobar per scrieure . . .
147. S. 216[234].   Item, an despendu, en diversas ves que *son agu ensemps* per aquellas dichas rasons, antre pan e vin e chart e fromagi e autras chausas, florins dos, sous quatorje, d· sept.

148. S. 262.   . . . dos conils los quals an prezentat a messier Jorge Marc, procurador de la prezent universitat, quant *es agut de prezent* en esta vila.

149. S. 262.   . . . attendut los bons portamens que a fach en lo dich uffici, en fazent justicia a.j. cascun, et autres bons portamens enves la vila, tant quant *li es agut possible*, . . .

150. S. 284.   Item, ay pagat a la mayre matrisso que leva los enfans, eyssins coma *es agut hordenat* . . .

151. S. 333.   Item, ung ort que *ero agut* de Peyron Vachares, . . .

152. S. 347.   Item, que si netege la font, actendut que *es agut vituperat* l'abeourayre . . .

153. S. 393.   . . . nou gualinas et tres perdis que *son agudas presentadas* a monsᵒʳ de Sestaron . . .

154. S. 430⁵.   . . .; et quant *sen agus a Lion*, aven atendu . . .

155. S. 431⁶.   . . . et puis, quant *son agus ensens* . . .

156. S. 450³³.   L'an mil Vᶜ et XV, et lo XXVIj de abril, hay fah final conte ambe Marcelin Babol, tant de acizos que *es agu condempna* . . .

157. S. 515¹⁹.   Item, an ordenat et declarat que si las subredichas penas non seran denuntiadas enfro tres jours apres que *seran agus trobas* tals avers, . . .

158. S. 605⁴.   Item, qui *fossa agut present* ni . . .

159. S. 606¹⁴.   . . ., ni qui en *fossa agut consent* . . .

L'ÉVANGILE DE L'ENFANCE EN PROVENÇAL

(*RF* 22)

160. S. 890–91,
    V. 127–30 E intret s'en o met s'el liech
    On non ac gayre de deliech,
    Anz fom cays morta e lassada
    Car *era aguda trebayllada*;

161. S. 912,
    V. 778–79 Et ac estat for sa mayson
    Nou mes que non hy *es agut.*

162. S. 937,
    V. 1500 Li message *son tost agut*

GUILLAUME DE LA BARRE

(Ausgabe P. Meyer)

163. V. 3610–13 L'efant lo y cujec tot trencar
    Entro sa maire le vedec,
    Mas per tant l'efant no s'ostec,
    Ans volc saber don *son avutz* (für *gehen*).

GUIRAUT RIQUIER

(Ausgabe Mölk)

164. S. 79,
 V. 22 E quar *suy pessius avutz*
165. S. 103,
 V. 58 E·l *suy avutz ben dizens*

ISTORIA PETRI ET PAULI

(Ausgabe Guillaume)

166. V. 2395 Car ansynt *m'es agu revella*
167. V. 4825–27 Mous beous enfans, en Christ renas,
     Que de la fé *endoctrinas*
     Sé agu, garda la doctrino.
168. V. 5360 Eysso *es agu ungn cop* de mestre.
169. Variante für Vers 5462–64
     Si Dyou te facio la gracio,
     De saber la eficacio,
     Come *nous eys agu monstra.*

JAUFRE

(Ausgabe Brunel)

170. V. 499–503 E la reïna Gilalmer
     El baro e li cavaler
     Qe deforas no *son avut,*
     Can auson con es avengut,
     Tenon se mout per escarnit.
171. V. 3132–36 Qe cant auria om sercat
     Tot est mun e puis mentagudas
     Totas celas qe *sun aïdas,*
     No n'auria om una trobada
     Tanbela ni tan ben formada.
172. V. 4168–72 Aras devem huimais comtar
     De Jaufre, cun s'en va cotxos,
     Qe tant *es aïtz paoros*
     D'aqelas jens don es partitz
     Q'ensar n'es totz esbalausitz.
173. V. 5139–43 Mot o fan per bona rasun,
     Car aqel qe jatz en preisun
     Nafratz, es lur seinor carnals,
     E *es lur aïtz tan leals*
     E tan bos e tan enseinatz.
174. V. 8042–49 – Aram digas, si ben vos venga«,
     Dis Jaufre, »si non est aïda
     Al rei que las donas ajuda
     E las piucellas en pas ten.
     – Seiner«, dis ella, »s'i sui ben,
     Mais anc conseil nui atrobem,

144

Tant nul quesem nil demandem,
Ab cavallier ni ab son fil.«

LÉGENDES PIEUSES

(*RLR* 34)

175. S. 232,
    V. 82   *el era aguz* en aquel loc . . .
176. S. 235,
    V. 189   . . . e venra aquel temps le qualz
            non era aguz, . . .
177. S. 249,
    V. 144–46 »Qued es Nazareth ?« Simon dis:
            »Una ciutatz es en Judea, que totz
            temps *es aguda* contra vos e contra
            vostres mandamenz, . . .
178. S. 255,
    V. 363   . . . le qualz *era agutz decipolz* de Symon Mag . . .
179. S. 277,
    V. 298–99 . . . e fon terratremolz tan granz que
            tro ad aquelz temps *non era aguda majers*
180. S. 280,
    V. 400–401 . . . e pres la man qued *era aguda taillada*, . . .
181. S. 280,
    V. 405–406 . . . car mout *era aguda trabaillada* en la nau.

MYSTÈRE DE SAINT PONS

(Ausgabe Guillaume)

182. V. 1018–19 Et depuis qu'el *es agu na*,
             Tant de cops ello ly a dona.
183. V. 1975–76 Tant non *soy agu resistant*
             Per so soy eyro tant espardu.
184. V. 2293–94 Jupiter dal comensament
             Es el agu, ny son renom ?
185. V. 2572–73 Et nota como *tribulas*
             Son agus los tres sanctz martirs.
186. V. 2798   Si d'aultres n'an edificas,
     –800   *Non son pas agus dedicas*
             Al nom de diou Jupiter.
187. V. 5259–61 Amor, amor de dur recort
             Pas non soy agu secorable
             Al ponch de vostro duro mort.

IL NUOVO TESTAMENTO VALDESE

(*AGI* 11)

188. S. 86.   Pensa uos que aquisti galileo *sian agu peccador* deuant tuit
             li galileo.

189. S. 100.   Mas el laise a lor aquel que per tenezon e per homecidi *era
              agu mes* en carcer.
190. S. 101.   E lo pause en moniment talha al qual alcun non *era* encara
              agu pausa.

POÉSIES RELIGIEUSES DU MANUSCRIT DE WOLFENBUETTEL

(*RLR* 31)

191. V. 1270–71 Seç eu vos prec, non vos desplaiça,
                 Se toç *sui peccaires agut.*
192. V. 1931–33 Ne nul d'aiquist non posc de ben lauçar,
                 Tan *sun agut* crudels et plens d'erors,
                 Ne nuls fors vos no m'en pot aiudar.

PRIVILÈGES DE MANOSQUE

(Ausgabe Isnard)

193. S. 13.   ..., et ad aquel successor vostre, a cuy nos donar e layssar
              vos plazera, prometem et em tengut fizels esser en tota
              ferma fe e natural fizaleza, e fizelmens far e sens corruption
              gardar aquels servizis et antics uzages que entre los nostres
              son agut fach et estatut per los nostres e vostres predecessors.
194. S. 39.   Per aqui mezesme dels desmes traspassatz volgron e mande-
              ron que tut aquill de la val de Manousca que son o entro ora
              son agut viu o mort, ...
195. S. 49.   ... et d'allons *sia aguda motas ves amonestada e requista et
              encolpada* quar ...
196. S. 91.   ... moutas vegadas en quistas et en talhas fachas per mou-
              tas e diversas razons en Manoasca *sia agutz presentz* ab alcuns
              prohomes d'aquella vila elegitz a tallar aquellas quistas, e
              sens ellos, et en collection e reception de pecunia; que non
              es de sa entencion de mo senhor lo comandaire qu'el ditz
              bailles i *sia agutz,* ...
197. S. 105.   ... e per aquel Espital ad els *son agutz corromputz o non
              observat,* ...

SAINTE MARIE-MADELEINE

(*RLR* 25)

198. V. 807–08 Que ieu non aia vist e non *sia aguda,*
                 que d'aquest luoc ma carn non fon anc remoguda.

SANCTA AGNES

(Ausgabe Jeanroy)

199. V. 640–41 per qu'ieu dic qu'o anem veser
                 e sapiam *qu'es agut* per ver.

146

200. V. 672–73 Roman per qu'aves tan eridat (wohl cridat)
c'uei *n'em agut* tut eisordat
201. V. 916 Mays iaus diray ques *es agut*: . . .
202. V. 928 es enaici sapchas *ques agut es.*

SORDELLO DI GOITO

(Ausgabe C. de Lollis)

203. S. 209,
V. 111–12 Soven *soi agutz demandatz*
Per quel segles es pejuratz.

SUCHIER: DENKMÄLER

204. S. 100, Z. 75–77.
Car per (. . .) aventura ora *es avuda* que ieu volgra aver o
tener . . . (Beichtformel).
205. S. 103, Z. 172–73.
. . . ieu ay peccatz o *soy avutz desobediens* . . . (Beichtformel).
206. S. 104, Z. 221–22.
. . . atrassi *soy avutz perezos* . . . (Beichtformel).
207. S. 238, Z. 761.
. . . que nulhs autres peccatz que el mon *sia agutz* (Sünders
Reue).
208. S. 238, Z. 767–69.
Si ta misericordia no vols *esser avutz* nils cars precs de ta
maire, a cui son atendutz, ni la sua esperansa, frevols es mos
traütz (Sünders Reue).
209. S. 241, Z. 15.
qu'ieu *son avutz gulozes*, et adultres venals (Doctrinal).
210. S. 249, Z. 226–27.
el peccador c'auran obrat malvadament
e non *seran avut comfes* ni penedent (Doctrinal).

BIBLIOGRAPHIE

A. TEXTAUSGABEN

ARNAUD, CAMILLE (Hrsg.): Ludus Sancti Jacobi. Fragment de mystère provençal. Marseille 1858.

BARBIER, CHARLES (Hrsg.): Le libre de memorias de Jacme Mascaro. In: RLR 34 (1890), S. 36–100, 515–564.

BARTSCH, KARL (Hrsg.): Sancta Agnes. Provenzalisches geistliches Schauspiel. Berlin 1869.

BEKKER, IMMANUEL (Hrsg.): Provenzalische geistliche Lieder des dreizehnten Jahrhunderts. In: Abhandlungen der königlichen Akademie der Wissenschaften zu Berlin, 1842, S. 387 ff.

BRANDIN, LOUIS (Hrsg.): La chanson d'Aspremont. Chanson de geste du XIIᵉ siècle. 2 Bde, Paris 1923–1924 (CFMA).

CHABANEAU, CAMILLE (Hrsg.): Les sorts des apôtres. Texte provençal du XIIIᵉ siècle. In: RLR 18 (1880), S. 157–178, 264–275.

–, Le roman d'Arles. In: RLR 32 (1887), S. 473–542.

–, und G. REYNAUD (Hrsg.): Légendes pieuses en provençal du XIIIᵉ siècle. In: RLR 34 (1890), S. 209–303, 305–426.

GUILLAUME, PAUL (Hrsg.): Le mystère de Saint Eustache. In: RLR 21 (1882), S. 105–122, 290–301, RLR 22 (1882), S. 5–19, 53–70, 180–199, 209–237.

–, Istoria Petri et Pauli. Mystère en langue provençale du XVᵉ siècle. Gap–Paris 1887.

–, Istorio de Sanct Poncz. Mystère en langue provençale du XVᵉ siècle. In: RLR 31 (1887), S. 317–420, 461–553, RLR 32 (1888), S. 5–24, 250–285.

HERZOG, EUGEN (Hrsg.): Neufranzösische Dialekttexte. Leipzig 1906.

HILKA, ALFONS (Hrsg.): Der Percevalroman (Li Contes del Graal) von Christian von Troyes. Halle 1932.

ISNARD, M. Z. (Hrsg.): Le livre des privilèges de Manosque. Digne–Paris 1894.

JEANROY, ALFRED (Hrsg.): Les poésies du troubadour Gavaudan. In: R 34 (1905), S. 497–539.

–, Les chansons de Guillaume IX. Paris 1957 (CFMA).

–, und A. VIGNAUX (Hrsg.): Voyage au purgatoire de Saint-Patrice. Toulouse 1903.

KOSCHWITZ, EDUARD (Hrsg.): Mirèio. Poème provençal de Frédéric Mistral. Marburg–Paris–Marseille 1900.

–, Karls des Großen Reise nach Jerusalem und Constantinopel. Leipzig ⁴1900.

LANGLOIS, ERNEST (Hrsg.): Le couronnement de Louis. Paris ²1965 (CFMA).

LAVAUD, RENÉ und R. NELLI (Hrsg.): Les troubadours. Jaufre. Flamenca. Barlaam et Josaphat. Bruges 1960 (Bibliothèque européenne).

Levy, E. (Hrsg.): Poésies religieuses du manuscrit de Wolfenbuettel. In: RLR 31 (1887), S. 173–288, 420–435.

Lollis, Cesare de (Hrsg.): Vita e poesie di Sordello di Goito. Halle 1896 (Romanische Bibliothek, 13).

Marnier, A.-J. (Hrsg.): Ancien coutumier de Bourgogne. In: Revue Historique de Droit Français et Etranger 3. 4. (1857–1858).

Menéndez Pidal, Ramón (Hrsg.): Cantar de mio Cid. 3 Bde, Madrid 1908–1911.

Meyer, Paul (Hrsg.): Le roman de Blandin de Cornouailles et de Guillot Ardit de Miramar. In: R 2 (1873), S. 170–202.

–, Arnaut Vidal de Castelnaudari, Guillaume de la Barre. Roman d'aventures. Paris 1895 (SATF).

–, L'Evangile de l'enfance en provençal. In: R 35 (1906), S. 337–364.

–, Documents linguistiques du Midi de la France. Paris 1909.

Morf, Heinrich (Hrsg.): Drei bergellische Volkslieder. In: Nachrichten von der königl. Gesellschaft der Wissenschaften . . . zu Göttingen 1886.

Niestroy, Erich (Hrsg.): Der Trobador Pistoleta. Halle 1914 (Beihefte zur ZRPh, 52).

Parducci, Amos (Hrsg.): Stanze rusticali in dialetto lucchese del sec. XVII. In: Studî romanzi 2 (1904), S. 105–121.

Roques, Mario (Hrsg.): Le garçon et l'aveugle. Paris ²1965 (CFMA).

Schneegans, Heinrich (Hrsg.): Gesta Caroli Magni ad Carcassonam et Narbonam. Halle 1898 (Romanische Bibliothek, 15).

Sommer, H. Oskar (Hrsg.): The vulgate version of the Arthurian romances. 7 Bde und 1 Indexband, Washington 1909–1916. Band 7: Le livre d'Artus (1913).

Stimming, Albert (Hrsg.): Bertran de Born, sein Leben und seine Werke. Halle 1879.

Suchier, Hermann (Hrsg.): Denkmäler provenzalischer Litteratur und Sprache. Halle 1883.

Zenker, Rudolf (Hrsg.): Die Gedichte des Folquet von Romans. Halle 1895 (Romanische Bibliothek, 12).

B. SEKUNDÄRLITERATUR

Aalto, Pentti: Studien zur Geschichte des Infinitivs im Griechischen. Helsinki 1953 (Ann.Ac.Sc.Fenn., Serie B 90, 2).

Adam, L.: Les patois lorrains. Nancy–Paris 1881.

Aerts, Willem Johan: Periphrastica. An investigation into the use of εἶναι and ἔχειν as auxiliaries or pseudo-auxiliaries in Greek from Homer up to the present day. Amsterdam 1965.

Alex, Paul: Le patois de Naisey. Paris 1965.

Anglade, Joseph: Grammaire de l'ancien provençal. Paris 1946.

Appel, Carl: Provenzalische Lautlehre. Leipzig 1918.

Arnaud, François, und G. Morin: Le langage de la vallée de Barcelonnette. Paris 1920.

Assmann, W.: Die nicht-futurische Umschreibung des französischen Verbums durch »aller + Infinitif«, unter besonderer Berücksichtigung des sogenannten »erfolgreichen aller«. Diss. Göttingen, Naumburg 1913.

BADÍA MARGARIT, ANTONIO: Gramática histórica catalana. Barcelona 1951.

BALDINGER, KURT: Die Herausbildung der Sprachräume auf der Pyrenäen-halbinsel. Querschnitt durch die neueste Forschung und Versuch einer Synthese. Berlin 1958.

–, La formación de los dominios lingüísticos en la península ibérica. Madrid 1963.

– (Hrsg.): Festschrift Walther v. Wartburg zum 80. Geburtstag. 2. Bde, Tübingen 1968.

BALLY, CHARLES: L'expression des idées de sphère personnelle et de solidarité dans les langues indo-européennes. In: Festschrift Gauchat. Aarau 1926, S. 68–78.

BEHRENS, DIETRICH: Bibliographie des patois gallo-romans. 2e éd. rev. et augm. par l'auteur, trad. en franç. par Eugène Rabiet. Berlin 1893.

BELFADEL, ALY: Grammatica piemontese. Noale 1933.

BENDER, FRANZ: Die vom Perfektstamm gebildeten Formen des lateinischen Hilfsverbs esse in den lebenden französischen Mundarten. Diss. Gießen 1903.

BENVENISTE, E.: Problèmes de linguistique générale. Paris 1966.

BENZING, JOSEPH: Zur Geschichte von ser als Hilfszeitwort bei intransitiven Verben im Spanischen. Halle 1931.

BERCHEM, THEODOR: Quelques faits déroutants de morphologie verbale. In: ZRPh 81 (1965), S. 63–85.

–, Les formations du type soi avutz »j'ai été« en ancien provençal, dans les dialectes gallo-romans et en italien septentrional. In: Actes du IVe Congrès de Langue et Littérature d'Oc et d'Etudes Franco-Provençales (Avignon 1964). Rodez 1970, S. 33–41.

–, Le parler de Guardia Piemontese (enclave linguistique gallo-romane en Calabre) est-il franco-provençal ou provençal? Quelques réflexions à propos d'une forme verbale. In: Actes du Ve Congrès International de Langue et Littérature d'Oc et d'Etudes Franco-Provençales (Nice 1967). Im Druck.

–, Sprachstruktur und Sprachwandel. In: RoJb 19 (1968), S. 21–33.

–, Considérations sur le parfait périphrastique vado + infinitif en catalan et gallo-roman. In: Actas del XI Congreso Internacional de Lingüística y Filología Románicas (Madrid 1965). Madrid 1969, S. 1159–1170.

BERGER, S.: Les bibles provençales et vaudoises. In: R 18 (1889), S. 353–422.

BERTRAND, L.: Quaestiones provinciales. Diss. Bonn 1864.

–, Ich bin gehabt = ich bin gewesen. In: ASNS 35 (1864), S. 128.

BIEDERMANN, A.: Zur Syntax des Verbums bei Antoine de la Sale. Beitrag zur französischen Syntax des XV. Jahrhunderts. Diss. Basel, Erlangen 1907.

BIRNBAUM, HENRIK: Untersuchungen zu den Zukunftsumschreibungen mit dem Infinitiv im Altkirchenslavischen. Stockholm 1958.

BLOCH, OSCAR: Lexique français-patois des Vosges-Méridionales. Paris 1915.

BLONDIN, R.: Un cas remarquable d'homonymie flexionnelle. In: RLiR 19 1955), S. 106–116.

BOILLOT, F.: Le patois de la commune de la Grand'Combe (Doubs). Paris 1910.

BORST, ARNO: Die Katharer. Stuttgart 1953.

BOUCHERIE, A.: Le dialecte poitevin au XIIIe siècle. Paris–Montpellier 1873.

BOURCIEZ, EDOUARD: Eléments de linguistique romane. Paris ⁵1967.

BREUER, G. M.: Sprachliche Untersuchung des Girart de Rossillon. Bonn 1884.

BRUGMANN, KARL: Die mit dem Suffix -to- gebildeten Partizipien im Verbalsystem des Lateinischen und des Umbrisch-Oskischen. In: Indg. Forsch. 5 (1895), S. 89–152.

BRUNOT, FERDINAND: Histoire de la langue française des origines à nos jours. Bis jetzt 20 Bde, Paris ²1966/67.

BURGUIÈRE, PAUL: Histoire de l'infinitif en Grec. Paris 1960.

CHABANEAU, CAMILLE: Sainte Marie-Madeleine dans la littérature provençale. In: RLR 25/26 (1879).

CHABRAND, J.-A. und A. DE ROCHAS D'AIGLUN: Patois des Alpes Cottiennes (briançonnais et vallées vaudoises), et en particulier du Queyras. Grenoble–Paris 1877.

CHRISTMANN, HANS HELMUT: Zu den formes surcomposées im Französischen. In: ZfSL 68 (1958), S. 72–100.

COLÓN, G.: Le parfait périphrastique catalan »va + infinitif«. In: Actas do IX Congresso Internacional de Linguística Românica I. Lissabon 1961, S. 165–176.

CONTEJEAN, CH.: Glossaire du patois de Montbéliard. Montbéliard 1876.

CORNU, MAURICE: Les formes surcomposées en français. Bern 1953 (Romanica Helvetica, 42).

CREMONESI, CARLA: Nozioni di grammatica storica provenzale. Milano–Varese 1962.

CROCIONI, G.: Il dialetto di Velletri e dei paesi finitimi. In: Studj Romanzi 5 (1907), S. 27–88.

DARTOIS (Chanoine): Coup d'oeil spécial sur les patois de la Franche-Comté. Besançon 1850.

DAUZAT, ALBERT: Morphologie du patois de Vinzelles. Paris 1900.

–, Géographie phonétique de la Basse-Auvergne. In: RLiR 14 (1938), S. 1–210.

–, Un cas de désarroi morphologique: l'infinitif avér (avoir) dans le Massif Central. In: Mélanges Haust 1939, S. 83–95.

–, A propos des temps surcomposés: Surcomposé provençal et surcomposé français. In: FM 22 (1954), S. 259–262.

–, und H. YVON: Discussions: A propos des temps surcomposés. In: FM 23 (1955), S. 44.

DEBRUNNER, A.: Geschichte der griechischen Sprache. Bd. II., Berlin ²1968.

DEFFNER, MICHAEL: Die Infinitive in den pontischen Dialekten und die zusammengesetzten Zeiten im Neugriechischen. Monatsbericht der Kgl.Pr. Akad. der Wissenschaften (1877–78), S. 195, 229–30.

DEVAUX, A.: Essai sur la langue vulgaire du Haut-Dauphiné au moyen-âge. In: Bulletin de l'Académie Delphinale 5 (1891), S. 81–616.

DIEZ, FRIEDRICH: Grammatik der romanischen Sprachen. 3 Bde, Bonn ⁵1882.

DOBSCHALL, GERTRUD: Wortfügung im Patois von Bournois (Département du Doubs). Diss. Heidelberg, Darmstadt 1901.

DONIOL, H.: Les patois de la Basse-Auvergne. Montpellier 1877.

Dubuisson, Pierrette: L'atlas linguistique du Centre. In: RLiR 23 (1959), S. 352–361.

–, Atlas linguistique et ethnographique du Centre. Bd. I. Paris 1971 (ALCe).

Ducháček, Otto: L'homonymie et la polysémie. VRo 21 (1962), S. 49–56.

Duraffour, Antonin: Phénomènes généraux d'évolution phonétique dans les dialectes franco-provencaux étudiés d'après le parler de la commune de Vaux (Ain). In: RLiR 8 (1932), S. 1–280 + 1 Karte.

Elcock, William Dennis: The romance languages. London 1960.

Enciclopedia Italiana di Scienze, Lettere ed Arti. 36 Bde + 3 App., Rom 1929–1949.

Escoffier, Simone: La rencontre de la langue d'oïl, de la langue d'oc et du francoprovençal entre Loire et Allier. Limites phonétiques et morphologiques. Paris 1958.

–, TENERE »avoir« aux confins de l'Auvergne et du Bourbonnais. In: Festschrift für W. von Wartburg zum 80. Geburtstag. Tübingen 1968, Bd. II, S. 63–85.

Fabra, Pompeu: Gramática catalana. Barcelona 1929.

Fallmerayer, Jacob Philipp: Fragmente aus dem Orient. 2 Bde, Stuttgart 1845.

Filzi, Mario: Contributo alla sintassi dei dialetti italiani. In: Studj Romanzi 11 (1914), S. 5–92.

Flydal, Leiv: *Aller* et *venir de* suivis de l'infinitif comme expressions de rapports temporels. Oslo 1943.

Foulet, Lucien: Les temps surcomposés. In: R 51 (1925), S. 203–252.

Franz, Arthur: Studien zur wallonischen Dialektsyntax. In: ZfSL 43 (1915), S. 113–154 + Karten.

Gamillscheg, Ernst: Studien zur Vorgeschichte einer romanischen Tempuslehre. Wien 1913.

–, Historische französische Syntax. Tübingen 1957.

Gardette, Pierre: Deux itinéraires des invasions linguistiques dans le domaine provençal. In: RLiR 19 (1955), S. 183–196 m. 2 Karten.

–, Etudes de géographie morphologique sur les patois du Forez. Mâcon 1941.

–, Géographie phonétique du Forez. Mâcon 1941.

Gassner, A.: Die Sprache des Königs Denis von Portugal. In: RF 22 (1908), S. 399–425.

Gaster, Moses: Die nichtlateinischen Elemente im Rumänischen. In: Grundriß der romanischen Philologie, hrsg. von Gustav Gröber. Bd I (Straßburg 1888), S. 406–414.

Gauchat, Louis: Le patois de Dompierre. Halle 1891.

–, Sono avuto. In: Scritti vari off. a Ernesto Monaci. Rom 1901, S. 61–65.

–, Erklärung von »sum habutus«. In: Bulletin du Glossaire des patois de la Suisse romande 5 (1906), S. 39.

–, und J. Jeanjaquet: Bibliographie linguistique de la Suisse romande. 2 Bde, Neuchâtel 1912/20. Hier ist unter Nr. 1102 Lit. angegeben zu »sum habutus«.

–, und J. Jeanjaquet, E. Tappolet, E. Muret: Tableaux phonétiques des patois suisses romands. Relevés comparatifs d'environ 500 mots dans 62 patois-types. Neuchâtel 1925.

GIESE, WILHELM: Balkansyntax oder thrakisches Substrat? In: Studia Neophilologica 24 (1952), S. 40–54.

GILLIÉRON, JULES: Le patois de la commune de Vionnaz (Bas-Valais). Paris 1880.

—, und E. EDMONT: Atlas linguistique de la France. 19 Bde, Paris 1902–1910 (ALF).

GINNEKEN, JAN VAN: Principes de linguistique psychologique. Essai de synthèse. Paris 1907.

GOERLICH, EWALD: Der burgundische Dialekt im 13. und 14. Jahrhundert. Heilbronn 1889 (Französische Studien, 7, 1).

GOUGENHEIM, GEORGES: Etude sur les périphrases verbales de la langue française. Paris 1929.

GRÄFENBERG, SELLY: Beiträge zur französischen Syntax des 16. Jahrhunderts. Diss. Erlangen 1885.

GRAMMONT, MAURICE: Traité de phonétique. Paris ⁷1963.

GRASSI, CORRADO: Per una storia delle vicende culturali e sociali di Guardia Piemontese ricostruite attraverso la sua parlata attuale. In: Boll.Soc. Studi Valdesi, Nr. 101 (Mai 1957), S. 71–77.

GRAUR, A.: »A fi« şi »a avea«. In: Buletinul ştiinţific al Academiei R.P.R. Secţia Ştiinţă limbii, literatură şi arte, 1951, S. 39 ff.

GRIERA, ANTONI: Atlas lingüístic de Catalunya. 11 Bde, Barcelona u. San Cugat 1923–1964 (ALCat).

—, Atlas lingüístic d'Andorra. Andorra 1960 (AL Andorra).

GRÜZMACHER, W.: Die waldensische Sprache. In: ASNS 16 (1854), S. 369–407.

GRUNDMANN, H.: Religiöse Bewegungen im Mittelalter. Darmstadt 1961.

GUITER, H.: Atlas linguistique et ethnographique des pyrénées orientales.

HÄFELIN, J. F.: Die Mundart des Kantons Neuenburg. In: Zeitschrift für vergleichende Sprachforschung 21 (1873), S. 289–340, 481–548.

—, Les patois romans du canton de Fribourg. Leipzig 1879.

HAVERS, WILHELM: Handbuch der erklärenden Syntax. Heidelberg 1931.

HEEPE, M.: Lautzeichen und ihre Anwendung in verschiedenen Sprachgebieten. Berlin 1928.

HEGER, KLAUS: Die Bezeichnung temporal-deiktischer Begriffskategorien im französischen und spanischen Konjugationssystem. Tübingen 1963 (Beihefte zur ZRPh, 104).

HENRICHSEN, ARNE-JOHAN: La périphrase anar + infinitif en ancien occitan. In: Omagiu lui Alexandru Rosetti. Bukarest 1965, S. 357–363.

HERZOG, EUGEN: Materialien zu einer neuprovenzalischen Syntax. In: 25. Jahresbericht der K.K. Staats-Unterrealschule im 5. Bezirk von Wien. Wien 1900.

—, Untersuchungen zu Macé de la Charité's altfranzösischer Übersetzung des Alten Testaments. Sitzungsberichte der Kaiserlichen Akademie der Wissenschaften in Wien, Philosophisch-historische Klasse. Bd. 142, Wien 1900.

—, Besprechung zu Dobschall, Wortfügung. In: ZRPh 26 (1902), S. 737–741.

—, Das to-Partizip im Altromanischen. Halle 1910 (Beihefte zur ZRPh, 26).

HERZOG, JOHANN JACOB: Die romanischen Waldenser, ihre vorreformatorischen Zustände und Lehren, ihre Reformation im 16. Jahrhundert und die

Rückwirkungen derselben, hauptsächlich nach ihren eigenen Schriften dargestellt. Halle 1853.

HESSELING, DIRK CHRISTIAAN: Essai historique sur l'infinitif grec. Paris 1892 (Bull. École Hautes Ét., 92).

HILD, F.: Präsens (Indikativ) und Futur von avoir nach 22 Blättern des Atlas linguistique de la France. Diss. Bonn, Neuchâtel 1905.

HOFMANN, FRITZ: Avoir und estre in den umschreibenden Zeiten des altfranzösischen intransitiven Zeitworts. Diss. Kiel 1890.

HOFMANN, JOHANN BAPTIST: Lateinische Syntax und Stilistik. Neubearb. von Anton Szantyr. München 1965.

HUBSCHMIED, JOHANN ULRICH: Zur Bildung des Imperfekts im Frankoprovenzalischen. Halle 1914 (Beihefte zur ZRPh, 58).

IMBS, PAUL: L'emploi des temps verbaux en français moderne. Paris 1960.

IORDAN, IORGU: Limba romînă contemporană. Bukarest 1956.

JABERG, KARL: Notes sur l's final libre dans les patois franco-provençaux et provençaux du Piémont. In: Bulletin du Glossaire des Patois de la Suisse Romande 10 (1911), S. 49–79.

–, und J. JUD: Sprach- und Sachatlas Italiens und der Südschweiz. 8 Bde, Zofingen 1928ff. (AIS).

JENSEN, H.: Neupersische Grammatik. Heidelberg 1931.

KAINZ, FRIEDRICH: Psychologie der Sprache. 5 Bde, Stuttgart 1962–1969.

KALEPKY, THEODOR: Verwechslung von Grundbedeutung und Gebrauchsweise in der französischen Tempus- und Moduslehre. In: ZRPh 48 (1928), S. 53–76.

KALITSUNAKIS, J.: Grammatik der neugriechischen Volkssprache. Berlin 1963.

KANY, CHARLES E.: American-Spanish Syntax. Chicago–London ²1951.

KELLER, OSKAR: La flexion du verbe dans le patois genevois. Genf 1928.

–, Die Mundarten des Sottoceneri. In: RLiR 10 (1934), S. 189–297, und RLiR 13 (1937), S. 127–361.

KIECKERS, ERNST: Historische lateinische Grammatik. München ²1962.

KJELLMANN, HILDING: Uttryck av typen: »La fièvre lui a pris«. In: Studier i modern språkvetenskap 4 (1917), S. 299–315.

KÖRNER, K.-H.: Die »Aktionsgemeinschaft finites Verb + Infinitiv« im spanischen Formensystem. Hamburg 1968.

KOHLER, EUGÈNE: Antología de la literatura española de la edad media. Paris 1957.

KŘEPINSKÝ, MAX: Le changement d'accent dans les patois gallo-romans. Paris 1914.

KOSCHMIEDER, ERWIN: Beiträge zur allgemeinen Syntax. Heidelberg 1965.

KOSCHWITZ, EDUARD: Grammaire historique de la langue des félibres. Greifswald 1894.

KUEN, HEINRICH: Die sprachlichen Verhältnisse auf der Pyrenäenhalbinsel. In: ZRPh 66 (1950), S. 95–125.

KURYŁOWICZ, JERZY: Les temps composés en roman. In: Prace filologiczne 15, S. 448–453.

–, A propos des temps composés en roman. Réponse à une critique de M. M. Nicolau. In: Bull.Ling. 5 (1937), S. 195–199.

La Grasserie, Raoul de: Du verbe être et de ses diverses fonctions. Paris 1887.

–, De la catégorie du Temps. Paris 1888.

–, De la catégorie des Modes. Louvain 1891.

Lanusse, M.: De l'influence du dialecte gascon sur la langue française. Paris 1893.

–, Les gasconismes chez Blaise de Monluc. In: Mélanges Antoine Thomas (Paris 1927), S. 267–272.

Lausberg, Heinrich: Die Mundarten Südlukaniens. Halle 1939 (Beihefte zur ZRPh, 90).

–, Romanische Sprachwissenschaft. Bd III, Berlin 1962.

Lavallaz, L. de: Essai sur le patois d'Hérémence (Valais). 1ère partie: Phonologie et morphologie. Thèse Lausanne, Paris 1899.

Legros, Élisée: »Avoir, eu« et »savoir, su« à Liège du XVIIᵉ siècle à nos jours. In: Mélanges Delbouille I (1964), S. 363–380.

Lindsstrom, A.: Il vernacolo di Subiaco. In: Studj Romanzi 5 (1907), 237–300.

Littré, Émile: Histoire de la langue française. 2 Bde, Paris 1873.

Mahn, C. A. F.: Grammatik und Wörterbuch der altprovenzalischen Sprache. Koethen 1885.

Manoliu, Maria: Une déviation du système de conjugaison romane: temps composés avec a fi »être« à la diathèse active, en roumain. In: Recueil d'Etudes Romanes, publié à l'occasion du IXᵉ Congrès International de Linguistique Romane à Lisbonne, Bukarest 1959, S. 135–144.

Marquèze-Pouey, L.: L'auxiliaire aller dans l'expression du passé en gascon. In: Via Domitia 2, Toulouse 1955, S. 111–121.

Martius, A.: Zur Lehre von der Verwendung des Futurs im Alt- und Neufranzösischen. Diss. Göttingen 1904.

Maurer jr., Theodoro Henrique: O infinitivo flexionado português. São Paulo 1968.

Melillo, Michele: Intorno alle probabili sedi originarie delle colonie francoprovenzali di Celle e Faeto. In: RLiR 23 (1959), S. 1–34.

Mendeloff, Henry: The catalan periphrastic perfect reconsidered. In: RoJb 19 (1968), S. 319–326.

Menge, Hermann: Repetitorium der lateinischen Syntax und Stilistik. München ¹³1962.

Meyer, Paul: Recherches linguistiques sur l'origine des versions provençales du Nouveau Testament. In: R 18 (1889), S. 423–429.

–, Documents linguistiques des Basses-Alpes. In: R 27 (1898), S. 337–441.

Meyer-Lübke, Wilhelm: Das Katalanische, seine Stellung zum Spanischen und Provenzalischen. Heidelberg 1925.

–, Grammatik der romanischen Sprachen. 4 Bde, Leipzig 1890–1902.

Meyriat, Jean (Hrsg.): La Calabria. Milano 1961.

Moll, Francisco de B.: Gramática histórica catalana. Madrid 1952 (Bibl. Rom. Hisp.).

Montoliu, M. de: Notes sobre el perfet perifràstic català. In: Biblioteca Filològica de l'Institut de la Llengua Catalana VI, Estudis Romanics I (1916), S. 72–83.

Morosi, G.: L'odierno linguaggio dei Valdesi del Piemonte. In: AGI 11 (1890), S. 309–415, und AGI 12 (1891), S. 28–32.

–, Il dialetto franco-provenzale di Faeto e Celle nell'Italia meridionale. In: AGI 12 (1891), S. 33–75.

Müller, Bodo: Das lateinische Futurum und die romanischen Ausdrucksweisen für das futurische Geschehen. In: RF 76 (1964), S. 44–97.

Mussafia, Adolf: Beiträge zur Geschichte der romanischen Sprachen. In: Sitzungsberichte der Wiener Akademie der Wissenschaften, Phil.-Hist. Klasse, Bd. 39 (1862).

–, Ich bin gehabt = ich bin gewesen. In: Jahrbuch für romanische und englische Literatur und Sprache 5 (1864), S. 247–248.

–, Zur Katharinenlegende. In: Sitzungsberichte der Phil.-Hist. Classe der Kaiserl. Akademie der Wissenschaften, Bd. 75 (1873), S. 227–302.

Nauton, Pierre: Atlas linguistique et ethnographique du Massif Central. 4 Bde, Paris 1957–1963 (ALMC).

Nicolau, M.: Remarques sur les origines des formes périphrastiques passives et actives des langues romanes. In: Bull.Ling. 4 (1936), S. 15–30.

Nicolet, Nellie: Der Dialekt des Antronatales. Halle 1929 (Beihefte zur ZRPh, 79).

Nilsson-Ehle, H.: Remarques sur les formes surcomposées en français. In: Studia Neophilologica 26 (1953/54), S. 157–167.

Palay, Simin: Dictionnaire du béarnais et du gascon modernes (bassin aquitain). Paris 1961.

Par, Anfos: Sintaxi catalana segons los escrits en prosa de Bernat Metge. Halle 1923 (Beihefte zur ZRPh, 66).

Paris, Gaston: Besprechung zu Gauchat, Sono avuto. In: R 31 (1902), S. 604.

Pellegrini, Giovanni Battista: Appunti di grammatica storica del provenzale. Pisa 1962.

Pfeiffer, Fritz: Umschreibung des Verbums im Französischen durch aller, venir + Gerundium, être + Participium Praes. und durch die reflexive Konstruktion. Diss. Göttingen 1909.

Philipon, E.: Morphologie du dialecte lyonnais au XIIIᵉ et XIVᵉ siècles. In: R 30 (1901), S. 213–294.

Pierrehumbert, W.: Dictionnaire historique du parler neuchâtelois et suisse romand. Neuchâtel 1926.

Plattner, Philipp: Ausführliche Grammatik der französischen Sprache. 5 Bde, Freiburg (Baden) 1905–08.

Pop, Sever: La dialectologie. Aperçu historique et méthodes d'enquêtes linguistiques. 2 Bde, Louvain 1950.

Pope, Mildred K.: From Latin to Modern French. Manchester ²1952.

Porena, Manfredo: Sull'uso degli ausiliari essere e avere in italiano. In: Italia Dialettale 14 (1938), S. 1–22.

Reichenkron, Günter: Passivum, Medium und Reflexivum in den romanischen Sprachen. Jena und Leipzig 1933.

–, Die Umschreibung mit occipere, incipere und coepisse als analytische Ausdrucksweise eines ingressiven Aorists. In: Festschrift E. Gamillscheg (1957), S. 451–480.

RHEINFELDER, HANS: Altfranzösische Grammatik. 1. Teil: Lautlehre, München ⁴1968. 2. Teil: Formenlehre, München 1967.

RIGAL, E.: Les participes osé, avisé, entendu, dans les locutions un homme osé, un homme avisé, un homme entendu. In: RLR 25 (1884), S. 257–259.

RISOP, A.: Besprechung zu Herzog, Untersuchungen zu Macé. In: ASNS 109 (1902), S. 193–219.

ROHLFS, GERHARD: Apul. ku, kalabr. mu und der Verlust des Infinitivs in Unteritalien. In: ZRPh 42 (1922), S. 211–223.

–, Griechen und Romanen in Unteritalien. Genf 1924.

–, Le Gascon. Halle (Saale) 1935 (Beihefte zur ZRPh, 85).

–, Historische Grammatik der unteritalienischen Gräzität. München 1950.

–, Historische Grammatik der italienischen Sprache und ihrer Mundarten. Bd. I und II, Bern 1949. Bd. III, Bern 1954.

–, Concordancias entre catalán y gascón. In: Actas y memorias – VII Congreso Internacional de Lingüística Románica (Barcelona 1953). 2 Bde, Barcelona 1955, Bd. II, S. 663–672.

–, La perdita dell'infinito nelle lingue balcaniche e nell'Italia meridionale. In: Omagiu lui Iorgu Iordan. Bukarest 1958, S. 733–744.

–, Neue Beiträge zur Kenntnis der unteritalienischen Gräzität. München 1962.

RONJAT, JULES: Grammaire istorique des parlers provençaux modernes. 4 Bde, Montpellier 1930–1941.

ROSETTI, A.: Istoria limbii române. Bukarest 1968.

ROTH, W.: Beiträge zur Formenbildung von lat. »esse« im Romanischen. Diss. Bonn 1962.

ROTHE, WOLFGANG: Einführung in die historische Laut- und Formenlehre des Rumänischen. Halle 1957.

ROUSSELOT, P.-J.: De vocabulorum congruentia in rustico Cellae-Fruini sermone. Paris 1892.

ROUSSEY, CH.: Glossaire du parler de Bournois (Canton de l'Isle-sur-le-Doubs, arr. de Beaume-les-Dames). Paris 1894.

SALVIONI, CARLO: Besprechung zu Gauchat, Sono avuto. In: AGI 16 (1902), S. 208.

SANDFELD-JENSEN, KRISTIAN: Rumaenske Studier I. Infinitiven og udtrykkene derfor i rumaensk og balkansprogene. Kopenhagen 1900.

–, Der Schwund des Infinitivs im Rumänischen und den Balkansprachen. In: 9. Jahresbericht des Instituts für rumänische Sprache. Leipzig 1902, S. 75–131.

–, Linguistique Balkanique. Paris 1930, S. 173 ff.

SAVJ-LOPEZ, PAOLO: Besprechung zu Gauchat, Sono avuto. In: ZRPh 27 (1903), S. 218.

SCHÄDEL, B.: Un art poétique catalan du XVIᶜ siècle. In: RF 23 (1907) (Mélanges Chabaneau), S. 711–735.

SCHAUWECKER, LUDWIG: Die Genera Verbi im Provenzalischen. Diss. (Masch.-Schr.) Tübingen 1956.

–, Die Genera Verbi im Französisch/Provenzalischen. In: ZfSL 70 (1960), S. 49–83.

SCHIEPEK, JOSEF: Der Satzbau der Egerländer Mundart. Prag; Teil I, 1899, Teil II, 1908.

SCHLIEBEN-LANGE, BRIGITTE: Okzitanische und katalanische Verbprobleme. Tübingen 1971 (Beihefte zur ZRPh, 127).

SCHMID, HEINRICH: Zur Formenbildung von dare und stare im Romanischen. Bern 1949.

SCHNAKENBURG, F.: Tableau synoptique et comparatif des idiomes populaires ou patois de la France. Berlin 1840.

SCHOSSIG, ALFRED: Verbum, Aktionsart und Aspekt in der »Histoire du Seigneur de Bayart par le Loyal Serviteur«. Halle 1936 (Beihefte zur ZRPh, 87).

SCHUCHARDT, HUGO: Slawo-deutsches und Slawo-italienisches. Graz 1884 (Neudruck München 1971).

–, Brevier. Halle ²1928.

SCHULTZ-GORA, OSKAR: Altprovenzalisches Elementarbuch. Heidelberg 1936.

SEGUY, JEAN: Le français parlé à Toulouse. Toulouse 1951.

SEIDEL, E.: Zu den Funktionen der Vergangenheitstempora im Rumänischen. In: Bull.Ling. 7 (1939), S. 65–82.

SOMMER, F.: Handbuch der lateinischen Laut- und Formenlehre. Heidelberg 1902.

SEIFERT, EVA: Die beiden Verben habere und tenere in der altspanischen Danza de la muerte. In: ZRPh 47 (1927) (Festschrift Appel), S. 514–522.

–, Tenere »haben« im Romanischen. Sardinien. In: ZRPh 50 (1930), S. 1–28.

–, Tenere »haben« im Romanischen. Florenz 1935 (Biblioteca dell'Archivum Romanicum, 21).

–, Tenere in den Werken von Camões. In: Festschrift E. Gamillscheg (1957), S. 545–558.

–, Zur Bedeutungsentwicklung von portugiesisch ter. In: Mélanges Delbouille I (1964), S. 595–606.

SETTERBERG-JÖRGENSEN, B.: Andare, venire et tornare. Verbes copules et auxiliaires dans la langue italienne. Diss. Göteborg 1950.

SIEBENSCHEIN, J.: Aller + infinitive in middle french texts. In: Stud. Neoph. 26 (1953/54), S. 115–126.

SNEYDERS DE VOGEL, K.: Les formes surcomposées en français. In: Neophilologus 39 (1955), S. 59–63.

SPITZER, LEO: Aufsätze zur romanischen Syntax und Stilistik. Halle 1918.

STEFANINI, JEAN: La voix pronominale en ancien et en moyen français. Aix-en-Provence 1962.

STEFENELLI-FÜRST, FRIEDERIKE: Die Tempora der Vergangenheit in der Chanson de Geste. Wien 1966.

TAGLIAVINI, CARLO: Le origine delle lingue neolatine. Bologna ⁵1969.

TENDERING, F.: Laut- und Formenlehre des poitevinischen Katharinenlebens. In: ASNS 67 (1882), S. 269–318.

THIELMANN, PH.: Habere mit dem Part.Perf.Pass. In: Arch. f. lat. Lexikogr. 2 (1885), S. 373–423.

THOUZELLIER, CHR.: Catharisme et Valdéisme en Languedoc. Louvain–Paris 1969.

–, Hérésie et Hérétiques. Vaudois, Cathares, Patarins, Albigeois. Rom 1969.

TOBLER, ADOLF: Vermischte Beiträge zur französischen Grammatik. 4 Bde, Leipzig ²1906 ff.

–, und ERHARD LOMMATZSCH: Altfranzösisches Wörterbuch. Bis jetzt 8 Bde, Berlin, später Wiesbaden 1925 ff.

TOGEBY, KNUD: L'énigmatique infinitif personnel en portugais. In: Immanence et Structure. Kopenhagen 1968, S. 131–138 (zuerst in Studia Neophilologica 27 (1955), S. 211–218).

–, L'infinitif dans les langues balkaniques. In: Romance Philology 15 (1962), S. 221–233.

URTEL, H.: Beiträge zur Kenntnis des Neuchâteller Patois. I. Vignoble et Béroche. Diss. Heidelberg 1897.

–, Besprechung zu Gauchat, Sono avuto, mit vielen eigenen Beispielen für den Gebrauch der überzus. Formen in der Schweiz. In: Krit. Jahresbericht über die Fortschr. d. rom. Philologie 9 (1905), S. 172 ff.

VENDRYÈS, JULES: Le langage. Introduction linguistique à l'histoire. Paris 1921.

VERHAAR, JOHN W. M. (Hrsg.): The verb ›be‹ and its synonyms. Philosophical and Grammatical Studies. Part 1–4, Dordrecht 1967–1969.

VIANU, T.: Structure du temps et flexion verbale. In: Bull.Ling. 11 (1943), S. 5–17.

VIGNOLI, C.: Il vernacolo di Castro dei Volsci. In: Studj Romanzi 7 (1911), S. 117–296.

–, Vernacolo e canti di Amaseno. In: I dialetti di Roma e del Lazio I. Rom 1920.

–, Il vernacolo di Veroli (Provincia di Roma). In: I dialetti di Roma e del Lazio III. Rom 1925.

WACKERNAGEL, JACOB: Kleine Schriften. 2 Bde, Göttingen 1953.

WARTBURG, WALTHER VON: Einführung in Problematik und Methodik der Sprachwissenschaft. Tübingen ³1970.

WENDT, HEINZ F.: Sprachen. Frankfurt 1961 (Fischer Lexikon, 25).

WIESE, BERTHOLD: Altitalienisches Elementarbuch. Heidelberg ²1928.

ZAUN, O.: Die Mundart von Aniane (Hérault) in alter und neuer Zeit. Halle 1917 (Beihefte zur ZRPh, 61).

ZIEGLSCHMID, A. J. FRIEDRICH: Zur Entwicklung der Perfektumschreibung im Deutschen (Language Dissertations Published by the Linguistic Society of America, VI, 1929). Nachdruck New York 1966.

Tafel I

ÜBERSICHTSKARTE SÜDITALIEN

Die aufgeführten Orte sind im Kapitel IV des Ersten Teiles zitiert.
Zwischen den gestrichelten Linien verläuft die Grenze zwischen den r-Infinitiven im Süden
Süditaliens und den r-losen Infinitiven im Norden.

Napoli

Bari

740 Omignano

744
San Chirico Raparo

Acquafredda 742

745 Oriolo

752 Saracena

750 Verbicaro

760   762 Acri
Guardia Piemontese

765 Melissa

761 Mangone

771 Serrastretta

Kartenskizze nach
Karte 1 des AIS.

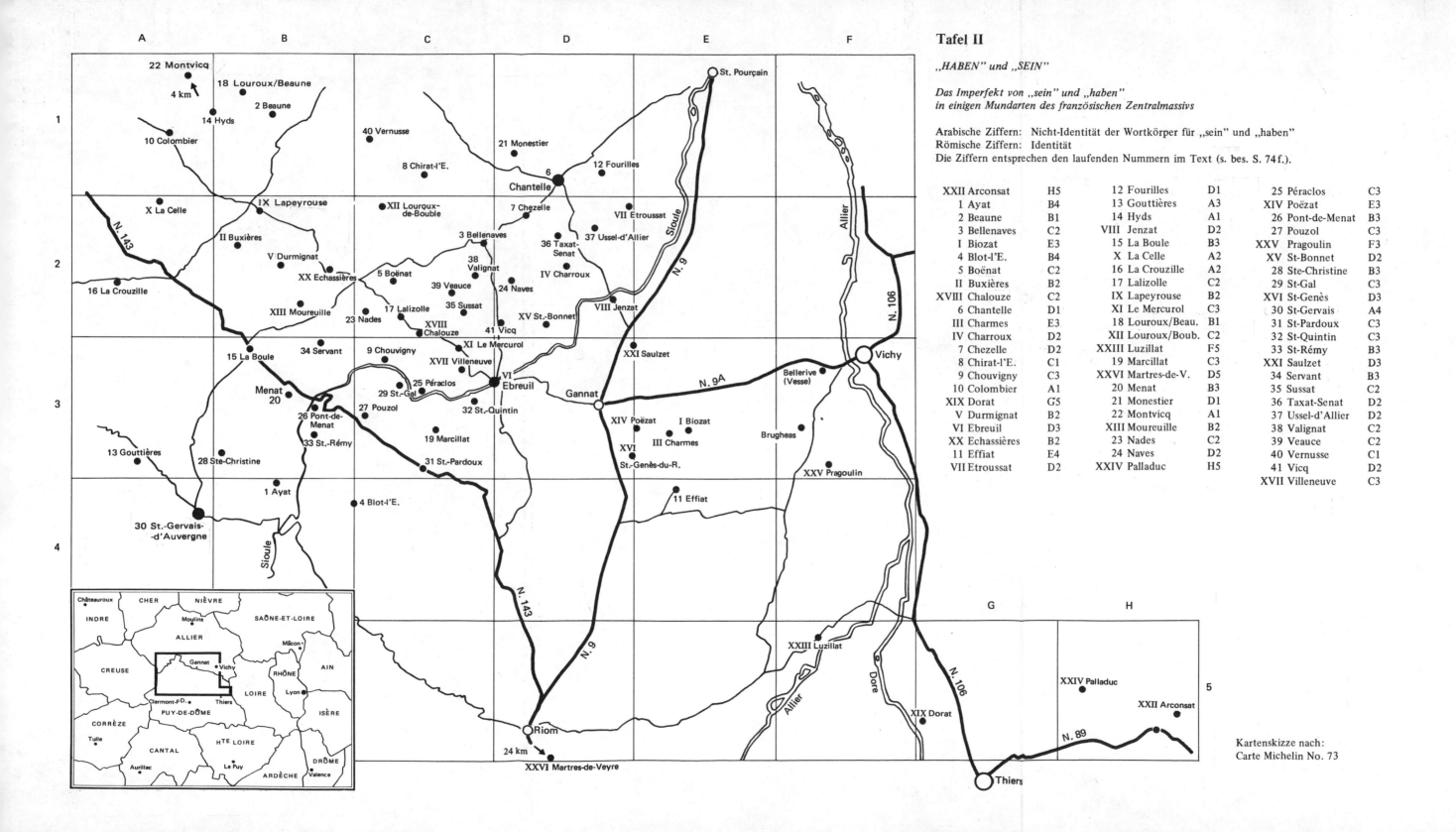

Tafel II

„HABEN" und „SEIN"

Das Imperfekt von „sein" und „haben"
in einigen Mundarten des französischen Zentralmassivs

Arabische Ziffern: Nicht-Identität der Wortkörper für „sein" und „haben"
Römische Ziffern: Identität
Die Ziffern entsprechen den laufenden Nummern im Text (s. bes. S. 74 f.).

XXII Arconsat	H5	12 Fourilles	D1	25 Péraclos	C3
1 Ayat	B4	13 Gouttières	A3	XIV Poëzat	E3
2 Beaune	B1	14 Hyds	A1	26 Pont-de-Menat	B3
3 Bellenaves	C2	VIII Jenzat	D2	27 Pouzol	C3
I Biozat	E3	15 La Boule	B3	XXV Pragoulin	F3
4 Blot-l'E.	B4	X La Celle	A2	XV St-Bonnet	D2
5 Boënat	C2	16 La Crouzille	A2	28 Ste-Christine	B3
II Buxières	B2	17 Lalizolle	C2	29 St-Gal	C3
XVIII Chalouze	C2	IX Lapeyrouse	B2	XVI St-Genès	D3
6 Chantelle	D1	XI Le Mercurol	C3	30 St-Gervais	A4
III Charmes	E3	18 Louroux/Beau.	B1	31 St-Pardoux	C3
IV Charroux	D2	XII Louroux/Boub.	C2	32 St-Quintin	C3
7 Chezelle	D2	XXIII Luzillat	F5	33 St-Rémy	B3
8 Chirat-l'E.	C1	19 Marcillat	C3	XXI Saulzet	D3
9 Chouvigny	C3	XXVI Martres-de-V.	D5	34 Servant	B3
10 Colombier	A1	20 Menat	B3	35 Sussat	C2
XIX Dorat	G5	21 Monestier	D1	36 Taxat-Senat	D2
V Durmignat	B2	22 Montvicq	A1	37 Ussel-d'Allier	D2
VI Ebreuil	D3	XIII Moureuille	B2	38 Valignat	C2
XX Echassières	B2	23 Nades	C2	39 Veauce	C2
11 Effiat	E4	24 Naves	D2	40 Vernusse	C1
VII Etroussat	D2	XXIV Palladuc	H5	41 Vicq	D2
				XVII Villeneuve	C3

Kartenskizze nach:
Carte Michelin No. 73